DE NEUS VAN EDWARD TRENCOM

GILES MILTON

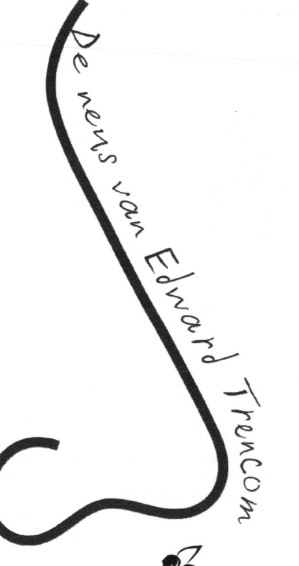

De neus van Edward Trencom

H&W

VAN HOLKEMA & WARENDORF
Unieboek BV, Houten/Antwerpen

Oorspronkelijke titel: *Edward Trencom's Nose*
Vertaling: Monique de Vré
Omslagontwerp: Wil Immink
Opmaak: ZetSpiegel, Best

www.unieboek.nl

ISBN 978 90 475 0327 9 / NUR 302

Copyright © 2007 Giles Milton
Copyright © 2008 Nederlandstalige uitgave: Uitgeverij Unieboek bv, Houten
Oorspronkelijke uitgave: Macmillan, an imprint of Pan Macmillan Ltd

Voor Alex B.
Een zeer sterk verhaal

'Steek je kin eens in de lucht, zodat ik het profiel van je gezicht beter kan bekijken. Ja, dat is de d'Urberville neus en kin – een beetje ontaard.'

– Thomas Hardy, Tess van de d'Urbervilles

Maar wanneer er van een ver verleden niets meer over is, en de mensen dood zijn en alle dingen kapot zijn en verspreid liggen, blijven alleen smaak en geur nog lange tijd hangen, fragieler maar blijvender, immateriëler, aanhoudender en trouwer, als zielen die zich van alles herinneren en tussen de brokstukken van wat er nog rest, wachten en hopen, en zij dragen onverschrokken, tot in het kleinste en bijna onvoelbare druppeltje van hun essentie, het enorme bouwsel van de herinnering mee.

– Marcel Proust, De tijd hervonden

Proloog

16 juli 1969

Toen Edward eindelijk uit zijn slaap ontwaakte, bleek hij zich in een kamer te bevinden die hij meende te herkennen. Hij draaide zich op zijn zij en deed één oog open. Ja, ja, precies zoals hij had gehoopt. Nu hij wist dat hij zich inderdaad op bekend terrein bevond, trok hij de deken op en liet hij zich weer zachtjes wegzakken in de wereld van de slaap.

Hij was gevangen in die verrukkelijke toestand van niet-zijn die ergens tussen sluimeren en waken in ligt. Hij was zich bewust van zijn benen, maar alleen als gewichten. Hij voelde zijn handen, maar alleen als warmte. Toch was zijn neus zich bewust van het feit dat er in het hier en nu – in deze slaapkamer – iets was wat hem een hoogst aangename, werkelijk verrukkelijke gewaarwording bezorgde. Ja, inderdaad. Zijn neus trok en tintelde toen die een geur gewaarwerd – een geur van kaas die aangenaam vertrouwd aandeed.

Ruim twee maanden lang had Edward als verlamd in zijn slaapkamer op nummer 22 van de Sunnyhill Road gelegen. Hij herinnerde zich totaal niet dat hij naar Engeland was teruggebracht. De bootreis naar Italië, de vliegreis naar huis – de details waren wazig en ongrijpbaar, alsof ze tot de wereld der dromen behoorden. Hoewel hij tijdens de hele reis klaarwakker was geweest, was de verdwaasde uitdrukking op zijn gezicht een afspiegeling geweest van de absolute leegte van het inwendige van zijn hoofd. De monniken van Athos hadden eerst gedacht dat hij een soort beroerte had gehad, dat hij niet meer te redden was. Een paar van hen hadden gezegd dat hij ten prooi was gevallen aan misleiding en trots – dat zonden vat hadden gekregen op zijn geest zoals demonen bezit kunnen nemen van de ziel van een mens.

Edward was nog steeds in een deliriumachtige toestand toen Elizabeth hem mee terugnam naar Streatham en lekker instopte in zijn eigen comfortabele bed. Hij scheen zijn vrouw niet te herkennen. Hij had niet eens geweten dat hij thuis was. Hij sprak niet; hij sliep bijna alleen maar. Het leek wel of zijn hele wezen in een winterslaap terecht was gekomen en alleen de warmte van de zomer hem uit zijn sluimer zou kunnen wekken.

De artsen stelden vast dat hij in de ernstige shocktoestand was die (naar hun zeggen) vaak op een trauma volgde. Hun enige recept was: slapen en rusten. Totale ontspanning, dat was wat Edward Trencom het hardst nodig had.

Maar nu, zeven weken nadat hij het huwelijksbed in was geholpen, werd Edwards traag tikkende brein tot leven gewekt door een geur die hij zeker meende te herkennen. 'Ja!' Hij snoof, snoof nog eens. 'Ja… ja!' Hij voelde dat zijn neusholten zich vrijmaakten. Zijn geurbobbel tintelde. Zijn hoofd leek gevuld met de sterke geur van geiten, melkschuren en wilde smilax. 'O… mmm… ja!' En toen, zomaar ineens (na een lange, luide geeuw), vloog er een woord uit Edwards mond: 'Touloumotyri.' En terwijl hij dit zei, begon zijn neus ten tweeden male te trekken; zijn ogen vlogen open en ineens zat hij rechtop in zijn eigen slaapkamer, waar zijn vrouw naast hem zat. Opnieuw hield ze een dikke plak touloumotyri onder zijn neus, in de hoop dat de vage herinnering, iets diep in de verre uithoeken van zijn geheugen, hem uit zijn sluimer zou doen ontwaken.

Zonder nog een woord te zeggen, nam Edward de kaas uit Elizabeths handen en rook nog een keer. Het leek zijn lichaam te betoveren, als een verwelkende bloem die in een vaas met vers, koud water wordt gezet. Het leek wel of de kaas zelf hem nieuwe kracht gaf, hem zich terug deed vechten naar de wereld. Hij voelde het speeksel in zijn mond lopen. Hij merkte dat hij moest slikken. En in zijn buik, die hij wekenlang niet had opgemerkt, voelde hij plotseling pijnscheuten van de honger. Hij voelde de holle leegte in zijn binnenste.

Hij legde de kaas op zijn tong en proefde de rijpe, pittige smaak. Toen kon hij zich niet langer bedwingen, en hij drukte de romige kaas tegen de achterkant van zijn voortanden stuk, hem met zijn tong tussen de openingen door persend.

'O, ja,' zei hij zacht. 'Dat is echte touloumotyri. Het is er een van Teodoro… Het is een septemberkaas, beslist een september-kaas.'

Hij genoot nog wat langer van de smaak en bespeurde de subtiele nasmaak van de vurige tsipouro die Teodoro gebruikte om de korst te wassen. Toen werd Edward zich plotseling bewust van de aanwezigheid van Elizabeth. Tot nu tot was hij zo in zijn eigen wereld opgegaan dat het niet eens tot hem was doorgedrongen dat ze maar een halve meter bij hem vandaan op bed zat.

Min of meer koeltjes nam hij haar van boven tot onder op, alsof hij nog steeds niet goed wist of hij nu wakker was of niet. Maar toen het hem geleidelijk begon te dagen dat hij inderdaad wakker was en dat Elizabeth inderdaad op het bed zat, begonnen zijn ogen zich te focussen op een onverwacht aspect.

'Wat is er met jou gebeurd?' zei hij abrupt. 'Je bent veranderd – je ziet er anders uit.'

Elizabeth glimlachte en streek haar blouse over haar buik glad. 'Ja,' zei ze, terwijl ze een prikkeling van opwinding over haar lichaam voelde trekken. 'Edward, lieveling – ik ben zwanger. We krijgen een kind – en jij – jij wordt vader.'

Er viel een lange stilte terwijl Edwards brein de diverse onverwachte feiten verwerkte die zich zo-even hadden aangediend. Het was dus waar. Hij wás wakker. Hij zat écht in zijn eigen slaapkamer – en zijn vrouw, Elizabeth, was…

De stroom van zijn gedachten stokte toen hij een zijweg insloeg en het veranderde uiterlijk van zijn vrouw in zich opnam. Hmmm… ze ziet er best goed uit. Ja, en ik heb haar die blouse

11

altijd leuk vinden staan en… Hé, wat raar! Zei ze zojuist dat ze zwanger was?

'Maar hoe?' vroeg hij, met een uitdrukking van volslagen verbijstering op zijn gezicht. 'Wanneer? Waarom heb je me dat niet eerder verteld?'

'Ssst!' suste Elizabeth. 'Denk niet te veel. Ga maar weer liggen. Je bent nog erg zwak.'

'Maar…' Edward nestelde zich in de zachte kussens en begon te peinzen. Zijn geest voerde hem terug naar de laatste scène die hij zich met enige helderheid kon herinneren. Die leek heel levendig, bijzonder echt. En toch, ja… leek hij ook heel ver weg. Het was net of hij wakker was geschrokken en zijn geest de beelden uit zijn slaap nog niet had afgeschud. Plotseling schoten hem de woorden van pater Serafim weer te binnen, wist hij weer dat de abt tegen hem gezegd had dat het tijd werd dat hij zich inzette voor de goede zaak. Hij hees zich weer overeind en keek Elizabeth aan.

'Ze waren er allemaal, Elizabeth, al-le-maal. Ik heb ze zien liggen in hun kist. Ze lieten me de skeletten zien. En toen…'

'Laat dat nu allemaal maar rusten,' zei Elizabeth. 'Er zijn veel mensen geweest die ons hebben geholpen naar huis terug te keren – we zijn er allebei heel goed van afgekomen. Ik denk dat de demonen nu tot het verleden behoren.'

Edward boog voor zijn vrouw langs om nog een plak kaas voor zichzelf af te snijden. Hij barstte van de honger.

'En weet je wat nu het allergekste is?' zei hij. 'Mijn neus is weer in vorm. Hij is weer normaal – in topconditie. Ik kan alles ruiken. En niet alleen de touloumotyri.'

'Wat staat ons nu te doen?' vroeg Elizabeth. 'Wat gaat er gebeuren?'

'Ik moet Trencoms weer openen,' zei Edward. 'Dat is een ding dat zeker is. En we zullen een feest geven – ter ere van die goeie meneer George. Waar zouden we zijn zonder meneer George? We zullen iedereen uitnodigen die we kennen – op meneer d'Autun na – en ons te goed doen aan jouw gratin dauphinois.

12

Maar voordat we daaraan beginnen, mevrouw Kaas, denk ik dat we nog wat hebben in te halen. Het is namelijk erg, erg lang geleden dat...'

Elizabeth glimlachte en liet zich op haar rug op bed zakken. 'Kom hier, meneer Kaas,' zei ze speels. 'Laat me eens naar je kijken.'

En precies op dat moment, toen ze haar eerste echte kus op de lippen van haar pas herstelde echtgenoot drukte, gluurde mevrouw Hanson van nummer 47 vanuit haar huis aan de overkant hun slaapkamer in.

'Goeie genade,' zei ze, terwijl ze het gordijn met een ruk een eindje openschoof. 'Het ziet ernaar uit dat meneer Trencom eindelijk aan het herstellen is.'

Deel een

I

3 september 1666

Humphrey Trencom draaide zich op zijn zij en stak zijn neus in
de lucht. Hij was gevangen in die verrukkelijke toestand van niet-
zijn die ergens tussen sluimeren en waken in ligt. Hij was zich bewust van zijn benen, maar alleen als gewichten. Hij voelde zijn
handen, maar alleen als warmte. Toch was zijn waakzame neus
zich al bewust van het feit dat er iets in het hier en nu – in dit
vertrek – niet helemaal klopte.

In de tijd die ervoor nodig was om in zijn slaapdronken brein
een alarm te doen afgaan, liet Humphrey zijn gedachten terug-
dwalen naar de wereld van de slaap. Hij had gedroomd van gebra-
den kapoenen en in honing gestoofde pastinaak, van sappige
houtsnip en paling in gelei. Zijn slaperige dromerijen hadden
hem meegevoerd naar de grootste eetzaal van Whitehall Palace,
waar hij gezeten was naast koning Karel II. Zijn hersenen hadden
niet helemaal door dat dit even onwaarschijnlijk als onaanneme-
lijk was. In plaats daarvan concentreerden ze zich nogmaals op de
lange eikenhouten schraagtafel die zich tot het einde van de zaal
leek uit te strekken.

In de met dromen gevulde holte van Humphreys hoofd was de
tafel beladen met patrijspasteien, granaatappeltaarten en gekonfij-
te kweepeer. Er waren strooibusjes met peper en potjes met olie,
kannen met chocola en schenkpannen met saus. Het middelpunt
van deze uitstalling vormde een grote toren Engelse kazen, meer
dan twintig verschillende soorten die waren opgestapeld op een

tinnen sierschaal. Humphrey zelf had alle kazen voor dit verdovende banket geleverd en hij stond op het punt de vorst, die op dat moment aan zijn rechterhand zetelde, zijn deskundige advies te geven.

'En welke,' vroeg de koning ongewoon familiair, 'raad u ons met name aan te proberen?'

Humphreys favoriet was reeds lang de gerookte tynwood uit Norfolk. Behoedzaam en met de grootste zorg wurmde hij hem onder de andere kazen vandaan, waardoor de stapel licht begon te wiebelen. Nadat hij hem aan de koning had laten zien, sneed hij een dikke punt uit de ronde kaas. Hij zag dat de pokdalige korst met een dunne laag as was overdekt die het citroengele binnenste van de kaas een naar eikenhout smakende zachtheid verleende. Humphrey bracht hem naar zijn neus en snoof diep. O, ja – de geur was voelbaar vol. De geur van vreugdevuren en van de rook van houtvuren werkte zich diep zijn bewustzijn binnen, waardoor zijn nog slapende mond begon te kwijlen.

Precies op dit punt in zijn droom zond zijn bewuste neus bliksemsnel een alarmbericht naar zijn nog niet bewuste brein. Nog geen twee seconden later besefte een abrupt ontwaakte Humphrey dat er op deze warme ochtend aan het eind van de zomer iets niet in de haak was.

De geur van rook was niet afkomstig van het stuk tynwood uit Norfolk, maar dreef naar binnen door het kelderraam – niet waar te nemen met het blote oog, maar wel degelijk aanwezig in de gevoelige neusgaten van Humphrey Trencom.

'Hemel!' zei hij tegen zichzelf terwijl hij in bed overeindschoot. 'Er is beslist iets aan de hand.' Hij zette zijn slaapmuts, die over zijn ogen was gegleden, goed en zwaaide zijn benen over de rand van het bed. Terwijl hij dit deed, merkte hij dat de kamer gevuld was met een doforanje gloed. Met een toenemend gevoel van dreigend gevaar klom hij de vier treden naar het hoge glas-in-loodraam op dat uitkeek over een groot deel van de stad.

Wat zijn ogen aanschouwden was zo schokkend en onverwacht dat hij zich aan het kozijn moest vastklemmen om niet te vallen.

'O, Heer,' zei hij. 'O, lieve Heer.' Zo ver zijn blik reikte, van de St.-Gileskerk in het noorden tot Thames Street in het westen, stond de hele stad Londen in brand. Canning Street was één vuurzee, de Beurs was een brandende houtmassa. De Botolph's Wharf stond in lichterlaaie. Zelfs een paar woningen op de London Bridge leken van binnen te smeulen.

Het koste Humphrey ongeveer drie seconden om de omvang van de ramp te bevatten en nog eens twee seconden om te beseffen dat zijn eigen leven zeer wel mogelijk in groot gevaar was. De St.-Agathaparochiekerk, nog geen honderd meter van zijn huis vandaan, werd door vuur verteerd. De Golden Cocke zond een waaier van vonken de lucht in, de Fox and Grapes was een rokende puinhoop. Humphrey tuurde door de lijkwade van rook heen en toen drong het tot hem door dat het schuine loden dak van de oude St.-Paul, die hij nog net kon ontwaren, één gesmolten stroom leek. Vloeibaar metaal stroomde uit de waterspuwers en spetterde op de grond eronder.

Hij rende de achtertrap af, het laantje in. De lucht was een soepachtig mengsel van scherpe rook – veel sterker en prikkelender dan in zijn eigen kamer. Humphrey rook pek en teer en brandende zwavel.

In de Foster Lane wemelde het van de mensen – vrouwen, krijsende baby's, dienstmeiden en soldaten. De keien waren bezaaid met kapotte meubels. Karren en wagens blokkeerden de straat.

'Verduiveld, wat gebeurt hier allemaal?' brulde Humphrey tegen een langslopende soldaat. 'Waar moeten we heen?'

'De hele stad staat in brand,' was het antwoord. 'Zorg dat u bij de rivier komt.'

Zodra hij besefte dat ontsnappen nog mogelijk was en dat zijn eigen leven daarom niet onmiddellijk in gevaar was, moest Humphrey wanhopig aan zijn winkel denken.

Mijn kazen, dacht hij. Wat moet ik met mijn kazen doen?

Er flitsten diverse mogelijkheden door zijn hoofd. Hij kon ze op een wagen laden. Hij kon mensen betalen om ze naar de rivieroever de dragen. Hij kon proberen ze naar de kelder te slepen. Maar toen hij de laan in staarde en zag hoe die verstopt was met volk, besefte hij dat geen daarvan realistisch was. Londen stond in brand en niemand zou hem helpen zijn kaas te redden.

De vlammen kwamen gevaarlijk dichtbij. De lucht zelf was zo heet als een oven en er vielen vlammen en vuurwerk uit de lucht. King Street en Milk Street waren nu één vlammenzee en diverse huizen aan de Lothbury brandden fel. Het was slechts een kwestie van tijd voordat de vuurwand Trencoms zou bereiken.

Toen de vlammen dan kwamen, vormden ze een meedogenloze golf. Ze kregen vat op de winkel op de hoek – die van meneer George, de wijnverkoper – en deden zich te goed aan het hout, waarna ze het dak losrukten. Humphrey keek ontzet maar toch gefascineerd toe, terwijl de gevel zich losmaakte van het gebouw en in een explosie van vlammen op de grond stortte. Daarna was de Olde Bear aan de beurt; de vlammen, gevoed door vaten met brandewijn in de kelder, maakte korte metten met de muren van leem en riet. Vervolgens raasden ze door nummer 12 en de Olde Supply Store, alvorens hongerig aan de kurkdroge voorgevel van kaaswinkel Trencoms te snuffelen.

Humphrey kwam zo dicht bij de vlammen als hij durfde en sloeg met kil afgrijzen de nakende verwoesting van zijn leven gade. De hitte was intens – een pulserende, verzengende luchtstroom – maar toch leek hij niet in staat te vluchten totdat hij met eigen ogen de vernieling van zijn levensonderhoud had aanschouwd.

De vlammen likten aan de houten balken alsof ze aan de kazen wilden ruiken en ervan wilden proeven voordat ze erop aanvielen. De oude balken, die ruim twee eeuwen eerder in de grond waren gestoken, waren zo droog als een oud lijk. Londen had al ruim drie maanden geen regen gezien en het knisperdroge oppervlak van het hout was in een mum van tijd verkoold. Daarna ontbrandde ineens de hele voorkant van de winkel op spectaculaire wijze.

De kleine winkelruiten verzetten zich dapper tegen de golf van hitte, maar dat lukte maar even. Humphrey kon niet zeggen wat er eerst smolt, het lood of het glas, maar hij zag hoe de beroemde etalage van Trencoms, die hem ruim twintig guinje had gekost, op dramatische wijze gesmolten uit zijn omlijsting viel. Even later begonnen de likkende tongen van de vlammen de begane grond binnen te dringen en aan alles te snuffelen wat brandbaar zou kunnen zijn.

Humphrey stond gevaarlijk dicht bij het vuur – op nog geen dertig meter afstand van de winkel. Ondanks de hitte, die zijn kazen roosterde, week hij niet van zijn plek en keek vol afgrijzen toe terwijl de vlammen hun eerste slachtoffer vonden – een grote stapel eersteklas suffolk gilden, die op een tafel vlak bij het raam was uitgestald. Even daarvoor was de kaas voor de ergste hitte afgeschermd geweest door het dunne glas-in-loodraam, maar nu dat er niet meer was, kreeg hij de volle laag.

Het oppervlak werd glanzend en begon te smelten. Toen begon het inwendige uiterst langzaam vloeibaar te worden. De stapel kromp enigszins toen de vaste structuur in een zachte massa veranderde. De bovenste kaas sijpelde op die daaronder en die smolt op zijn beurt op de grote ronde kaas onderop.

Er verschenen belletjes op het oppervlak. Die veranderden in sputterende blazen. Daarna begon er vanuit de onderbuik een kleverige brij op de grond te druipen. De harde korsten verweerden zich nog fier tegen de angstwekkende hitte, maar nu de kazen ontdaan waren van hun inwendige organen, verschrompelden ze al snel en stortten ze in. Humphreys gildens waren veranderd in een vloeibare plas.

De vlammen voelden zich aangemoedigd door het gemak waarmee ze succes boekten en drongen nog dieper het gebouw in. Toen de hitte toenam, begonnen steeds meer kazen tot wasachtige kluiten te verzakken. Ze verloren hun vastheid. De randen werden zacht en daarna werden ze ten slotte langzaam door de vlammen ontstold. De charworths lekten op de bridgeworths, en de stiltons vermengden zich met de schimmelkazen.

Midden in deze ontstollingsramp behield alleen de parmezaanse kaas zijn oorspronkelijke vorm. Wel vijf minuten lang verweerde hij zich dapper tegen de meedogenloze aanvallen van vuur en vlam, maar schijnbaar ontmoedigd door de hem omringende doem, begon zijn ronde buik te krimpen en te knikken.

Ruim twee maanden had deze vijfenveertig kilo wegende gekuipte vorm de vaste klanten van Trencoms plezier en verrukking geschonken, maar nu siepelde de slijmerige inhoud drup-drup-drup op de vloer.

Humphrey wist dat wanneer de winkel vanbinnen een bepaalde temperatuur had bereikt, alle nog aanwezige kazen spontaan zouden verbranden. Hij hoefde nog maar een paar seconden te wachten totdat dit trieste moment zich voordeed. Toen de klokken van de St.-Marykerk het zevende uur sloegen – de laatste keer dat ze ooit nog zouden luiden – veranderde Trencoms kaaswinkel met een luide knal in een vuurbal.

Humphrey keek met een mengeling van ontzag en afschuw toe. Hij had zich al neergelegd bij het verlies van zijn winkel en had ook begrepen dat dit het einde van zijn bron van inkomsten was. En toch was hij er te midden van deze opperste verwoesting trots op dat zijn kazen zich veel krachtiger teweerstelden dan alle andere brandende gebouwen. De taveerne was onder een geknetter van vlammen verdwenen. De Olde Supply Store had lang en langzaam gebrand. Maar zijn kazen gaven tot het eind toe blijk van theatrale kwaliteiten. Gesmolten, druipend en in vloeibare olie veranderd als ze waren, transformeerden ze de winkel nu in een spectaculaire hellemond.

Toen Humphrey deze opera-achtige finale stond te aanschouwen, begon zijn neus weer te trekken. Deze keer reageerden zijn hersenen vrijwel onmiddellijk. Ach ja! Zijn kazen, zijn geliefde kazenfamilie, gaf hem nog één laatste ronde plezier. Te midden van de stank van brandend hout, pek, stof en as was daar het alles doordringende aroma van gesmolten kaas. Humphrey kon in het scherpe brouwsel van geuren geen enkele soort onderscheiden. Wat nu zijn neus binnendrong, was een krachtige mengeling van geuren. Zoiets had hij nog nooit geroken.

Hij keek om zich heen en werd plotseling bevangen door paniek. Hij besefte dat hij inmiddels helemaal alleen was en bijna omgeven werd door een wand van vuur. Hij was zo opgegaan in het kijken naar de vlammen die zich met kaas voedden dat hij helemaal niet had gemerkt dat het vuur zich zuid- en oostwaarts had verspreid en al de hele Lawrence Lane aan het doorrazen was. De lucht was zo heet dat hij bijna geroosterd werd en Humphrey voelde zijn trouwring op zijn huid branden.

Grote god! dacht hij. Waar is iedereen gebleven? Ik moet hier weg – ik moet bij de rivier zien te komen.

Hij stond zichzelf toe nog eenmaal naar het brandende overschot te kijken van wat onlangs nog Trencoms kaaswinkel was geweest. Toen keerde hij zich bliksemsnel om en rende het laantje door, waarbij hij struikelde over geblakerde houtresten en hopen neergestorte stenen.

Zijn geest was er helemaal op gericht zijn eigen huid te redden en pas toen hij bij de oever aankwam, begon hij met enige helderheid zijn hachelijke situatie in te schatten. Terwijl hij dat deed, maakten zijn gedachten een aantal salto's alvorens een wel zeer onverwachte richting in te slaan. Hij begon zich af te vragen of de brand het teken was waarvan zijn moeder op de haar kenmerkende cryptische wijze had gezegd dat hij het op een dag moest verwachten. Ze had altijd volgehouden dat de familie Trencom op een soort teken van de hemel wachtte en dat hij, wanneer het eenmaal kwam, het wel móést opmerken.

'Hou je ogen open, Humphrey,' had ze tegen hem gezegd toen hij nog een kleine jongen was, 'en grijp het moment aan. Het teken zal jouw lot en dat van de hele familie Trencom bepalen. Ja, het zal goede tijdingen voor onze familie inhouden, vele generaties lang.'

Als kleine jongen had Humphrey vaak aan zijn moeder gevraagd hem meer te vertellen, maar het enige wat ze hem dan te bieden had, was een van haar gebruikelijke monologen. 'Ooit werd ons bloed door alle aanzienlijke hoven van Europa gezocht,' zei ze dan met een krachtige hoofdknik. 'O, ja. We hadden met telgen van de beroemdste vorstenhuizen kunnen trouwen. Tsaar Iwan de Verschrikkelijke deed je oudmoeder Irene een aanzoek. En koning Gustaaf II Adolf van Zweden bood een van je tantes de stad Luzern in Saksen als bruidsschat aan.'

De jeugdige Humphrey had in vervoering naar zijn moeders opsomming van koninklijke namen en koningshuizen geluisterd. Hij had deze verhalen zo vaak gehoord dat hij bijna woordelijk wist wat er kwam.

Nu komt het – nu komt het, dacht hij dan, in gedachten zijn moeders vreemde accent nabootsend: en ík had met prins Christiaan IV van Denemarken, Noorwegen en de Lofoten kunnen trouwen.

'En ík,' zei ze, precies volgens het boekje, 'had met de keizer van het Heilige Roomse Rijk, ja, zelfs met Ferdinand III kunnen trouwen. Maar de vorm van zijn snor stond me niet aan.'

Humphrey had even moeten slikken toen hij besefte dat het overbekende script plotseling met een nieuwe en zeer illustere persoon verrijkt was.

'Echt waar, moeder?' had hij gezegd. 'Weet u zeker dat het niet prins Christiaan IV van Denemarken, Noorwegen en de Lofoten was?'

'Jawel,' was haar antwoord geweest, terwijl ze in het stof spuugde. 'Ook met hem. Ik had met hen allemaal kunnen trouwen. Maar ik – wij – wilden ons bloed niet mengen met dat van zulke inferiéúre types.'

'Maar waarom,' had Humphrey aarzelend gevraagd, 'trouwde u dan met mijn vader?'

Er viel een lange stilte, terwijl zijn moeder Zoë dromerig naar de vakwerkwoning keek die al tien jaar lang haar thuis was.

'Ik werd verliefd,' had ze geantwoord, terwijl ze haar ogen met haar rok afveegde. 'En ik wist dat we samen de zoon konden voortbrengen die ons erfrecht zou kunnen terugeisen. Dat ben jij, Humphrey. En toen ik je neus zag – toen ik zag dat je míjn neus had geërfd, was ik ervan overtuigd dat het nog slechts een kwestie van tijd was. We hadden ons vaderland verlaten in een chaos van vuur en vlammen – en een chaos van vuur en vlammen zou ons er zeker weer terugbrengen.'

Wat had zijn moeder met die woorden precies bedoeld? Humphrey had het nooit zeker geweten, maar nu, terwijl hij zijn hoofd naar de brandende stad keerde, overtuigde hij zichzelf er al snel van dat het vuur de geheimzinnige voorbode was waarover ze had gesproken. In zijn ogen luidden de vlammen die zijn winkel hadden verwoest iets van bijzonder groot belang in.

Maar natuurlijk! dacht hij, met een tintelend gevoel van opwinding. Dit is vast en zeker het teken waarover ze sprak. Dit móét het teken zijn. Eindelijk is het gekomen, precies zoals ze had voorzegd.

Humphrey had nog niet geconcludeerd dat de brand een boodschap uit Den Hoge was, of hij merkte dat er zich een stortvloed van ideeën door de oververhitte ruimten van zijn brein repte. Na zeer korte tijd en zonder inachtneming van uitvoerbaarheid of logica besloot hij tot een dramatische en zeer onverwachte handelwijze.

'Ik ga naar Constantinopel,' zei hij met een krachtige hoofdknik tegen zichzelf. 'Ja… ja. Dat is vast wat mijn moeder wilde dat ik deed. Ik zal deze zwartgeblakerde puinhopen aan de zorg van mijn capabele broer John overlaten en mijn lotsbestemming in Constantinopel zoeken.'

Aldus geschiedde. Weinig kon Humphrey echter vermoeden dat hij door het teken te volgen en zijn reis te maken een uiterst rampzalige reeks gebeurtenissen in gang zou zetten – een reeks die pas in de lente van 1969 gestuit zou worden, precies driehonderddrie jaar en negen generaties na zijn gehaaste en onverwachte vertrek. Het zou het lot zijn van een zekere Edward Trencom, een rechtstreekse afstammeling van de overhaaste Humphrey, de verschrikkelijke gevolgen van dit besluit ongedaan te maken.

II

Januari 1969

De gids klapte in haar handen en liet een ongeduldig kuchje horen. Ze wilde de rondleiding beginnen. 'Mag ik even uw aandacht dames en heren. Ahum... als u zover bent. Mag ik vragen... ahum.'

Het groepje viel stil en ze begon.

'Allereerst,' zei ze, 'wil ik u welkom heten op deze rondleiding. Hij duurt ongeveer veertig minuten en als u vragen hebt, dan, eh, kunt u die gewoon stellen.

Goed. Waar zullen we beginnen? Trencoms is, zoals u kunt zien, gehuisvest in een zeer ongewoon gebouw. De voorgevel is typisch Georgiaans – rode baksteen, een benedenverdieping en twee bovenverdiepingen, en fraai geproportioneerd – het soort huis waarin, zoals meneer Trencom ooit opmerkte, veel van Jane Austens personages zich heel goed thuis hadden kunnen voelen.

Kijkt u eens naar het waaiervenster boven de deur. Dat is origineel. Kijkt u ook eens naar de schuiframen. In de meeste daarvan zit nog het achttiende-eeuwse glas. Ja, meneer, u hebt gelijk: het is inderdaad heel ongewoon in Londen, maar dat hebben we te danken aan meneer Albert Trencom. Hij timmerde – tot groot vermaak van de naburige winkeliers – hout voor de ramen op de dag waarop de Tweede Wereldoorlog uitbrak, en dat hout ging er pas af op de dag waarop de wapenstilstand werd gesloten.

Boven de deur van de ingang, die al ruim een eeuw donkergroen is, ziet u het soort smeedijzeren uithangbord dat ooit in heel Londen gangbaar was, met daarop de tekst "Trencoms, 1662". Dat was natuurlijk het jaar waarin de winkel zijn deuren opende.

Ja, meneer, u hebt een vraag? Ah, ja, wat er met de oorspronkelijke zaak is gebeurd? De eerste winkel bestaat niet meer. Hij brandde tijdens de grote brand van 1666 tot de grond toe af – er bleef niets van over. Hij was pas vier jaar open toen de eerste grote ramp zich voordeed.'

De gids schuifelde even met haar voeten en staarde kort naar de grond. 'Misschien moet ik even vermelden,' zei ze, 'dat de brand niet de enige ramp was die Trencoms in zijn lange geschiedenis overkwam. Het is vreemd. U moet namelijk weten dat iedere generatie wel het een of andere ongeluk overkwam.' Ze leek het woord 'ongeluk' te rekken, alsof ze op iets van meer sinistere aard wilde duiden. 'Je zou bijna kunnen zeggen dat Trencoms in zekere zin... vervloekt is.'

De gids had met deze laatste opmerking de aandacht van de hele groep gevangen en in de dramatische stilte die volgde, greep ze de gelegenheid aan om een afgezaagd grapje te maken – een waarvan ze wist dat iedereen erom zou lachen.

'Enfin,' zei ze, 'laten we hopen dat de volgende ramp zich niet in de loop van de komende veertig minuten voltrekt.'

Terwijl de groep braaf collectief grinnikte, reageerde de gids met een instemmend knikje op hun pret, en ze vervolgde de rondleiding.

'Dan nog een paar andere feiten. Let op het koninklijke wapen en dat magische woord: "Hofleverancier". Ik weet zeker dat sommigen van u dit tijdens uw verblijf in Londen ook in andere winkels gezien hebben – ja? Hmm? Ik zie sommigen van u knikken.

Ik kan u verzekeren dat deze term inderdaad een grote eer is. Trencoms verwierf deze status tijdens de regering van koningin Victoria, die bijzonder gesteld was op de overjarige double gloucester van meneer Henry Trencom. Prins Albert gaf trouwens de voorkeur aan de hartige gewürzkäse uit Noord-Beieren. We hadden trouwens onlangs iemand bij de groep, een Duitse zakenman, die uit het dorp kwam waar de gewürzkäse gemaakt wordt.'

Ze zweeg even om een nieuwkomer in de groep te verwelkomen. 'Goeiemorgen, goeiemorgen,' zei ze met de haar kenmerkende jovialiteit, met haar hand aangevend dat de man naderbij moest komen. 'Sluit u maar bij ons aan. Op vakantie zeker? Vertel ons hoe u heet. En vertel ons vooral waar u vandaan komt. Ik vind het altijd leuk om te weten welke landen ik heb in de groepen die ik rondleid.'

De man leek duidelijk niet op zijn gemak, alsof die vraag nu wel de laatste was die hij had verwacht. 'Eh... Griekenland. Ik kom uit Griekenland.' Hij sprak aarzelend en met een zwaar accent. 'De naam is Papadrianos. Andreas Papadrianos,' zei hij, zijn hand uitstekend. 'Uit Thessaloniki.'

'Ah, mooi, mooi,' zei de gids. 'We hebben al maanden geen Griek meer in de groep gehad. Mag ik u een adviesje geven? Wanneer we binnen zijn, moet u een plak van meneer Trencoms haloumi proberen. Heerlijk, echt waar. U vindt buiten Griekenland gegarandeerd geen betere.'

Met een glimlach op haar gezicht stelde ze de man nog een vraag.

'Zaken of plezier?'

'Pardon?' zei meneer Papadrianos.

'Bent u hier voor zaken of voor uw plezier?' herhaalde de gids, die veel langzamer dan anders sprak vanwege het feit dat ze het tegen een buitenlander had.

'Zaken,' zei de man kortaf, die zich duidelijk ergerde aan het feit dat hij iets over zichzelf moest loslaten. 'Ik ben hier voor... persóónlijke zaken.'

'Juist ja,' zei de gids, die dit als een teken opvatte dat haar nieuwsgierigheid haar weer eens de baas was geworden. 'Goed. Dames en heren, en meneer Papa-wat-was-het-ook-alweer... Als u zover bent, kunnen we nu naar binnen gaan. Ik wil diegenen onder u die een fototoestel hebben, vragen niet te flitsen, want men is erachter gekomen dat dit de groei van de schimmels op de kaas kan verstoren.'

Na dit waarschuwende woord en na nog een laatste blik op de voorgevel geworpen te hebben, was de groep klaar om de oudste, fraaiste en beroemdste kaaswinkel van Londen binnen te gaan.

De eerste en meest onmiddellijke gewaarwording die je kreeg wanneer je Trencoms voor het eerst betrad, was de ongewone geur. De lucht was doordrongen van de penetrante geur van kaas, alsof zelfs de muren en het plafond van grote plakken romigwitte emmentaler gemaakt waren. Wanneer klanten of gidsen voor het eerst naar binnen liepen, bleven ze door de geur van de kaas altijd even stilstaan. Het was geen onaangename geur, helemaal niet, maar het duurde ruim een minuut voordat de neusgaten zich aan de abrupte verandering hadden aangepast.

's Morgens vroeg was de atmosfeer het benauwdst en bedomptst, wanneer de winkel net was opengegaan. Het was net of de rijpende kazen in hun slaap de hele nacht al gapend, zuchtend en ademend muffe kaasgeuren hadden uitgewasemd. De Trencoms waren er lang van overtuigd dat de stiltons in hun diepste slaap boerden en dat de roqueforts in hun diepste slaap winden lieten. Waarom ook niet? Per slot van rekening was iedere kaas bij Trencoms een levend wezen – een dichte en vibrerende klont groen-blauw-crèmekleurige bacteriën.

De familie had lang geleden ontdekt dat veel kazen in de donkere uren van de nacht een geheimzinnige metamorfose doormaakten. Wanneer ze 's morgens arriveerden, ontdekten ze dat de klokvormige clochettes – die een paar uur eerder nog onrijp waren geweest – een nieuwe en groenige patina van schimmel hadden gekregen. Ze ontdekten dat sommige couhé-véracs zich op miraculeuze wijze hadden ontdaan van hun omhulsel van kastanjeblad, alsof het onderrokken waren of negligés die ze wellustig op de grond hadden laten glijden.

Menige Trencom had zich geamuseerd met gedachten over wat er zich nu werkelijk in de nachtelijke wereld van de kaas afspeelde. Maakten de tommes avances naar de picodons? Maakten de gaperons de slanke buchettes het hof? Welke capriolen er ook werden uitgehaald in de uren waarin de winkel dicht was – en niemand kon daar ooit helemaal zeker van zijn –, de kazen wisten de winkel van een kenmerkende, zij het ambigue, ochtendgeur te doordringen, het soort aangename-onaangename geur die zich ook wel onder het dekbed van jonge minnaars ophoopt.

'Goedemorgen, meneer Trencom,' zei de gids toen ze de winkel binnenkwam. 'Hoe gaat het met u?'

'Ook goedemorgen, mevrouw Williamson,' antwoordde hij, alle leden van de groep toelachend. 'Ja, ja – met mij gaat het opperbest, jazeker, opperbest.' Daar was geen woord van gelogen. Meneer Edward Trencom, de eigenaar van Trencoms – de tiende generatie van de familie die deze positie bekleedde – maakte het werkelijk uitstekend. Hij gaf een stevige klap op zijn buik en poetste toen met een punt van zijn schort zijn neus. Een aantal mensen in de groep lachte besmuikt toen ze hem hoorden praten en een paar anderen wisselden een blik toen ze de eigenaardige vorm van de neus van meneer Trencom opmerkten. Maar de betergemanierden wisten zich te beheersen.

'Daar komt-ie, mevrouw Williamson – een stukje pencarreg om u een beetje op te kikkeren zo vroeg op de ochtend.' De gids bloosde lichtjes en stopte het in haar mond.

'En als die u nog geen kippenvel bezorgt,' grinnikte meneer Trencom, 'dan zullen we een groot brok Bourgondische clacbitou moeten voorschrijven.' Mevrouw Williamson glimlachte, de groep lachte en meneer Trencom wenste iedereen een heel prettig bezoek toe.

De winkel had een vloer van afwisselend groene en crèmekleurige marmertegels. Overdag waren de tegels bestrooid met zaagsel, waardoor ze verraderlijk werden voor iedereen die zo dom was Trencoms binnen te stappen op het soort hoge hakken dat eind jaren zestig populair was bij typistes en secretaresses.

Langs beide wanden stonden lange marmeren toonbanken, met een vitrine van glas en koper erop. Hierdoor konden de klanten de uitgestalde kazen – een fractie van wat er in de kelder lag opgeslagen – bekijken en werd tegelijkertijd contact met de adem of de dwalende vingers van de cliëntèle van Trencoms voorkomen. Elke kaas stond op zijn eigen handgemaakte strooien mat. Deze matten werden al sinds het eind van de jaren zeventig van de negentiende eeuw uit de Camargue geïmporteerd. Ze waren neutraal van kleur en geur, waardoor de kaas kon ademen zonder dat er ongewenste geuren of smaken aan werden afgegeven.

Het interieur van de winkel dateerde uit 1873 – de eerste en enige keer dat Trencoms opnieuw was ingericht. Twee Victoriaanse ventilatoren, in dat jaar geïnstalleerd, draaiden nog steeds traag onder het plafond, bij iedere vierde rondwenteling zacht tikkend. Ze wentelden de lucht met zware monotonie rond, alle aparte geuren tot één geur vermengend. Als je er vlak onder stond en je hoofd in een stand van ongeveer vijfenveertig graden hield, circuleerde de lucht op de een of andere manier zodanig dat de geur diep in je neus drong. Maar als je bij het eind van de toonbank ging staan, was het resultaat heel anders – licht, aromatisch en bijna muf. Het was reeds lang een traditie bij de eigenaren van Trencoms om iedere ochtend op vier verschillende plekken te gaan staan en de geur hun neusgaten te laten binnendringen. Ze vonden het leuk om te kijken hoeveel verschillende kazen ze in de sterk geurende cocktail konden identificeren.

De muren van de winkel waren bekleed met rechthoekige, crèmekleurige tegels, een kleur die overeenkwam met de kleverige binnenkant van een rijpe maroilles. Boven een van de toonbanken waren drie planken met zeldzame kazen in glas uit de Peloponnesos, die in pikante olijfolie dreven. Achter elke toonbank stond een rijpe epoisses die precies goed was om te eten en een mok met theelepeltjes. Groepen werden altijd verwelkomd met een lepeltje epoisses en een warme persoonlijke begroeting. Vooral Amerikanen waren erop gebrand de afstammeling van een familie te ontmoeten die al meer dan drie eeuwen 'in de kaas zat'.

'En nu,' zei mevrouw Williamson, 'als u zover bent, zullen we de crypte in gaan.'

Toen de groep via de houten trap afdaalde naar de kelder, gebeurde er iets nogal eigenaardigs – iets wat een schaduw zou werpen op de rest van Edward Trencoms dag. De Griekse laatkomer liet iedereen voorgaan alsof hij uit beleefdheid de laatste wilde zijn die de trap af ging, maar zodra iedereen uit het zicht was verdwenen, ging hij terug naar de winkel en liep snel op meneer Trencom af.

'Ze weten het van u,' fluisterde hij. 'Alles weten ze. U verkeert dan ook in groot gevaar. Ze houden u al een week in de gaten, misschien al langer. Ook nu letten ze op u.'

Edward Trencom werd zo overvallen door de manier waarop hij werd aangesproken, en door een volslagen onbekende nog wel, dat zijn eerste reactie was dat hij krachtig over zijn neus wreef, iets wat hij altijd deed wanneer hij nerveus of verontrust was. Toen keek hij de man aan met een blik waaruit sprak dat hij zich in de eerste plaats afvroeg of hij hem wel goed had verstaan, en in de tweede plaats of hij hem de winkel uit moest zetten.

'Pardon?' zei hij op een toon die even beleefd was als anders, maar dan iets fermer en dringender dan hij ooit tegen zijn vaste klanten zou aanslaan. 'Kunnen we u ergens mee van dienst zijn? Zocht u een bepaalde kaas?'

'Meer kan ik u niet vertellen,' vervolgde meneer Papadrianos, die zich van Edwards reactie niets aantrok. 'Maar ook op dit moment wordt u – worden wé – in de gaten gehouden.'

Terwijl hij dit zei gebaarde hij naar buiten, naar de straat. Edward liet zijn blik naar de grote etalageruit dwalen en schrok van wat hij zag. Een zeer lange man – die er even Grieks uitzag als de onbekende voor hem – tuurde door de ruit naar binnen. Hield zelfs zijn blik strak op hem gericht. Toen hun blikken elkaar kruisten – en contact maakten – boog de onbekende buiten plotseling zijn hoofd en haastte hij zich de straat uit.

'Ik kan nu niet praten,' zei de man die voor Edward stond. 'Maar kijk goed om u heen – en wees op uw hoede. We hebben u nodig. Al onze hoop is op u gevestigd, meneer Trencom, al onze hoop. Ik kom terug en dan zal ik u meer vertellen. Ik kan niet zeggen wanneer, maar ik kom terug. Dat kan ik u verzekeren.' En daarop maakte meneer Papadrianos een groetend gebaar met zijn hand en verliet hij haastig de winkel.

'Asjemenou,' zei Edward tegen zichzelf terwijl hij nadacht over de eigenaardige scène die zich zojuist had afgespeeld. 'Dat is wel het vreemdste dat me is overkomen sinds...' Zijn gedachten sloegen even een zijweg in toen hij zich afvroeg wat het laatste vreemde was dat hem was overkomen. Omdat hem niets te binnen wilde schieten, maakte hij een aantal keren een verontwaardigd geluid met zijn tong en keerde hij vervolgens terug naar het onderwerp. Tjonge, dacht hij, waar ging dat nou in hemelsnaam over? Wat had hij ook alweer gezegd? 'We hebben u nodig. Al onze hoop is op u gevestigd.' Nou ja, zeg! Zo'n belachelijke onzin heb ik van mijn leven nog nooit gehoord.

Terwijl hij, zich een lichte glimlach veroorlovend, in gedachten het voorval nog eens doornam, liet hij een stukje romige caussedou in zijn mond glijden.

'Nee, nee, nee,' zei Edward hardop terwijl hij de kaas tegen zijn verhemelte platdrukte. 'Hij smaakt niet zoals hij moet smaken. Verre van. Je zou zelfs kunnen beweren dat hij smaakt alsof hij bedorven is.'

III

Edward Trencom was in het bezit van een zeer bijzondere neus. Het was een lange, rechte neus met een opvallende maar volmaakt gevormde ronde bobbel op de brug. Zo lang hij volwassen was, had hij zich verwonderd over de bouw van zijn neus en het had hem nooit verveeld de eigenaardige vorm ervan te inspecteren. Hij was geen ijdele man – verre van. Afgezien van zijn gewoonte iedere ochtend een schoon schort om te doen en erop te staan dat alles blonk, maakte hij zich over zijn verschijning zelden zorgen. Het was meer een vorm van onschuldige nieuwsgierigheid – van speculatie, zo je wilt – die hem regelmatig naar zijn neus deed kijken in een van de vele spiegels die de muren van Trencoms sierden.

Een tijdlang had hij gemeend dat hij gevormd was in de hoog oprijzende stijl die zo in trek was bij de Engelse kathedraalbouwers. Maar nee. Een dergelijke conclusie deed de complexiteit die zijn neus zijn charme verleende geen recht. Want de bobbel op de brug van zijn neus gaf deze iets spannends, iets Byzantijns.

Na jaren gelezen en gestudeerd, gemeten en ontleed te hebben was Edward tot een paar definitieve conclusies gekomen. 'Mijn neus,' zo stelde hij vast, 'is een combinatie van sensualiteit (de bobbel) en autoriteit (het rechte), in een volmaakte mengeling van Grieks en Romeins.' Ja. Edward Trencom had een waarlijk Grieks-Romeinse neus: een die de schoonheidsidealen van Sappho volgde, maar met daaroverheen een strikt Vergiliaans plichtsbesef.

Hoewel de familie Trencom al vele honderden jaren over dit erfelijke uitsteeksel beschikte, was dat niet altijd zo fraai gevormd geweest. De vroegste generaties van de familie waren ter wereld gekomen met neuzen die in geen enkel opzicht de trekken of kenmerken hadden vertoond die ooit hun voornaamste waarmerk zouden worden. Er was geen oriëntaalse bobbel geweest. De brug had niets van die Romeinse strakheid gehad. De fraaie Griekse voorgevel moest nog worden opgetrokken. De eerste neuzen waren het resultaat van inteelt en gebrekkige voeding geweest – misvormd en voortgekomen uit roof en verkrachting door de Saksen, gevoed met afval en rapen, ingeslagen door donderbussen, gebroken in knokpartijen in bierhuizen, ondergedompeld in de stank van het slachthuis, bevroren in de winter en eeuwenlang mishandeld met te sterke cider en bier. Incest had bijgedragen aan de scheve punt. Gewelddadige zwaardgevechten hadden hun littekens achtergelaten. En hoewel de eigenaren van die neuzen zich na verloop van tijd elegant gingen kleden in met splitten getooide wambuizen, verrieden de slappe rode neusgaten dat ze in een vergevorderd stadium van verwording verkeerden. Er waren gesprongen haarvaten en uit elk neusgat staken borstelige haren.

Pas tegen het midden van de zeventiende eeuw dook er in de familie plotseling een bijzondere neus op. Zo om en nabij 1637 kwam een zekere Humphrey Trencom ter wereld met een uitsteeksel dat duidelijk anders was. Het was ongemeen lang en recht en met name opmerkenswaardig vanwege een grote benige koepel die bijna op de brug leek te hangen. Geen enkele Trencom was ooit met zo'n buitengewone neus geboren geweest en het was de familieleden die zich om het kraambed verdrongen duidelijk dat dit bijzondere exemplaar van de brug tot de vleugels afkomstig was van de jonge moeder – de uitgeputte maar dolzinnig gelukkige Zoë. Zij had op haar beurt de neus geërfd van haar vader, die hem kon terugvoeren tot de oudheid, via vaders en moeders en hier en daar een tante en nicht of neef. Er zat geen duidelijke logica in hoe en wanneer de neus verscheen, maar toch was hij in elke generatie trots en onveranderlijk aanwezig.

Toen Humphrey werd geboren, was zijn moeder het enige lid van de familie dat nog zo'n neus had, en ze slaakte een heel diepe zucht van opluchting – en sloeg driemaal een kruis – toen ze zag dat Humphrey in het bezit van het familie-erfdeel was. Ze had haar plicht keurig volgens het boekje gedaan, en anderen zouden in de decaden en eeuwen die volgden, haar voorbeeld braaf volgen. Sinds Humphreys geboorte wist iedere generatie minstens één nakomeling voort te brengen – meestal, maar geenszins altijd, de oudste zoon – die een neus met een indrukwekkende vorm en gevoeligheid bezat.

Er waren natuurlijk tijden waarin hij iets van zijn pracht verloor. In de regencyperiode ontaardde het bouwsel tijdelijk, en op een daguerreotypie van de oude Henry Trencom was te zien hoe de koepel op de brug zwaar slagzij maakte naar links. Maar dergelijke architecturale rampen duurden nooit lang. Tegen het eind van de negentiende eeuw was de neus weer helemaal de oude. Edwards opa was zo trots op zijn exemplaar dat hij de kenmerken ervan met een weelderige snor onderstreepte. Edwards vader was ook met een schitterend specimen gezegend geweest – een dat steevast glimmend roze werd wanneer hij 's avonds zijn glas donkerbruin bier dronk.

Toen hij nog een jongen was, had Edward zijn oom allerlei vragen gesteld over de familieneus. 'Oom Harry,' had hij gevraagd, 'van wie is onze neus afkomstig?'

Zijn oom had hem met een staalharde blik aangekeken en het antwoord was zelfs nog strenger geweest. 'Dat onderwerp is in dit huis ten strengste verboden,' had hij gezegd terwijl hij met zijn hoofd schudde. 'Deze neus heeft onze familie beroemd gemaakt, maar is ook onze ondergang geweest.'

Hij zweeg even om zijn vochtige ogen met zijn lavendelkleurige zakdoek droog te deppen. Hij moest denken aan Peregrine Trencom – Edwards vader – en er rolde een traan over zijn wang. Hij moest denken aan George Trencom – Edwards grootvader – en er drupte nog een traan op de grond.

'Wat bedoelt u toch?' hield Edward vol. 'U moet me meer vertellen.'

'God heeft je je neus gegeven,' antwoordde Harold, 'en daarom moet je hem ook gebruiken. Maar stel er nooit vragen over. En ga nooit op zoek naar de oorsprong. Nooit, nooit, nooit. Vanaf heden, Edward, is jouw neus een onderwerp dat in dit huis streng verboden is.'

En daarmee was het laatste woord hierover dertig jaar lang gezegd.

IV

Kaas zat de familie Trencom zelfs al langer in het bloed dan ze hun bijzondere neus bezaten. Het vijftiende-eeuwse *Boke of Nature*, geschreven door hofarts John Russell, vermeldde voor het eerst de hinderlijke eigenschappen van de ronde trencom – een harde, goed belegen kaas die van koeienmelk was gemaakt. 'De ronde trencom,' schreef Russell, 'hout den buyc aent eynde open.' Slechts een paar jaar nadat dit geschreven was, schonk Fulke Regis, de bisschop van Exeter, koning Hendrik VIII er een halve centenaar van.

Vanaf dit moment keek de familie Trencom alleen nog vooruit. Hun kazen werden in zowel *Haven of Health* uit 1596 als in het encyclopedische werk *Booke of Goodnesse* uitbundig geprezen. In 1662 nam hun lot een zelfs nog meer dramatische wending ten goede. De fraai geneusde Humphrey Trencom verkocht een groot gedeelte van het boerenland dat de familie bezat in het Piddledal in het graafschap Dorset, en vertrok naar Londen. In het hart van de stad richtte hij de firma Trencom op, die al snel een reputatie vestigde vanwege de kwaliteit van zijn producten.

Humphrey had het bijzondere vermogen de geurigste kazen op te sporen en te kopen, en spoedig werd hem de eer verleend aan het hof van koning Karel II te mogen leveren. Het was hoogst onfortuinlijk dat de grote brand de winkel verwoestte en dat de kordate Humphrey de verschrikkelijke fout beging zich door zijn neus naar Constantinopel te laten leiden. Andere leden van de familie Trencom wisten de zaak echter weer op te bouwen en opnieuw de toonaangevende kaashandelaars van Londen te worden. De paar decaden waarin ze zich van boeren ómschoolden tot handelaars, vielen samen met de opmerkelijke transformatie van de morfologie van hun gezicht, evenals met een dramatische verandering in de gevoeligheid van hun pas verworven uitsteeksel. Hun neus had het bijzondere vermogen de samenstelling, rijpheid en kwaliteit van een kaas te kunnen onderscheiden. Sinds die tijd had de familieneus altijd de beroemdste kazen van heel de wereld besnuffeld, besnoven, beoordeeld en getest, van camemberts en chèvres tot saint nectaires en saint paulins.

Het kwam er in feite op neer dat hun reputatie volledig om hun neus draaide. Generaties lang hadden de mannen in de familie zich op dit fijn afgestemde orgaan verlaten waar het ging om het onderscheid tussen goed en slecht en eerlijk en oneerlijk. Hun neus was zowel verdediger als aanklager, zowel rechter als jury, en pas wanneer het gecombineerde talent van twee neusgaten had bevestigd dat een kaas van uitzonderlijke kwaliteit was, werd hij aan de dames en heren van de Londense binnenstad verkocht.

De Trencoms beschouwden zichzelf niet als winkeliers en zouden zichzelf evenmin beschreven hebben als leveranciers van fijne kazen. Een leverancier, zo redeneerden zij, koopt slechts een product tegen lage kosten om het met winst te verkopen – iemand die op grote schaal waren aan de man brengt of ermee vent. Nee. De Trencoms hadden zichzelf altijd als kenners en experts beschouwd, als rechters en opperpriesters, wier levenstaak het was, zoals de scherpzinnige Thomas Trencom ooit opmerkte, de wrongel van de wei te scheiden. Zoals een priester voor de zielen van zijn kerkvolk bidt, zo waakten de Trencoms over het gehemelte van hun klanten. Hun winkel was een frisse wind in de schimmelige en nogal stankrijke wereld van de kaas.

De familie geloofde reeds lang dat een neus slechts werkelijk verfijnd kon worden als je er het voorwerp van verlangen aan onthield. Van grootvader op kleinzoon en van generatie op generatie had iedere Trencom zes lange jaren in het gezelschap van kaas verkeerd voordat hij ervan mocht proeven. Zo was het altijd geweest en zo was het ook de jonge Edward vergaan.

Niemand in de familie wist nog waarom er zes jaren moesten verstrijken. Misschien was het omdat het zes jaar duurde voordat de Provençaalse cachaille rijp was. Of misschien omdat de allerbeste cantal gemaakt was van melk van zes jaar oude koeien. Wat de reden ook mag zijn geweest, het lot wilde dat Edward voor het eerst kaas proefde toen hij tweeëntwintig werd. Hij kwam even na achten in de winkel aan, zoals zijn gewoonte was. Hij snoof de muffe geur op en inhaleerde diep. Hij keek naar beneden en zag dat zijn handen trilden. Hij kon zijn opwinding nauwelijks bedwingen.

Hij liep de trap af die naar de kelder voerde en controleerde voor de tweede maal die ochtend de lucht. Terwijl hij daarmee bezig was, werd hij begroet door zijn oom Harold, die al sinds Edward tien was voor hem zorgde. Harold was een kleine selectie kazen aan het bekloppen en inpakken.

'Ah, ben je daar eindelijk,' zei Harold, terwijl hij vanachter een stapel vervaarlijk wiebelende Savooise tommes tevoorschijn kwam. 'Edward, van harte gefeliciteerd. Ik wilde dat je vader nog leefde. Hij zou trots zijn geweest als hij er vandaag bij was geweest.'

Harold zweeg even en veegde een laagje vochtige schimmel van een rijpe tomme du Mont Cenis. Daarna wreef hij heel zorgvuldig de schimmel in zijn snor en snoof de geur op. 'Hm, ja,' zei hij zacht mompelend, 'een waarlijk eigenzinnige kaas.'

Edward knikte instemmend toen hij de ijzige frisheid van een alpenbries ontwaarde. Even later stond ook hij pasgemaaide weiden op te snuiven. Hij rook een vleugje geplette sleutelbloem en de subtiele geur van gentiaan.

Er verstreken vijf seconden.

Toen tien.

'Een tomme,' beweerde Edward. 'Maar waarvandaan?'

'Wacht,' reageerde Harold. 'Heb geduld.'

Net toen hij dat zei, kwam er weer een geurgolf, maar nu warmer en huiselijker. Edward rook het lichaamszweet van koeien en de zware geur van de melkschuur.

'Maar natuurlijk – het is een tomme du Mont Cenis,' zei Edward met een zelfverzekerde glimlach. 'Zo uit de Rhône-Alpen. Je kunt bijna ruiken' – hij snoof theatraal – 'dat er sneeuw in de lucht zit.'

Harold feliciteerde Edward en troonde hem mee naar een hoek van de kelder waar hij een verjaarsgeschenk in bruin pakpapier had klaarstaan. De inhoud was voor Edward geen verrassing, want hij was goed thuis in de Trencomtraditie. Maar toch scheurde hij met steeds groter wordende opwinding het papier open. En ja hoor, er zat precies in wat hij had verwacht: een epoisses, een hele stilton en drie boerenchèvres, gehuld in roodbruine kastanjebladeren. Eindelijk zou hij ze proeven.

Langzaam, voorzichtig, trok hij het papier van de stilton af en toen zagen zijn ogen het mooiste wat ze ooit aanschouwd hadden. Het was een volmaakte kaas. Met zijn stevige maar sensuele bruingrijze schimmellaag had hij de fraaiste korst die hij ooit had gezien.

'Mag ik hem aansnijden?' riep Edward uit. Hij was warm en rood, en weer begonnen zijn vingers te trillen.

'Ja,' zei zijn oom. 'Maar je kent de regels. Alle andere kazen moeten eerst weggehaald worden. Je moet iedere kaas de ruimte geven om te ademen.'

Edward haalde snel alle andere kazen weg en richtte zijn aandacht weer op de stilton. Hij verwijderde het dunne kaasdoek en liet het zachtjes op de grond glijden. Hij ging iets naar achteren en bleef even zo staan om de prachtige huid te bewonderen alvorens zijn neus dicht bij een kleine barst in het oppervlak te brengen. Daarna pakte hij behoedzaam zijn mes en plaatste het in de barst. Hij wachtte even en stak het toen diep in het hart van de stilton. Plotseling was er een explosie van aroma's en geuren die Edward deden wankelen. Er was een geur van vochtige kerken en gesloten gewelven, van paddenstoelen en geïmpregneerd hout.

Harry keek toe terwijl Edward de twee helften van de ronde kaas van elkaar scheidde. Ook hij beefde, opgewonden als hij was vanwege het effect dat de kaas op Edward had, en verheugd bij het vooruitzicht een lik van de geurige blauwe schimmel te kunnen proeven.

'Stop,' zei Harry terwijl hij dichter bij de stilton kwam. Hij ging met zijn vinger over het vochtige oppervlak en smeerde het zorgvuldig in zijn snor, waardoor er een tweede geur op zijn borstelige bovenlip terechtkwam. 'O, ja! Ruik eens, ruik eens – wat kun je me over deze kaas vertellen? Kun je me zeggen wanneer hij gemaakt is? Op welke boerderij? Van welke koe?'

Edward ademde de geur diep in, waardoor deze tot in alle hoeken van zijn geurbobbel doordrong. Zijn neus leek te groeien en te expanderen toen het aroma van de stilton langs miljoenen haren en poriën streek. Even later voelde Edward een transformatie plaatsvinden: hij kon de kaas in zijn keel ruiken, in zijn mond, zijn longen, zijn hele lichaam. Hij tintelde helemaal; hij voelde zich licht in het hoofd. Er was geen twijfel mogelijk: dit was een ware reus onder de stiltons.

'Hij is...' zei Edward, terwijl hij zijn neus even ophief, weg van de kaas, 'hij is gemaakt op de St.-Cuthbertboerderij, die in Colston Bassett naast de kerk staat.' Hij rook nog eens. 'Het is beslist een augustuskaas. Ja, ik denk van 28 augustus – laat in de middag. Maar de koe? Dat is lastig.'

'Ja, inderdaad,' stemde oom Harry in. 'Da's reuze lastig.'

Edward wachtte even en snoof toen weer de geur op. 'Niet van Boterbloem. Daar is hij te romig voor. En ook niet van Madelief of Sleutelbloem, denk ik. Is de melk soms van Wittgenstein?'

'In één keer goed!' riep Harold glimlachend uit. 'In één keer. Welkom in Trencoms, Edward. Je beschikt zonder enige twijfel over de beste Trencomneus die we in generaties hebben gehad.'

Hij glimlachte, maar het was een angstige en enigszins nerveuze glimlach. 'En ik hoop bij God,' zei hij zacht mompelend, 'dat die jou niet dezelfde vreselijke vloek brengt als hij' – hij zweeg even en depte zijn ogen droog – 'alle anderen heeft gebracht.'

Edwards neusgaten werden in de loop der jaren nog verfijnder. Het duurde niet lang of hij had aan een geurzweem genoeg om de precieze herkomst van de grote kazen van de wereld te bespeuren. Op de vroegrijpe leeftijd van vierentwintig werd hij al Meesterkaashandelaar en vervolgens Maître de Fromage. Hij ontving een gouden medaille van het Milchprodukte Institut in Heidelberg en werd erelid van de raad van bestuur van de Accademia del Formaggio in Rome. Een jaar later viel hem de grootste eer te beurt toen hij voor het leven werd benoemd tot voorzitter van de Most Worshipful Company of Cheese Connoisseurs. Hij schreef vier specialistische boeken over kaas (die allemaal extatische recensies kregen van de pers), waarna hij aan zijn grootste project begon: zijn twaalfdelige kaasencyclopedie. Toen die in 1967 verscheen, werd het werk door *the Daily Telegraph* verwelkomd als het belangrijkste boek over kaas dat ooit was geschreven. *The Times* was zelfs nog lovender en noemde Trencom 'de Edward Gibbon van de kaaswereld'.

Al die lof deed Edward niet op zijn lauweren rusten, maar had juist het tegenovergestelde effect. Tot nog grotere hoogten geïnspireerd als hij was, stelde hij zich ten doel een monumentaal werk te schrijven: *De geschiedenis van de kaas*, een boek dat de evolutie van de kaas van het neolithicum tot aan de dag van vandaag zou volgen en dat zou eindigen met een hoofdstuk over de geschiedenis van de Trencoms. Het zou opgedragen worden aan de 'nobele epoisses' die Edward reeds lang als de fijnste kaas ter wereld beschouwde.

V

21 januari 1969

Dinsdag 21 januari begon als iedere andere dag. Om één minuut over half negen deed Edward de deur van Trencoms open en stapte hij energiek de winkel in. Hij snoot zijn neus, controleerde de temperatuur en snoof.

Hmm, dacht hij. Als je bedenkt dat het nog januari is, is het vandaag wel ongewoon warm.

Hij baande zich een weg naar achteren, en onderweg bleef hij even staan toen hij onder de draaiende vinnen door liep. Toen hij zich ervan had vergewist dat de lucht even geurig was als altijd, sneed hij een dikke plak geitenkaas uit de Nièvre af en hield die bij zijn neus.

'Hm, ja,' zei hij zachtjes. 'Wat een geweldige manier om de dag te beginnen!'

Nadat hij ten volle had genoten van de geitengeur en het licht bittere van de korst, ging hij aan het werk en pakte dozen uit en droeg kazen naar boven. Om precies negen uur, vlak na de binnenkomst van meneer George, zijn bekwame assistent, schoof hij de grendel van het slot van de voordeur van Trencoms en draaide het bordje van GESLOTEN naar OPEN.

Om 9.11 uur kwam de eerste klant, die een groot stuk Normandische brie kocht. Om 9.32 uur kocht meneer Jançek, de Poolse drogist, een pot romige edelpilzkäse van 120 gram. Edward zag tot zijn genoegen dat meneer George bezig was de pas binnengekomen neufchatel zorgvuldig uit te stallen en dat hij aan iedere kaas rook voordat hij hem op een mat zette. Waar zou hij zijn zonder meneer George? Het was een door en door betrouwbare man, die precies wist wat er gedaan moest worden. Een vertrouwd stel handen, peinsde Edward, terwijl hij zijn eigen handen afveegde aan een mousselinen doek. Een heel vertrouwd stel handen. Als er ooit iets misging, zou iedereen wensen dat hij een meneer George achter zich had staan om alles weer op orde te brengen.

Meneer George was heel wat ouder dan Edward en diende Trencoms al sinds de tijd van oom Harold trouw. Hij had altijd lange dagen in de winkel gemaakt en sinds de dood van zijn dierbare vrouw had hij altijd liever zes dan de gebruikelijke vijf dagen willen werken. In feite was hij een beetje eenzame figuur (maar zeker niet zielig), die de genoot van de vriendschappelijke cameraderie in de winkel.

De twee mannen spraken zelden over mevrouw George zaliger, want geen van beiden hield ervan over persoonlijke zaken te praten. Edward was nog nooit bij meneer George thuis uitgenodigd en meneer George was nog nooit bij Edward thuis geweest, en dat was precies zoals het moest zijn. Ook vond geen van beiden het vreemd dat ze elkaar al zo lang 'meneer' noemden dat ze bijna elkaars voornaam vergeten waren. Nog maar even tevoren had Edward gefrustreerd op zijn hoofd staan krabben toen hij had geprobeerd zich de voornaam van meneer George te herinneren. Hij was hem finaal ontschoten en pas toen hij meneer Jançek de pot edelpilzkäse verkocht, wist hij weer dat die Edwin was.

Toen hij zich dat ineens weer herinnerde, kwam er in Edwards hersencellen een keten van associaties op gang. De historisch ingestelde cellen sprongen over naar een andere Edwin, de Saksische koning van Northumbria, in wiens regeringsperiode Edward reeds lang geïnteresseerd was. Hij stond verbaasd van zichzelf toen hij zich herinnerde dat koning Edwin de lieftallige prinses Aethelburh van Kent had gehuwd, en hij stond nog verbaasder toen hij zich met een peinzend innerlijk lachje afvroeg of mevrouw George Aethelburh had geheten.

'Wat een rare en onfatsoenlijke gedachte,' mompelde hij zachtjes, en hij wilde zichzelf net vermanend toespreken toen iets hem naar buiten deed kijken, naar de straat. Tot zijn verbazing, en immense verontrusting, drong het tot hem door dat hij werd geobserveerd. Ja, hij werd geobserveerd door dezelfde lange Griek die hij een paar dagen tevoren voor het eerst had gezien. De man tuurde de winkel in en leek alles wat Edward deed te bestuderen. Maar zodra hun blikken elkaar kruisten, draaide de man zich snel om; hij keerde zijn rug naar het raam en liep gehaast de straat uit.

'Kunt u even het fort bemannen, meneer George?' zei Edward. 'Ik moet hoognodig iets controleren.' En zonder op een antwoord te wachten stapte hij naar buiten en keek naar links en naar rechts.

Het was bijna vijftig meter tot het einde van de straat, maar toch was de man al verdwenen. Edward snoof en had het spoor meteen te pakken.

Wat een geluk, dacht hij. Dit wordt gemakkelijk. Hij heeft die afschuwelijke Balkantabak gerookt.

Hij begon de straat uit te lopen en sloeg, het geurspoor volgend, aan het eind links af. In de verte zag hij zijn prooi King Street in lopen. Waar gaat die nu heen? dacht Edward. En, meer ter zake: wie is het in godsnaam?

De man liep uiterst snel, waardoor Edward, wiens benen iets korter waren, af en toe moest versnellen tot een draf. Maar toch werd zijn achterstand groter, en toen hij de kruising met Gresham Street bereikte, was de man nergens meer te bekennen.

Edward snoof weer en ademde tweemaal diep in. 'Aha,' zei hij zachtjes. Hij kon nog steeds een zwak aroma van oude tabak bespeuren.

Hij sloeg rechts af Gresham Street in en kreeg de man, die zich over het trottoir spoedde, weer in het oog – hij lag nu ongeveer vijftig meter op hem voor. Wat vreemd, dacht Edward, die steeds ongeruster werd. Ik weet zeker dat hij mij zou moeten volgen, maar in plaats daarvan loop ik hem achterna.

De vreemde wending die de gebeurtenissen die ochtend hadden genomen, verontrustte hem zeer, maar toch voelde hij onwillekeurig ook een tikkeltje opwinding. Terwijl hij snel door de straten van de City liep, stelde hij zich voor dat hij in een detectiveverhaal zat waarin hij de schurk opspoorde. Nog maar een paar dagen daarvoor had hij Harry Barnsleys *Ten Chimes Before Midnight* gelezen, en daarin vond net zo'n achtervolging als deze plaats. Inspecteur Jim Moorhouse had door de straten van de stad achter een geheim agent aan gerend en ook hij was geholpen door de geur van sigarettenrook. Het enige verschil was dat het in Barnsleys boek om het stadscentrum van Moskou ging en dat inspecteur Moorhouse uiteindelijk in de armen van een vrouwelijke dubbelagent was beland.

Edward keek op zijn horloge en zag dat het bijna half elf was. Ik geef mezelf twintig minuten, dacht hij. Als ik hem dan nog niet heb ingehaald, dan… Ik mag meneer George niet nog langer alleen laten. Tenzij er natuurlijk een vrouwelijke dubbelagent op me wacht.

De man voor hem sloeg plotseling de hoek naar Old Jewry om en versnelde zijn pas nog meer. Toen hij het einde van deze straat had bereikt, nam hij een scherpe bocht Cheapside op. Edward was nu zo verward dat hij even halt hield. Het lijkt wel of hij rondjes loopt, dacht hij. Als we zo doorgaan zit hij uiteindelijk echt achter mij aan.

Maar nee. De man zwenkte naar links Queen Street in – waar Richard Barcley, met wie Edward al heel lang bevriend was, kantoor hield – en begon veel langzamer te lopen. Hij keek even over zijn schouder, alsof hij zich ervan wilde vergewissen dat Edward nergens te zien was, pakte toen zijn sleutels en opende de deur van nummer 14. Toen Edward even later de hoek van Queen Street omsloeg, was de man uit het zicht verdwenen.

Weg, dacht Edward. Hij moet een van die gebouwen zijn binnengegaan. Vlak tegenover Richards kantoor.

Hij volgde het snel wegtrekkende geurspoor dat nog in de straat hing, totdat hij de deur van nummer 14 had bereikt. Hier is hij heen gegaan, concludeerde Edward.

Hij staarde even naar de eenvoudige houten deur en wierp toen een blik op de plaat op de muur. Er stond op: CHRISTOS MAKAREZOS EN ZOONS, PIRAEUS.

Het is dus een Griek, dacht Edward, terwijl hij over de punt van zijn neus wreef. Dat weet ik dan in ieder geval. Ik vraag me af of Richard hem kent.

Hij dacht erover zijn vriend een bezoekje te brengen, maar een snelle blik op zijn horloge herinnerde hem eraan dat hij terug moest gaan naar Trencoms.

Terwijl hij op zijn schreden terugkeerde naar de winkel en zich weer de vreemde man voor de geest haalde die hem twee dagen daarvoor had benaderd, voelde hij hoe hij over zijn hele lichaam kippenvel kreeg. Hij huiverde en zweette tegelijkertijd, deels van inspanning en deels van angst.

Zou het kunnen dat die man die aan de rondleiding deelnam, me werkelijk voor iets probeerde te waarschuwen? dacht hij. Zou het kunnen dat ik echt bespioneerd word? En terwijl Edward dit dacht, daagde het hem dat zijn leven misschien wel in gevaar was.

Maar wie dat gevaar opleverde, of waarom, daar had hij geen flauw benul van.

VI

Voordat we ons verder verdiepen in het vreselijke lot dat Edward ten deel zou vallen, moeten we eerst kennismaken met de Trencomvrouwen. Het vrouwvolk vormde reeds lang het hart en de kern van deze buitengewone familie. Zij waren degenen die de Trencoms hun gevoeligheid en hun ziel verschaften, zij waren het die hun spruiten de moedermelk uit hun borst gaven. Je kunt zelfs stellig beweren dat als de vrouwen, en dan met name één vrouw, er niet waren geweest, de Trencommannen nooit hun prachtneus hadden verkregen.

Eeuwenlang zeiden de Trencommannen reeds plagend dat hun vrouwen zich op een van twee terreinen onderscheidden: of ze produceerden kinderen (zoals Dorothea, de vrouw van Joshua Trencom), of ze produceerden kaas (zoals Caroline, de vrouw van Emmanuel Trencom). De vrouwen die kinderen kregen hadden, zoals de overgeleverde mannenwijsheid het wilde, een driedubbele onderkin, geen middel en een ruime boezem. Ze waren joviaal en hadden vaak een bulderende lach, en ze stierven meestal jong maar gelukkig na een enorm aantal kinderen te hebben gebaard.

De vrouwen die kaas maakten, hadden daarentegen de naam taai en benig te zijn en borsten te hebben die zo plat waren dat zelfs het strakste korset (met baleinen erin) nog geen heuveltje, laat staan een bergje, in de woeste leegte van hun bovenlijf kon doen ontstaan. Ze hadden sluwe ogen en een spitse neus, onnatuurlijk kleine oren en een bijzonder puntige kin. Het waren toegewijde en hardwerkende vrouwen en als je hun echtgenoten moest geloven, hadden ze met een pince-nez op hun neus het merendeel van de achttiende en negentiende eeuw aantekeningen zitten maken over allerlei soorten kaas.

In dit alles zaten kernen van waarheid, maar toch hadden de mannen nooit echt de essentie van hun echtgenotes begrepen. Door een neiging tot sufheid, met daarbij nog een onfortuinlijke hang naar onderdanigheid, waren ze niet in staat door de bomen het bos te zien. En er waren ook momenten – hele generaties zelfs – waarin ze de bomen niet eens opmerkten.

Toen Caroline Trencom voor de zestiende keer weeën kreeg, doorstond ze de pijnen van het baren door diep vanuit die veelbespotte omvangrijke buik een innerlijke kracht te putten die bij de Trencommannen geheel ontbrak. En toen Dorothea haar irritante echtgenoot met haar arm een heftige por in de buik gaf, benam hem dat zozeer de adem dat hij drie dagen lang geen hap door zijn keel kon krijgen, waarmee ze zichzelf en haar aangetrouwde familie bewees dat ze haar eigen inwendige krachtcentrale had.

De Trencomvrouwen wisten, hoewel ze dat nooit toegaven, dat zij de baas waren. Wanneer ze elkaar tijdens de frequente familiebijeenkomsten tegenkwamen, waren ze zich ervan bewust dat het enige wat hen duidelijk bond het huwelijk was, in de zin dat ze allemaal met een Trencom waren getrouwd. Ze hadden onder elkaar echter een bondgenootschap en een camaraderie die hen zich in elkaars gezelschap op hun gemak deed voelen. Als schovenbinders in een weiland werkten ze in teamverband samen, en wanneer ze met elkaar converseerden, volgde hun verbale steekspel een ordelijk en intuïtief patroon dat bij de meeste mensen pas na jaren van gedeelde intimiteit zou ontstaan.

'Onze mannen zijn als muizen,' grapte Claire Trencom tijdens zo'n familiebijeenkomst, terwijl de mannen zaten te slempen.

'En wij,' voegde Theodora eraan toe, 'zijn de katten die met hen spelen.'

'Ik spring,' zei Eliza.

'En hij rent weg,' reageerde Grace.

'Ik lig lekker te soezen,' lachte Katherine.

'En hij komt achter de lambrizering vandaan,' vulde Anne aan.

'En wanneer ik melk wil,' spon de liederlijke Bertha-Louise, 'ga ik lekker met hem spelen.'

De Trencommannen grapten vaak dat ze op het gebied van vrouwen iedere generatie van smaak veranderden, een patroon dat al vanaf de zeventiende eeuw zijn nut bewees. Ze kozen een vrouw die kinderen baarde als ze kinderen nodig hadden om in de winkel te werken en een vrouw die kaas maakte als ze voorraad te kort hadden.

In de negentiende eeuw was dit afwisselende patroon de ongeschreven familiewet geworden: toen Henry Trencom in 1835 een boerse baarmachine koos (en tweeëntwintig nakomelingen verwekte), was het zowel onvermijdelijk als noodzakelijk dat zijn oudste zoon Emmanuel een magere, knokige kaasmaakster koos.

Een dergelijke zelfregulatie was onder de druk van de moderne tijd echter gedoemd te verdwijnen. Toen Edwards opa een kaasmaakster met een flinke boezem huwde, was het duidelijk dat de traditie op de helling stond. Toen ze vervolgens brucellose kreeg, een ziekte die vaker voorkomt bij melkvee dan bij jonge vrouwen, vreesde men dat de twee typen vrouwen onontwarbaar met elkaar vermengd waren geraakt.

Edward stak nog meer spaken in het wiel door met een tengere vrouw te trouwen die nog nooit kaas had gemaakt. Elizabeth, met wie we hoognodig kennis moeten maken, was een bleke en nogal tere vrouw die Edward in het voorjaar van 1957 ontmoette.

Ze gaf de indruk heel wat meer afweer dan de meeste vrouwen van haar leeftijd te hebben en je kon gerust zeggen dat ze in het gezelschap van mannen soms preuts overkwam. Dat was niet te wijten aan haar zenuwen — verre van — maar meer aan een zekere opzettelijke gereserveerdheid. Elizabeth was er totaal wars van inbreuk te maken op de privacy van anderen. Ja, ze had een kant die typisch Engels was — niet in de patriottische zin dat ze met vlaggen zwaaide en geestelijke liederen zong en de kool zo lang kookte dat hij niet groen meer was. Hij school eerder in het feit dat ze meer dan wat ook ter wereld waarde hechtte aan de zo ondergewaardeerde deugd van elkaars persoonlijke ruimte respecteren.

Ze begreep volledig waarom pendelaars in de trein naar Londen zich zo graag verstopten achter het grote oppervlak van *The Times*. Ze dacht: heeft niet iedereen die op weg is naar zijn werk recht op een paar minuutjes voor zichzelf om gewoon te genieten van de privacy van zijn of haar eigen gezelschap? Ook zij nam iedere ochtend de trein naar de stad en ze was zichtbaar boos wanneer mevrouw Powell van nummer 7 naast haar kwam zitten en maar doorkletste. 'En toen zei zij, dus toen zei ik, maar toen zei zij weer…' enzovoort, enzovoort, totdat Elizabeth niets anders restte dan haar boek dicht te slaan en deel te nemen aan een gesprek dat noch stimulerend, noch informatief, noch van enig belang was voor wie dan ook behalve voor mevrouw Powell zelf.

'Ik word er knettergek van,' zei ze tegen een vriendin die ze na haar werk ontmoette. 'Ik kan mensen die zich zo aan je opdringen niet uitstaan. De volgende keer zal ik tegen haar zeggen dat ik, hoe graag ik haar ook zou willen helpen, op dat uur van de ochtend heel slecht kan luisteren.'

En dat deed ze dan ook, wat een heel opmerkelijk gevolg had. De volgende dag stapte mevrouw Powell in een ander rijtuig van de trein van 8.23 uur naar Victoria Station en teisterde daar een kwartier lang de oren van een van de andere pendelende buren die in dezelfde straat woonde.

Op de dag waarop Edward Elizabeth voor het eerst ontmoette, was ze zeer conventioneel gekleed. Haar kleding bestond uit een geruite Burberry-rok, een geplooide blouse en schoenen die bijna overal hun nut zouden kunnen bewijzen, behalve op het strand van een tropisch eiland. Andere mannen zouden haar misschien geen blik waardig hebben gekeurd, maar voor Edward waren het juist de eigenschappen van stijfheid en ogenschijnlijke verlegenheid die hem in staat stelden zich in haar gezelschap meer op zijn gemak te voelen dan meestal het geval was wanneer hij met jonge vrouwen sprak. Het doet er niet zoveel toe dat hij Elizabeths uiterlijke gereserveerdheid helemaal fout interpreteerde. Het zou nog vele jaren duren voordat hij erachter kwam dat die een onuitputtelijke voorraad verhulde van iets wat in die tijd meestal 'pit' werd genoemd – een pit die haar in precies dezelfde (zij het minder banale) categorie plaatste als de Trencomvrouwen die haar waren voorgegaan.

In het geval van Elizabeth was de harde kern ongetwijfeld een erfenis van haar moeder – een wonderlijke vrouw die, hoewel ze net zo rustig sprak als haar dochter, op haar eigen manier even ontzagwekkend was als een Victoriaanse oudtante. Toen ze achter in de twintig was, had ze de getormenteerde slachtoffers van het oorlogsfront verpleegd en had ze vaak een nog heel jonge Elizabeth mee op sleeptouw genomen naar haar werk. Elizabeths vormende jaren waren zodoende doorgebracht in het gezelschap van mannen wier geest gestold was door de verschrikkingen van de oorlog.

Ze wist het allemaal nog heel goed: ze riepen luid, gilden, jammerden en stopten troostzoekend hun hoofd in haar moeders ruime boezem, alsof het baby's waren die melk zochten. Haar moeder had ooit gezegd: 'Wanneer iedereen zijn hoofd verliest, is dat precies het moment waarop jij het jouwe erbij moet houden.'

Elizabeth, die tien of daaromtrent was, had haar moeder gevraagd hoe je dat dan deed – een bijzonder toepasselijke vraag, aangezien ze zojuist verhalen over Marie-Antoinette had zitten lezen. 'Het enige wat je hoeft te doen is aan deze mannen denken,' had haar moeder geantwoord. 'En ze overal met je mee dragen. Het heeft geen zin als de blinden de blinden leiden.'

Edward ving voor het eerst een glimp van Elizabeth op in Throgmorton Street, en hoewel hij normaal gesproken geen twee keer naar een vrouw keek, herinnerde hij zich dat hij bij die gelegenheid werd getroffen door haar mooie neus en gevoelige gezicht. Haar gelaat had de kleur van een rijpe bethmale, een kaas waar hij bijzonder dol op was.

Een paar dagen later stond hij door louter toeval opnieuw tegenover dezelfde vrouw. Hij had rond lunchtijd de winkel verlaten en bij mevrouw O'Casey twee sandwiches gekocht, zoals hij gewend was. Nadat hij ze op een bank in de kleine tuin op de hoek van Love Lane had opgegeten, ging hij terug naar Gresham Street, waarna hij in oostelijke richting verder liep, totdat hij voor de deur van Percy, handelaar in bijzondere en antiquarische munten, stond. Een dergelijk bezoek was helemaal niet ongewoon; zoals we te weten zullen komen, had Edward een fraaie verzameling oude munten.

Voor de oningewijden was Percy niet bepaald een uitnodigende winkel. Hij werd nimmer bezoedeld door snuffelaars, want de 'showroom' op de eerste etage was slechts te bereiken via een formeel trapportaal dat met dieprode draperieën was behangen. Edward was hier geen onbekende, maar toch was hij onverklaarbaar zenuwachtig toen hij die bewuste dag de trap op liep.

Wat hèb ik toch? vroeg hij zich af.

En toen drong het vanuit zijn ooghoek tot hem door wat hem mankeerde: zij zat daar. Het meisje dat hij op straat had gezien. Daar zat ze achter de toonbank haar haar in een nette wrong te wikkelen.

Nu we hier zijn aanbeland, is het zinnig even te stoppen en uit te leggen dat Edward nu niet bepaald bedreven was in de kunst van de hofmakerij. Hij had nog nooit een vrouw 'bekend' (in de Bijbelse zin) en evenmin had hij zich ooit bijzonder aangetrokken gevoeld tot de vrouwelijke vertegenwoordigers van de soort.

Niet dat hij een voorliefde voor zijn eigen sekse had, helemaal niet. Het was alleen maar zo dat hij, nu ja, als hij mocht kiezen tussen een onzekere avond in het gezelschap van een jongedame en een paar uur met een vriend, zeker het laatste zou hebben gekozen.

Zo kwam het dat hij toen hij op 9 maart 1957 oog in oog

kwam te staan met Elizabeth en zijn hart een huppeltje van vreugde voelde maken, niet goed wist wat hij ermee aan moest.

Wat doet zij hier? dacht Edward. Maar nog voordat hij de tijd had gehad om over de zaak na te denken, of zelfs maar zijn kalmte te hervinden, stond hij al tegenover de meest innemende glimlach die hij ooit had gezien.

'Wat doet ú hier?' gooide hij eruit, nog voordat hij zich realiseerde wat hij had gezegd. 'Ik bedoel: hoe komt het? Waar? Hoe? We hebben – we hebben elkaar namelijk al eens eerder ontmoet.'

'Ik kan me niet herinneren dat we elkaar al eens hebben ontmoet,' zei ze lief, terwijl ze hem met haar blauwgrijze ogen aankeek op een manier die niet geheel en al onschuldig was. Er sprak een zweem van koketterie uit – een vrouwelijke speelsheid die bij de gebruikelijke (oudere) mannelijke cliëntèle van Percy hartkrampen en angina pectoris zou hebben veroorzaakt.

'Ik ben Elizabeth Merson,' voegde ze eraan toe. 'En u bent zeker meneer Trencom. Ik heb al veel over u gehoord.'

'Trenc... over mij?' zei Edward met toenemende verbazing. 'Maar hoe...?'

'Kom, kom, zo verbaasd zult u toch niet zijn?' zei ze met een charmante glimlach. 'Of doet u maar zo bescheiden? U bent toch meneer Trencom? De beroemde auteur van *De hele wereld is een kaas*?'

'Eh, ja, ja – maar – ja.' En voor het eerst in zijn leven wist Edward absoluut niet wat hij moest zeggen.

In de tijd die hij nodig had om zijn zelfbeheersing terug te vinden, ging zijn blik naar de bovenste hoek van het vertrek. Hij merkte dat hoog aan het plafond, vervaarlijk aan een gepleisterde kroonlijst balancerend, een cherubijnachtige versie van Cupido zat.

Grappig, dacht Edward. Ik heb hem nog nooit opgemerkt. Geen van de keren dat ik hier ben geweest.

Edward was sinds zijn eerste bezoek in 1950 een vaste klant van Percy. Lang voordat Elizabeth naar een tijdelijke baan had gesolliciteerd, was hij er iedere week heen gegaan om zijn steeds fraaier wordende collectie Romeinse munten uit te breiden. Hij was begonnen met het verzamelen van één munt uit het rijk van elke keizer, van Augustus in 27 v. Chr. tot Anastasius in de zesde eeuw. De waarde van de munt deed er niet toe, en ook niet waar hij was geslagen. Het enige waar Edward naar zocht, was het mooiste keizerportret dat hij zich kon veroorloven.

In slechts een paar maanden tijd bouwde hij een flinke collectie op. Hij zocht in antiekwinkels, bij de minder bekende veilinghuizen en bij de onbetrouwbare dealers in de Villiers Street, en algauw had hij munten waarop het portret van Augustus, Tiberius, Nero en Caligula prijkte. Een week later voegde hij er Claudius en Domitianus aan toe. Vervolgens kocht hij Caracalla en Lucius Verus. En op een zaterdag, toen hij op een antiekbeurs aan het snuffelen was, betaalde hij 1 pond, 2 shilling en 4 pence voor een zak met bronzen munten waarop de onwettige keizers Valerianus, Gallienus en Saloninus stonden afgebeeld. Nog geen week later kocht hij ruim een dozijn Byzantijnse munten, en op een daarvan stond een schitterend portret van de havikachtige Michaël Palaiologos. Vanaf dat moment breidde Edward zijn verzameling uit en omvatte die voortaan ook de keizers en despoten van Constantinopel.

Maar nu moeten we even stoppen en terugkeren naar die lentedag waarop Edward en Elizabeth elkaar voor het eerst ontmoetten.

'Ik ben in een lichte staat van verwarring,' mompelde hij tegen Elizabeth, toen hij eindelijk zichzelf weer meester was. 'Ik ben momenteel namelijk op zoek naar een munt met het portret van keizer Diocletianus erop, maar ik kan me met geen mogelijkheid herinneren of hij of Carasius nu degene was die de bronzen follis in omloop bracht.' En met een schok drong het plotseling tot hem door dat het hem geen zier meer kon schelen wie de bronzen follis in omloop had gebracht. Het maakte werkelijk geen ene fluit uit.

Elizabeths gezicht stond meelevend, maar zo kon weinig doen

om hem te helpen, Ze werkte pas drie weken bij Percy en wist niets van het geld dat in het latere Romeinse Rijk in omloop was.

'Ik kan u helaas niet helpen,' zei ze. 'Maar zou het zin hebben om een paar munten te bekijken? Ik heb hier bij mijn knieën plateaus met Diocle... Diocletianus.'

'Bij uw knieën,' zei Edward, terwijl zijn stem wegstierf tot een gefluister. 'Ja... ik zou dolgraag uw knieën willen zien.'

Nauwelijks besefte hij was hij had gezegd, of hij voelde een scherpe, stekende pijn in zijn rug. Ook Elizabeth voelde zo'n pijn. Terwijl ze allebei over de pijnlijke plek wreven, en zij inwendig lachte, ging Edwards blik weer naar de gepleisterde kroonlijst, waar de cherubijnachtige Cupido nog steeds glimlachend neerkeek op het tafereeltje onder hem. Wat vreemd, dacht Edward. Ik zou hebben gezworen dat hij een pijl bij zijn boog had.

Hun verkering was kort maar aangenaam, met veel avonden van kaas proeven in de privégewelven van Trencoms. Edward was tot over zijn oren verliefd op Elizabeth – zelfs zozeer dat hij zelfs aan meneer George vertelde dat hij van plan was haar een huwelijksaanzoek te doen. Meneer George feliciteerde hem van ganser harte en zei, met betraande ogen, dat Elizabeth wanneer ze haar reebruine regenjas droeg, hem aan mevrouw George in haar jonge jaren deed denken.

Elizabeth was niet minder verzot op Edward. Ze genoot van zijn excentriciteit, zijn levenslust en zijn eigenaardigheden. 'Ik vind die gedrevenheid van hem zo leuk,' zei ze tegen een vriendin, die niet helemaal inzag waarom je zou willen trouwen met iemand die veel te oud voor zijn leeftijd leek.

'Misschien heb jij het niet gemerkt,' zei Elizabeth verdedigend, 'maar hij is heel gepassioneerd. Hij heeft een passie voor kaas, een passie voor munten en een passie voor geschiedenis. Hij spreekt overal met heel veel plezier over. Hij mag dan niet zo modieus zijn' – ze benadrukte het woord 'modieus' met duidelijke minachting – 'maar hij is in ieder geval wel oprecht.'

Twee maanden later trouwden Edward en Elizabeth in de St-

Margaretskerk in Chichester, waar Elizabeth geboren was. Ze zouden nu samen aan een reis beginnen die hen naar tot dan toe onontdekte weidegronden zou voeren.

VII

We moeten wat dieper in het privéleven van de heer en mevrouw Trencom duiken om licht te werpen op een huwelijksrelatie die zonderling en ontroerend was, en algauw zwaar beproefd zou worden door twee vreemde Griekse mannen die geen van beiden ooit eerder had ontmoet.

Hun huwelijk vond plaats op 22 mei 1957, in de middag, gevolgd door een lange en vreugdevolle receptie. Tegen tien uur 's avonds waren de laatste gasten vertrokken en lagen de bruidsmeisjes veilig en wel in bed. De dominee, die zich nu pas begon te realiseren dat hij iets meer had gedronken dat hij gewend was, probeerde zich te herinneren of hij misschien ongepast familiair had gedaan tegen Elizabeth Trencoms moeder.

De klok sloeg schuchter tien uur, alsof hij wilde aangeven dat dit de eerste nacht was waarin Edward en Elizabeth samen waren. Ze waren allebei eerlijk gezegd een tikje nerveus ten aanzien van wat er stond te gebeuren. Elk van beiden wist dat die dag, die nacht, in het eerstkomende half uur, de daad van de *coitus penetratus* echt volvoerd moest worden.

De plek waar deze gedenkwaardige gebeurtenis plaatsvond is van weinig belang (het was, voor de goede orde, het White Hart Hotel in Chichester). De precieze tijd waarop hij zich voordeed, is van even weinig belang. Het scenario is echter enige nadere bestudering waard. In kamer 14 van het White Hart Hotel kon men mevrouw Trencom zich voor een passpiegel zien staan afvragen hoe ze die verrekte trouwjapon in godsnaam moest losknopen.

'Edward, lieverd,' zei ze met een stem die verrassend beslist klonk, 'wil je – kun je – mijn knopen even losmaken?'

Edward keek op van de *Country Life* die hij iets te nadrukkelijk had zitten bekijken en liep mijn grote passen op zijn nieuwbakken echtgenote af. Toen begon hij met onhandige vingers langzaam de knopen los te maken die van mevrouw Trencoms fraaie hals helemaal tot de wulpse rondingen van haar achterste doorliepen. En toen gebeurde er iets vreemds. Terwijl hij dat deed, voelde Edward een eigenaardige activiteit in zijn lendenen. Hij voelde een tinteling. Zijn bloed begon sneller te stromen. En plotseling drong het tot hem door dat hij in een verschrikkelijk gênante situatie terecht ging komen, vlak voor de neus van zijn jonge bruid.

Noch Edward, noch Elizabeth had enige ervaring in vleselijke zaken. Ze hadden tijdens hun verkering veel geknuffeld en elkaar twee of drie keer in de kelder van Trencoms gekust. Tijdens een van die omhelzingen had Edward zelfs zijn hand op Elizabeths billen gelegd. Maar het was noch bij hem, noch bij haar opgekomen te bespreken wat er tijdens hun huwelijksnacht zou kunnen gebeuren – en zonder kleren hadden ze elkaar zeker nog nooit gezien. Edward had zelfs nog nooit een naakte vrouw gezien en Elizabeth nog nooit een naakte man. Het was waarschijnlijk de gedachte aan Elizabeths naaktheid – gepaard aan de aanblik van haar bevallige rug – die delen van Edward uit hun gebruikelijke sluimer wekte.

Om een niet al te ongunstig beeld te schetsen van onze held is het op dit punt belangrijk op te merken dat dit niet Edwards eerste erectie was. Wanneer hij 's morgens wakker werd, wees zijn aanhangsel (hij wist nooit goed hoe hij het moest noemen) vaak pal naar het noorden in plaats van naar het gebruikelijke zuiden. Maar bij deze gelegenheid was zowel de situatie als de gewaarwording totaal anders. Edward voelde een onbeheersbare tinteling, een overweldigende drang in die delen die hij normaal gesproken ferm buiten zijn gedachten hield. Tot zijn afgrijzen besefte hij dat als er niet iets ingrijpends gebeurde, en snel ook, hij de snel uitdijende bobbel niet meer zou kunnen verbergen.

'Zou je het erg vinden, schat, om even de badkamer in te duiken,' zei Elizabeth, 'terwijl ik me verder uitkleed?' Behoorlijk opgelucht ging Edward het aangrenzende vertrek in, waar hij de deur sloot en zijn gezicht en nek met koud water kletsnat maakte. Toen alles beneden weer normaal was (en pal naar het zuiden wees, in plaats van schuin noordnoordwest), trok hij snel zijn pak, overhemd, broek en onderbroek uit en stapte hij in zijn katoenen pyjama.

'Klaar, Edward,' riep een nerveus opgewonden Elizabeth vanuit de slaapkamer. 'Je mag eruit komen.' En aldus stapte Edward, na diep ingeademd te hebben en even onbewust met zijn hoofd te hebben geschud, weer de slaapkamer in en daarna langzaam in bed.

Edward moest heel wat affrummelen voordat hij zijn ding in haar ding had gestopt, maar toen hij dat eenmaal voor elkaar had, kwam hij tot de ontdekking dat het beslist geen onaangename ervaring was. Hij hield zijn ogen stevig gesloten – hij kon de gedachte dat Elizabeth hem in zo'n gênante positie zou zien, niet verdragen – en concentreerde zich op wat er beneden gebeurde. Dit, zo dacht hij na een poosje, is in feite tamelijk aangenaam.

En wat vond Elizabeth Trencom er allemaal van? Wanneer je het bruidsbed vanuit de lucht had waargenomen, zou je haar op haar rug zien liggen met haar lange nachtjapon nog aan. Haar benen waren een beetje gespreid en haar armen klemden zich stevig om Edwards schouders. Haar ogen waren gesloten – ze kon de gedachte dat Edward haar in zo'n onwaardige positie zou zien, niet verdragen – en ze concentreerde zich hevig op de daad die werd gepleegd.

Ze genoot er niet bepaald van, als ze helemaal eerlijk was. Maar tegelijkertijd voelde ze dat dit na al die jaren de juiste tijd en plaats was om 'het' te doen. En Edward was zeker de juiste man. Ze had er niet aan moeten denken met iemand te zijn die heel overtuigd van zichzelf en zelfverzekerd was. Nee, ze was blij dat haar nieuwbakken echtgenoot net zo onervaren was als zij en zo mogelijk nog nerveuzer.

Ze wist ook dat het allemaal gauw voorbij zou zijn. Edwards tempo versnelde en het bed begon angstwekkend luid en regelmatig te piepen. En precies op het moment waarop er een opgelaten 'Ssst' aan haar ontsnapte, was het, met een laatste 'toing' van de vering, inderdaad voorbij. Edward had zijn taak erop zitten en de beddenveren namen weer hun normale stand in. Het echtpaar in de kamer eronder knipoogde naar elkaar. Het echtpaar in de kamer ernaast keek elkaar glimlachend aan. De heer en mevrouw Trencom deden eindelijk hun ogen open, opgelucht als ze waren dat ze – op hun eigen, onnavolgbare en aandoenlijke manier – door elkaar waren ontmaagd.

Vanaf nu zouden ze iedere week gemeenschap hebben, op zondagavond, na de traditionele zondagsmaaltijd. Het was voor hen zelden een wereldschokkende gebeurtenis en de daad zelf bleef tamelijk plichtsgetrouw. Toch was het een heel verliefd stel en verheugden ze zich allebei op die momenten waarop ze intiem met elkaar waren. Ze zouden nooit gedacht hebben dat hun vaste zondagavondgewoonte op een dag zwaar verstoord, of zelfs totaal zou worden getransformeerd door de schaduwen uit het Trencomverleden.

VIII

23 januari 1969

De labyrintachtige kelderruimten van Trencoms bestonden nog niet toen de winkel zijn deuren opende. Pas in 1750 leidde een toevallige gebeurtenis tot de ontdekking ervan. Toen Samuel Trencom, een voorvader van Edward, op een ochtend de winkel opende, ontdekte hij dat de vloer was ingezakt. 'Verdomme en verdorie,' zei hij voor zich heen. 'Hier zal meneer Joppell de metselaar aan te pas moeten komen.' Maar Samuels irritatie maakte al snel plaats voor grote verbazing toen hij het gat in tuurde en een grote holte onder de winkel zag. Hij rende weg om een ladder te halen en liet zich neer door de deels ingestorte vloer. Tot zijn immense verbazing stond hij even later in een reeks grote middeleeuwse kapellen, die allemaal nog een intact stenen plafondgewelf hadden. Ze waren deels opgevuld met puin, en een paar doorgangen waren bijna helemaal geblokkeerd, maar toch was het nog mogelijk door alle met elkaar in verbinding staande ruimten te kruipen.

Samuel stond in de buurt bekend om zijn koelbloedigheid, maar zelfs zijn hart ging sneller kloppen toen hij in de middeleeuwse crypte was afgedaald. Zes kapellen, recht onder zijn winkel, allemaal te bereiken vanuit de hoofdkelder!

Sakkerloot! dacht hij. Wat een gelukkig toeval.

De opslag van kazen had de Trencoms in de Georgiaanse tijd vele slapeloze nachten bezorgd en ze waren al genoodzaakt geweest diverse opslagplaatsen in de omgeving te huren. En nu hadden ze onder hun hoogsteigenste winkel een reeks stenen kelders die het hele jaar door gezegend waren met een constante temperatuur en vochtigheidsgraad. Samuel was geen devoot man – hij beklaagde zich zelfs voortdurend over de eindeloos lange kerkdiensten die rond 1750 zo populair waren – maar op die ochtend begaf hij zich naar de parochie van St.-Lawrence Jewry in de Gresham Street en liet hij drie zilveren shillings achter op het collectebord.

Samuel ontdekte later dat de ondergrondse kapellen aan de cisterciënzer St.-Egbertabdij hadden toebehoord, die ooit had gestaan tussen de huidige Cutter Lane en King Street. De abdij werd tijdens de reformatie met de grond gelijkgemaakt; de kerk, refter en alle bijgebouwen werden vernield door de bendes vandalen, zware jongens en plunderaars van koning Hendrik VIII. Maar de reusachtige crypte van de abdij ging in de puinhopen verloren. Er werd na 1570 over de intacte maar begraven crypte heen gebouwd, waarna hij algauw werd vergeten. Dezelfde plek werd nogmaals verwoest tijdens de grote stadsbrand en tegen de tijd dat hij rond 1680 opnieuw werd bebouwd, was iedereen helemaal vergeten dat de kapellen ooit bestaan hadden.

Twee eeuwen na Samuels ontdekking was de crypte het organische hart van Trencoms geworden. Het personeel dat in de winkel werkte en de groepen die er bijna dagelijks werden rondgeleid, betraden de kelder via een groot luik achter in de winkel. Een steile houten trap voerde rechtstreeks naar de hoofdkelder, die ruim drieduizend verschillende kazen bevatte.

Deze zes kapellen waren al sinds onheuglijke tijden verdeeld in geografische gebieden. Wanneer je onder aan de houten trap was gekomen, stond je in de vruchtbare weilanden van de Nord-Pas de Calais, waar de planken vol lagen met plaatselijke boerenkazen, zoals de sterke saint-winoc en de in een pekelbad gewassen abbaye du mont des cats. Van hier voerde de hoofdgang tussen kratten en rekken door naar Picardië en Bourgondië en (uiteindelijk) naar het bergachtige, met struiken overdekte landschap van de Haut-Languedoc. Hier splitste het pad zich en moest je

kiezen tussen links of rechts. Het linkerpad leidde je de Pyrenee-
en over en de in mist gehulde pieken van Baskenland in, waar
de kazen even vers en harsachtig waren als de met naaldbomen
bedekte hellingen. Als je dit pad naar een van de grotere zijkapellen volgde, dat tot het plafond vol stond met kratten, dwaalde je vanzelf zuidwaarts door Spanje. Via de Straat van Gibraltar
voerde het verder over het Atlasgebergte naar het dorre land
van de sub-Sahara met zijn gedroogde geitenkazen. Weinigen
van de familie Trencom kozen uit vrije wil deze route, want ze
wisten dat hij doodliep op de kazen met okrasmaak van Mauritanië.

De andere hoofdroute kronkelde in de richting van de gras-
hellingen van de Jura, daarbij de moularens van de Provence en
de vachards van het Rhônegebied passerend. Daarna voerde hij
over de met sneeuw bedekte Alpen totdat de vloer plotseling en
opvallend schuin afliep en je ineens in de warme dalen van Piëmonte stond, waar je werd verwelkomd door de penetrante geur
van rijpende gorgonzola. Weer splitste het pad zich. De ene route
leidde naar Napels en de beroemde kazen van het Italiaanse zuiden. De andere voerde verder oostwaarts, naar Macedonië, Thracië en de grasvlakten van Anatolië. Wanneer je de Hellespont
eenmaal was overgestoken, bevond je je in de beroemde kaas-
steden Sivas, Erzincam en Erzurum. Nog een paar stappen en je
stond in een paar afgelegen provincies van Oost-Perzië. Je vond
er de met de hand gekarnde yoghurt van Bachtaran, de Zoroas-
trische kazen van Atashkadeh en Yazd. En nog verder voerde het
pad, nu noordwaarts naar de prikkelende geitenkwark die zo
geliefd was bij de Turkmeense nomaden. Vanhieruit kwam je in
het achterland van de opslagruimte van Trencoms – de lege
vlakten van Kazachstan, de steden Astrachan, Grozny, Tbilisi en
Jerevan. De weggetjes, steegjes en paadjes die naar de andere
kleine kelders slingerden, voerden je naar alle uithoeken van de
aarde – naar Azië en India, naar Noord- en Zuid-Amerika en
Australazië.

Maar waar waren de fameuze kazen van Groot-Brittannië – de

cheshires, de wensleydales en de stinkende bishops? De familie Trencom had Groot-Brittannië nooit als deel van Europa beschouwd. De kazen van Engeland, Wales en Schotland waren samen gehuisvest in een van de Middeleeuwse zijkapellen, van de andere gescheiden door een ijzeren hek en veilig achter slot en grendel.

In het midden van de hoofdcrypte stond het beroemde Trencomaltaar: een dikke plaat harde kalksteen die op twee stevige poten rustte. Eeuwen daarvoor was het de plek geweest waar de monniken van de St.-Egbertabdij bijeen waren gekomen om de dagelijkse mis op te dragen. Dit was de plek waar ze het brood en de wijn hadden gewijd. Dit was de plek waar de abten met hun getonsureerde hoofd klaagzangen hadden gezongen voor hun Heer. Albert van Wichbricht had ooit aan dit altaar de goddelijke liturgie gevierd. St.-Branoc maakte in 1198 een pelgrimstoch hiernaartoe. Koning Hendrik II woonde hier de mis bij voordat hij Herefordshire in reed om de opstand van de barons neer te slaan.

Nu vond er aan het altaar een heel ander soort eredienst plaats. Op hetzelfde steen werd kaas gesneden en besnuffeld, onderzocht en geproefd. De monniken van de abdij (de botten van enkelen van hen lagen onder de grond) zouden recht overeind in hun graf zijn geschoten als ze hadden kunnen zien wat er in de tussenliggende eeuwen was gebeurd. St.-Branoc zou zijn giftige slangen naar de Trencoms hebben geworpen, hen vervloekend voor hun bevlekking. Abt Henri van Clairvaux zou hen hebben laten verbranden wegens ketterij. De Trencoms zelf zagen echter niets godslasterlijks in wat ze deden. Integendeel. Doordat ze hun kaas op het altaar sneden, doordat ze aan de tafel van Christus aten, zagen ze zichzelf als de hoeders van een lange en gewijde traditie.

Edwards werkdag viel uiteen in onderdelen die zelden of nooit veranderden. Om 8.31 uur stak hij de sleutel in de voordeur van Trencoms en stapte hij kwiek de winkel in. Hij snoot zijn neus

66

en rook aan de kazen. Nadat hij onder de ronddraaiende ventilator had gestaan, liep hij vervolgens naar beneden, de kelder in.

Ook zijn lunch volgde een onveranderlijk patroon dat zowel bij zijn temperament als zijn constitutie paste. Om een uur 's middags stelde hij meneer George voor zijn lunchpauze te nemen, wetende dat die precies om 1.58 uur terug zou keren. Vier minuten later – niet eerder, niet later – trok Edward zelf zijn jas aan; hij zei meneer George opgewekt gedag en stapte de straat op.

Maar op 23 januari 1969, twee dagen na Edwards onverwachte spurt door de straten van de stad, brak hij met zijn oude gewoonte. Op een gewone dag zou hij links af zijn geslagen naar het Mumford Court en dan weer links Milk Street in. Hij zou dan in de rij gaan staan bij mevrouw O'Casey. Hij kocht steevast twee sandwiches (één met ham, één met ei – 'Extra sla bij het ei, alstublieft') alvorens naar de kleine tuin op de hoek van de Love Lane te gaan. Op deze bewuste ochtend ging Edward echter niet naar de broodjeszaak van mevrouw O'Casey. Hij snoof wel de lucht in, zoals hij altijd deed wanneer hij Trencoms verliet, en ook keek hij onderzoekend naar de lucht om te kijken of er zich regenwolken verzamelden. Maar in plaats van links af te slaan toen hij de winkel uit kwam, sloeg hij rechts af – de andere kant op – en begaf zich in de richting van Queen Street.

Diep in zijn hart moet Edward zich ervan bewust zijn geweest dat zo'n afwijking van de norm alleen maar een slechte voorbode kon zijn. Hij moet geweten hebben dat meneer George ontzet zou zijn geweest als hij hem rechts af had zien slaan. Toch aarzelde hij geen moment, ook al was er een frons op zijn voorhoofd en een geruis in zijn hart.

Er waren Edward in het voorafgaande etmaal twee opmerkelijke dingen overkomen. Het verontrustendste van de twee was het feit dat Edward er nu van overtuigd was dat hij werd geobserveerd – geobserveerd door iemand wiens identiteit een groot raadsel bleef. Dit maakte hem danig van streek en zat hem voortdurend dwars, waardoor de dagelijkse routine zijn glans verloor.

Verder had er zich iets voorgedaan in de kelder van Trencoms dat niet minder mysterieus was. Edward had een opzienbarende ontdekking gedaan – een ontdekking die zo ongewoon was, dat hij zeker wist dat zijn leven voorgoed zou veranderen. En hoewel deze twee dingen helemaal op zichzelf stonden, of leken te staan, kon Edward zich maar niet aan de indruk onttrekken dat het ene op de een of andere vreemde manier tot het andere had geleid.

Hij was zo overvallen door zijn ontdekking in de Trencomcrypte, dat hij bijna drie uur lang onbeheersbaar had geniest. En hoewel het niezen eindelijk was opgehouden, merkte hij tot zijn ontzetting dat hij zijn concentratievermogen helemaal kwijt was. Terwijl hij normaal gesproken uitkeek naar de koffiepauze midden op de ochtend, had hij vandaag haast niet kunnen wachten tot het lunchpauze was. Terwijl hij er meestal van genoot met meneer George te babbelen over de werking van bacteriën in melk, leken zulke gesprekken ineens dodelijk saai. Zelfs de roquefort, de prins der kazen, leek deze ochtend zijn aroma te hebben verloren. Een verborgen angst – Edward wist nog niet precies waarvoor – knaagde gedurig aan hem.

Hij haastte zich Lawrence Lane door en begon dezelfde route te volgen die hij twee dagen daarvoor ook had genomen toen hij achter de mysterieuze Griekse man aan was gelopen. Hij liep doelgericht King Street door, alsof hij aanwijzingen zocht, en sloeg daarna rechts af, Gresham Street in. Nadat hij in Old Jewry en Cheapside de lucht had opgesnoven, aan dezelfde kant van de stoep blijvend als de vorige keer, kwam Edward weer in de Queen Street terecht.

Hij bleef even staan toen hij het kantoor van Christos Makarezos en Zoons passeerde en keek naar de eerste verdieping om te zien of er een teken van leven was. De gordijnen voor beide ramen waren stevig dichtgetrokken, maar toch kon hij heel duidelijk zien dat er in de kamer licht brandde.

Iets te verbergen, dacht Edward. Beslist iets te verbergen. Hij moest denken aan de puriteinse geestelijken uit Amsterdam die nooit hun gordijnen dichtdeden en beweerden dat alleen zondaars zich voor de wereld hoefden af te sluiten.

Hij keek nog eens naar het gebouw en stak daarna over. Nog een paar passen en hij stond voor nummer 11, het kantoor van Barcley, Berkleigh en Barklee, advocaten en notarissen. Hij stevende zeer doelbewust op de glanzendzwarte deur af, maar voordat hij op de bel drukte, wachtte hij even en bewonderde in de glimmende geelkoperen plaat het profiel van zijn neus. Hij onderzocht hem aandachtig en masseerde met zijn wijsvinger langzaam de fraaigevormde rand. Toen verscheen er een glimlach op zijn gezicht. O ja, ja, ja! Bij alle onzekerheden in de wereld was er één ding zeker: hij beschikte zonder enige twijfel over een werkelijk kostbaar bezit.

De bobbel bezorgde hem de grootste vreugde. Die was hard. Stevig. Benig. Het soort bobbel dat meer ijdele, meer alledaagse types heel wat ellende zou hebben bezorgd. Edward zou het daarentegen niet eens erg gevonden hebben als de bobbel nog iets groter was geweest.

'Moet je zien,' zei hij glimlachend in zichzelf. 'Wat heb je toch een prachtneus, Edward Trencom.' En terwijl hij zijn neusvleugels licht reinigde met een crèmekleurige katoenen zakdoek, probeerde hij zich het beroemde citaat over neuzen te herinneren. Hoe was dat ook alweer? Dat de geschiedenis van de wereld er totaal anders zou hebben uitgezien als Cleopatra's neus een centimeter korter was geweest. Zo was het toch? Of als hij een centimeter langer was geweest?

Hij klopte driemaal luid op de deur. Even later hoorde hij geschuifel in de hal, gevolgd door het geluid van een slot dat wordt opengedraaid. De deur ging open en de secretaresse, mevrouw Clarke, nam Edward van top tot teen op.

'Ja?' zei ze vragend.

'Ik kom voor meneer Barcley,' zei Trencom terwijl hij van de ene op de andere voet ging staan.

'Welke meneer Barcley?' informeerde mevrouw Clarke. 'Meneer Barcley, meneer Berkleigh of meneer Barklee?'

'Meneer Richard Barcley,' zei Edward. Met i-grec en zonder i.'

'U kunt hem momenteel helaas niet spreken,' zei mevrouw Clarke, 'maar ik kan hem laten weten dat u er bent. Wie kan ik zeggen dat er is?'

'De naam is Trencom,' zei Edward. 'Misschien wilt u zo vriendelijk zijn tegen hem te zeggen dat ik iets van het grootste belang heb mede te delen.'

Mevrouw Clarke fronste haar wenkbrauwen en gebaarde dat hij binnen moest komen. 'Ik zal kijken of hij u te woord kan staan,' zei ze.

Er verstreken vijf minuten voordat er in het kantoor een deur openging en Richard Barcley verscheen met een halflege mok warme chocola in zijn hand en een *Daily Telegraph* onder zijn arm geklemd. Hij was een man bij wie de middelbare leeftijd zich akelig snel had aangediend, alsof die niet kon wachten tot hij alle sporen van zijn ooit zo jeugdige lichaam had uitgewist. Hij was kalend, zag er verfomfaaid uit en had een snel uitdijende buik die duidelijk aasde op het laatste nog ongebruikte gaatje van zijn bruine suède riem.

Richard was in de wieg gelegd voor de advocatuur. Hij was knap zonder intelligent te zijn en slim zonder wijs te zijn, als de te pientere leerling die alles weet en toch ook weer niets. Hij kon zijn logaritmetafels met indrukwekkend gemak opzeggen en kon je (in de juiste volgorde) alle stations van de Central Line, Bakerloo Line en Northern Line opnoemen.

'En,' zei hij dan met een trots die nog net geen borstklopperij was, 'ik kan de kruiswoordpuzzels in *The Times* en de *Telegraph* in nog geen tien minuten oplossen.' En dat kon hij ook, maar het zou een ietsepietsje indrukwekkender zijn geweest als hij deze onbetwistbare prestatie voor zich had gehouden.

Ondanks zijn hoge IQ – en lidmaatschap van MENSA – schortte het bij Barcley enigszins aan charme. Zoals zoveel mensen die zich van hun superioriteit bewust zijn, had hij de vervelende neiging tegen anderen te praten op een manier waaruit bleek dat ze niet helemaal op zijn hoogfrequente golflengte zaten.

'Snap je het dan niet?' was een van zijn lievelingsuitdrukkingen, vaak gevolgd door een geërgerde zucht na het afsluitende 'niet'. 'Voor mij is het heel duidelijk,' was er ook een – en kennelijk bedoeld om aan te geven dat hij vond dat het voor ieder ander ook heel duidelijk had moeten zijn.

Waarom, zou je je kunnen afvragen, mocht Edward Richard dan zo graag? Zelfs de minst innemende personen hebben eigenschappen die hun gebreken compenseren, en Richard was op die algemene regel geen uitzondering. Toen zijn collega zwaar ziek was, had Richard zijn werklast bewonderenswaardig welwillend overgenomen. En toen zijn bejaarde buurvrouw van haar pensioentje was beroofd, was hij ruim een maand lang elke avond bij haar langsgegaan om te kijken of ze het goed maakte. Kortom: Barcley was een betrouwbare en trouwe vriend – ongemeen trouw – en wanneer hij eenmaal vriendschap met iemand had gesloten, beëindigde hij die niet zo gauw.

'In nood,' placht hij te zeggen, 'leer je je vrienden kennen.' Misschien niet een hoogst originele uitspraak, maar Richard gaf daar een eigen wending aan die hij met de nodige zwier bracht. Na een dramatische stilte zei hij dan: 'Wist je dat de graaf van Rochester de eerste was die die uitdrukking gebruikte?' Edward wist het, want het was hem al vele malen verteld, maar hij knikte niettemin goedmoedig en welwillend.

Op deze dag was Barcley niet in een al te best humeur. Toen hij op weg was naar zijn werk, was hij bij Sutton op een weg-afsluiting gestuit en zijn kruiswoordpuzzel was verpest toen zijn vulpen op onverklaarbare wijze een grote dikke druppel heldergroene inkt had gelekt. En net toen hij die ochtend op het punt stond de eerste slok van zijn warme drank te nemen, had hij zijn elleboog gestoten en alles op zijn overhemd en das gemorst.

'Edward, beste kerel,' zei hij mat glimlachend toen hij de gang in stapte. 'Als ik had geweten dat jij me wilde spreken, had ik je eerder binnen laten komen. Mevrouw Clarke heeft de gewoonte de verkeerde namen aan de verkeerde gezichten te koppelen en ze daarna naar de verkeerde kamer te sturen.'

'Ach, deze keer,' zei Edward terwijl hij in Barcleys kantoor plaatsnam, 'had mevrouw Clarke helemaal gelijk. Ja, ja – ik ben het. En sterker nog: ik kom je een nieuwtje vertellen. Of om preciezer te zijn: twee nieuwtjes. Een daarvan is wel erg spannend en ik wilde dat jij de eerste was die het wist. Het andere is – tja, om eerlijk te zijn, Richard: ik hoop dat je me misschien kunt helpen. Er is me namelijk iets tamelijk vreemds overkomen. Iets waardoor ik me... hoe zal ik het zeggen... niet meer zo op mijn gemak voel.'

Hij bekeek een grote, dikke bromvlieg die rondjes om de lamp vloog en daarna naar het raam zoefde. Hij botste lawaaiig tegen het glas en vloog vervolgens snel tweemaal de kamer rond, waarna hij een koprol boven de leunstoel maakte en toen neerstreek op de presse-papier op Richards bureau.

'Voordat we verdergaan,' zei Richard met een merkbare zweem vermoeidheid, 'moeten we iets te drinken hebben. Wil je thee of koffie? Als je thee wilt, zeg ik tegen mevrouw C dat je koffie wilt. Als je koffie wilt, laat ik haar thee voor je zetten. Als je daarentegen iets kouds wilt drinken, stel ik voor om warme chocola te vragen. Het is allemaal heel eenvoudig: mevrouw Clarke geeft je steevast het tegenovergestelde van wat je vraagt.

Ik geloof dat ze hersendyslexie heeft – het wordt met het jaar erger. Het enige wat je ertegen kunt doen is het hoofd operatief volledig laten verwijderen – ha-ha! – maar het ziekenfonds beweert dat het te duur is.'

Edward glimlachte en vroeg om een kop koffie.

'Mooi, dan neem ik ook koffie,' zei Barcley, waarna hij door de gang om twee koppen thee riep. 'En, mevrouw Clarke,' zei hij, naar Edward knipogend, 'deze keer hoeven er geen koekjes bij.'

Hij leunde weer achterover in zijn stoel en keek zijn vriend aan. 'Goed, ouwe jongen,' zei hij, 'wat kan ik voor je doen? Wat zijn het voor nieuwtjes?'

'Heb je wel eens iets vreemds aan mijn gezicht opgemerkt?' zei

Edward. 'Heb je wanneer je naar me keek wel eens gedacht dat er eh… iets ongewoons aan me is?'

'In welk opzicht bedoel je, kerel?'

'Heb je wel eens gedacht dat je vriend een fraaie… en ongemeen schitterende… neus heeft?'

Richard schoof ongemakkelijk heen en weer in zijn stoel en keek toen naar Edwards gezicht. Er school enige waarheid in wat hij zei. Zijn vriend had inderdaad een vreemde neus. Ja, een zeer uitzonderlijke neus.

'Fraai? Ja. Schitterend? Hmmm, misschien. Maar weet wel dat dit nog niet wil zeggen dat ik hem zelf zou willen hebben.'

'Bekijk mijn profiel eens,' zei Edward, terwijl hij in zijn stoel ronddraaide om Barcley de gelegenheid te geven hem goed op te nemen. 'Kijk eens naar de bovenkant van mijn neus. Kijk eens naar de plek waar hij begint af te lopen naar mijn mond.'

Richard staarde zijn vriend met verbaasde verwarring aan. Edward, die al tweeëntwintig jaar zijn vriend was, kon soms toch een rare kerel zijn.

'Kijk eens naar de bobbel. Bekijk hem goed, Richard, bekijk hem goed. Eigenaardig, hè? Het is een volmaakt rondje boven op een volmaakte brug. Sterker nog, Richard, hij vormt een volmaakte bol.'

Barcley merkte dat Edward zo geanimeerd was geraakt, zo opgewonden, dat zijn wangen kleur hadden gekregen.

'Zie je het niet? Hij is volslagen uniek. Niemand ter wereld heeft een neus als de mijne. Hij is volkomen origineel.'

Richard betuigde plechtig zijn instemming. 'Het is een fraaie neus, ouwe jongen. Een prachtneus. Maar ik kan er helaas niet veel aan doen. Tenzij hij natuurlijk het strijdpunt vormt van een juridisch geschil. Dan zouden we er wel een slaatje uit kunnen slaan, vermoed ik.'

Hij brulde van het lachen om zijn eigen grap en was nogal teleurgesteld toen hij zag dat er niet eens een lachje op Edwards gezicht verscheen.

'Ik ben naar je toe gekomen omdat je nu juist wel iets aan mijn neus kunt doen. Of me in ieder geval misschien kunt helpen. Er is namelijk iets boven water gekomen, Richard, dat van buitengewoon belang is. En ik heb het gevoel dat mijn leven op het punt staat op een zeer toevallige wijze te veranderen.'

Richard staarde zijn vriend aan. Edward gedroeg zich wel vaker vreemd, maar deze middag overtrof hij zichzelf.

'Maar wat kan ik dan voor je doen?' begon hij te vragen, maar voordat hij zijn zin af had voelde hij... dacht hij... was hij er zeker van...

Maar nee.

De nies was plotseling weggezakt.

'Heb je wel eens,' zei Edward, 'over de opbouw van een nies nagedacht?'

Lieve help, dacht Richard, met een groeiend onheilspellend gevoel, straks gaat die ouwe jongen me nog vertellen dat hij paranormaal begaafd is.

'Het lichaam doet er ruim veertien seconden over om een volledige nies te produceren. Eerst komt het onbedwingbare gekriebel in je longen. Het prikken van je ogen. En voor je het weet: haaaa–tsjie!'

Richard smeekte Edward op te houden. Hij hield zijn adem in, deed zijn hand voor zijn mond en terwijl de tranen opwelden, nieste hij zo ongelooflijk hard dat het gebouw trilde op zijn grondvesten.

'Gefeliciteerd!' riep Edward uit. 'Helemaal volgens het boekje. Maar laat ik ter zake komen. Gisteren – nog geen etmaal geleden – ging ik in de winkel via de keldertrap naar beneden en toen nieste ik ook zo enorm hard. Precies zoals jij nu. Ik had niet zo geniest sinds de laatste keer dat we frühstückkäse hadden binnengekregen en ik de lucht opsnoof om erachter te komen wat er mis was. En weet je wat er toen gebeurde? Mijn neus trok en prikte nog een keer en mijn ogen werden vochtig. En weer werd ik overweldigd door die bijzonder krachtige nies.

En terwijl ik me daar stond af te vragen wat deze onverwachte aanval had veroorzaakt, bespeurde ik een ongewone maar niet onaangename geur die diep vanuit onze kelder opsteeg. Hij was anders dan alle kaasgeuren die ik in al mijn jaren bij Trencoms was tegengekomen. Er zat wel iets stoffigs van de mistral in die ik in deze tijd van het jaar wel vaker bespeur. En er was ook die vage geur van stro en lavendel die je bij de geitenkazen van de Languedoc wel meer aantreft. Maar ik rook niets van de geurigheid of rijpheid die aanwezig is in iedere kaas die we in voorraad hebben.'

Barcley hief zijn hand op alsof hij zijn vriend wilde tegenhouden, maar Edward was goed op dreef en merkte het nauwelijks.

'Hij had de zilte zweem van een chevrotin des aravis,' zei hij, 'maar de romige volheid ontbrak. Hij had dat zoute van een bonde de gâtine, maar dan zonder die luchtige rijpheid. Het was beslist een oude geur – daarvan was ik zeker. Maar hij was absoluut niet afkomstig van een van de drieduizendeenhonderdenzesentwintig kazen, soorten yoghurt en fromages blancs die in de crypte waren opgeslagen.'

Edward was zo opgewonden en geïntrigeerd geweest door de geur dat hij zijn neus de bron had laten opsporen door hem te volgen via de paadjes en gangetjes die door de onderling verbonden kelderruimten liepen. Hij kwam de vruchtbare weiden van de Pas de Calais binnen en volgde het pad helemaal tot aan de blauwe kazen van de Jura. Toen hij vlak langs de kratten picadou liep, die bijna tot aan het plafond waren opgestapeld, meende hij een vleugje verse walnoot te bespeuren.

Maar de geur trok hem verder, naar het zuiden, naar Piëmonte en Lombardije en de majestueuze rivier de Po. Hier liep het spoor echter plotseling dood, en Edward werd als vanzelf naar een van de zijkapellen toe getrokken, die vol stond met de milde kazen uit Thracië. Hij trok verder in noordoostelijke richting, naar Walachije, Moldavië en de kaasproducerende steden van Transdnjepr. Maar de geur stierf weer langzaam weg, en nu werd hij zuidwaarts getrokken, in de richting van de in olijfolie gemarineerde kazen uit Istanbul.

'En hier, Richard, leek de geur ineens de lucht te vullen. Hij leek van onder de kratten met kazen te komen die we apart houden voor de Griekse en Turkse restaurants van Noord-Londen.

Nou, je kunt je mijn reactie wel voorstellen: ik wilde de bron van de geur vinden. Ik moest weten waar hij vandaan kwam. Ik had zo'n haast dat ik twee kisten omgooide, waardoor de kazen op de grond vielen. Een derde kist viel tegen een stapel weikaas uit Anatolië aan. Pas toen ik de hoge stapel Turkse feta had afgebroken, zag ik dat het krat helemaal onderop gespleten en stukgegaan was. En dat was wat de geur veroorzaakte. Die kwam door de barst in het hout naar buiten.'

Edward zweeg even, in de verwachting dat Barcley mogelijk vragen had. Toen er geen vragen kwamen, vervolgde hij zijn verhaal.

'Ik hurkte op de grond en duwde mijn neus tegen het hout. En wat rook ik? Het was een vreemd brouwsel: leer, schimmelige appels, azijnachtige cider. Ik bespeurde muskus en lelies, viooltjes en mirre. En toen ik de omringende kratten uitpakte en dat ene krat van onder op de stapel weghaalde, realiseerde ik me dat ik iets van buitengewoon belang had ontdekt.'

'En wat mag dat dan wel zijn?' vroeg Richard. Hij had gemerkt dat toen Edward aan het vertellen was, de onwinterse onweerswolken waren weggeblazen en dat er nu helder winters zonlicht door het raam naar binnen stroomde. Het viel op de verchroomde wijzerplaat van de wandklok tegenover zijn bureau, waardoor er blikkerende lichtscherven naar alle hoeken van de kamer werden verspreid.

'Aha!' zei Edward. 'Dat is een zeer toepasselijke vraag. Het was zeer zeker geen kaas. Helemaal geen kaas. Het was – ben je er klaar voor? – het familiearchief, of een deel daarvan, van de Trencoms. Van mijn voorvaderen. Ja, ik had een grote kist met familiedocumenten gevonden.'

Richard trok een wenkbrauw op en bestudeerde zijn wijsvinger met de grootse zorg, alsof hij hem onder de microscoop bekeek. Toen duwde hij hem diep in zijn oor om een uiterst irritante jeuk op te sporen en te neutraliseren. Het was een gewoonte – een nogal onaangename – die zich meestal openbaarde wanneer iets hem intrigeerde of wanneer hij opgewonden was. En wat Edward hem vertelde, intrigeerde hem inderdaad enigszins. Hij besefte dat het misschien toch interessant zou kunnen zijn.

'Ik had geen idee wat die daar moesten. En ik had ook geen idee wie ze daar geplaatst had. Ik wist zelfs niet precies wat ik gevonden had. Het leek een rommeltje. Wie ze in dat krat had gestopt, had ze niet volgens een bepaald patroon gesorteerd. Maar het drong algauw tot me door dat die oude papieren betrekking hadden op mijn voorvaderen, ja, op alle Trencoms die in de winkel hadden gewerkt.'

Barcley boog zich voorover en tikte met zijn pen driemaal op zijn bureaublad.

'En?' zei hij.

'Wat en?' vroeg Richard.

'Nou, wat vónd je dan? Wat zat er in die kist?'

'Geboorteakten, doopregisters en blocnotes. Er zaten gegevens van volkstellingen in en een handjevol oude foto's. Er zat een boek in dat geschreven was door Humphrey Trencom – de oprichter van Trencoms – en een Victoriaanse familiebijbel.'

Edward zweeg even toen hij probeerde zich te herinneren wat hij nog meer had gevonden.

'O ja, er was een gedichtenbundel van Byron bij die een paar handgeschreven brieven bevatte, en een aantal kaarten van het Ottomaanse Rijk. Er zat zelfs een oude icoon in de kist, en ook vier of vijf boeken die in het Grieks zijn geschreven.'

'Hmmm,' zei Richard, zich afvragend waar Edwards ontdekking heen leidde.

'En op dat moment daagde het me,' vervolgde Edward, 'dat de inhoud van de kist me wel eens de kans zou kunnen geven de waarheid omtrent mijn neus te achterhalen.'

Hij dempte zijn stem totdat hij bijna fluisterde.

'Al meer dan dertig jaar vraag ik me af wie ons voor het eerst dit familie-erfstuk heeft nagelaten. Ik heb het mijn vader nooit

77

kunnen vragen, want die stierf toen ik nog een jongen was. En mijn opa heb ik nooit gekend. Toen ik vele jaren geleden aan mijn oom vragen wilde stellen over mijn neus, verbood hij me het onderwerp ooit nog te berde te brengen.

Sinds ik klein was, Richard, heb ik me altijd afgevraagd hoe mijn neus aan die vreemde vorm en structuur is gekomen, heb ik me afgevraagd hoe hij zo gevoelig heeft kunnen worden. Mijn hele leven heb ik willen weten hoe hij in de familie is gekomen.

Nu die papieren zijn opgedoken, ben ik er eigenlijk zeker van dat ik heel wat meer te weten zal kunnen komen. Ik zal kunnen uitzoeken waar we vandaan komen, Richard, en wie ik nu écht ben.'

Er viel een lange stilte voordat Barcley sprak.

Glimlachend zei hij: 'Ik zou je willen aanraden niet te opgewonden te raken. Je weet nooit wat je zult aantreffen. Mijn oude vader onderzocht onze stamboom omdat hij hoopte te ontdekken dat we van Sir Launcelot Barkleigh afstamden, een van de kanseliers van koning Hendrik VIII. Hij had zichzelf al aangepraat dat we een tak van die familie waren en begon zelfs al te beweren dat wij Barcleys degenen waren die het proces tegen Anna van Kleef in gang hadden gezet.

En weet je wat hij ontdekte? Dat we van niets interessanters afstamden dan een lange lijn advocaten.'

Barcley liet een minachtend gesnuif horen en merkte tot zijn verbazing dat Edward de grap niet kon waarderen. Zijn vriend leek plotseling zelfs geagiteerd en was uit zijn stoel gekomen en naar het raam gelopen.

'Er is nog wat,' zei Edward terwijl hij naar de overkant keek. 'Iets wat jij me misschien kunt helpen oplossen. Dat gebouw daar aan de overkant – van wie is dat? Is het een kantoor? Of woont er iemand?'

'Hè? Op nummer 14?' vroeg Barcley, die achter zijn bureau vandaan kwam en zich bij zijn vriend aan het raam voegde. 'Maar… waarom vraag je dat zo ineens? Je gaat me toch niet vertellen dat dat iets met je familie te maken heeft?'

Edward schudde zijn hoofd.

'Dat gebouw is al heel lang een raadsel voor mevrouw Clarke en mij. We hebben nooit kunnen achterhalen wat zich daar afspeelt. Het is er altijd een komen en gaan van allerlei mensen. Altijd veel activiteit.'

'Activiteit?' vroeg Edward.

'Ja, er stoppen auto's. Er worden pakjes bezorgd. Dat soort dingen. En mevrouw Clarke reed er op een avond laat langs, wanneer Queen Street altijd verlaten is, en toen viel haar op dat alle lichten in het gebouw nog brandden.'

'Maar van wie is dat kantoor? De plaat op de deur doet vermoeden dat het een soort familiebedrijf uit Piraeus is.'

'Ja, inderdaad – je hebt je huiswerk al gedaan, merk ik. Voorzover ik weet, is het een scheepvaartmaatschappij. Een soort import- en exportbedrijf. Maar zeg me nu eens waarom je je zo druk maakt om Queen Street nummer 14? Ik begin te denken dat het toch iets met je familie te maken heeft.'

'Nee,' zei Edward. 'Helemaal niet. Maar...'

Hij onderbrak zijn verhaal even toen hij zich afvroeg of hij zijn vriend nu wel of niet zou vertellen van de vreemde ontmoeting die hij had gehad met de man uit de groep. Maar hij was bang dat het allemaal te raar zou klinken. Hij wilde niet dat Richard dacht dat hij ze niet op een rijtje had.

Hij woog de zaak zorgvuldig af en toen besloot hij, zij het met de nodige weerzin, precies uit de doeken te doen wat er de afgelopen twee dagen was gebeurd. 'Het zit zo,' zei hij. 'Je gelooft me misschien niet, Richard, maar ik heb duidelijk de indruk dat ik in de gaten word gehouden. Het is zelfs meer dan een indruk. Ik wéét dat ik in de gaten word gehouden.'

Edward vertelde Barcley hoe de man in de groep van mevrouw Williamson op hem af was gelopen en hem had verteld dat zijn leven in gevaar was.

'Ik weet niet goed of ik hem moet geloven,' vervolgde Edward, 'of hem moet zien als iemand die niet goed bij zijn hoofd is. Maar één ding weet ik wel, Richard. Toen hij zei dat ik in de gaten werd gehouden, sprak hij inderdaad de waarheid. Er was inderdaad iemand die me observeerde – en die iemand, wie hij ook was, heeft iets te maken met dit gebouw hier.'

De twee mannen keken weer naar nummer 14 aan de overkant van de straat. En terwijl ze dit deden, gebeurde er iets wat hen allebei de koude rillingen gaf. De gordijnen van het raam op de eerste verdieping, die de hele ochtend gesloten waren geweest, gingen even een stukje open. In de seconden daarna drong het tot Edward door dat hij werd bespioneerd door dezelfde man die hij nog maar twee dagen daarvoor door de straten was gevolgd.

'Grote god, Richard,' zei Edward. 'Dat is hem. Die man daar, dat is hem. En hij kijkt naar mij.'

Deel twee

I

Juli 1942

Peregrine Trencom houdt een gerimpeld geitenvel in zijn handen en probeert een uiterst moeilijk raadsel op te lossen. Hij vraagt zich af of de romige wrongel in de huid de meest aromatische geitenkaas is die hij ooit heeft geproefd. Of is hij misschien een tikkeltje te sterk van smaak? Hoewel zijn neus – snuf, snuf – ten volle geniet van de zoutige bijsmaak van wilde bloemen, zijn zijn hersenen minder overtuigd vanwege de penetrante geitenstank.

Toen Peregrine voor het eerst een stukje touloumotyri bij zijn neus hield, vond hij het uitgesproken onaangenaam. Het rook heel erg naar geiten. Maar nadat hij de kaas anderhalf jaar lang bijna iedere dag heeft besnuffeld en gegeten, begint hij aan de geur te wennen. Zo hij ooit deze ver afgelegen berg verlaat – en daaraan is hij inmiddels gaan twijfelen – is hij ervan overtuigd dat hij spoedig naar de indringende geur zal gaan verlangen.

Wat een fantastische aanwinst zou dat zijn voor Trencoms, denkt hij. O ja – ik zou hem in de geitenhuid kunnen verkopen. Hij grinnikt zacht terwijl hij zich voorstelt hoe een van zijn trouwste klanten, mevrouw Browning, haar dagelijkse geitenvel met touloumotyri komt halen. 'Alstublieft, mevrouw,' zou hij met heldere stem tegen haar zeggen, 'uw geitenvel ligt al op u te wachten.'

Peregrine zucht zachtjes wanneer hij aan Trencoms denkt en kijkt dan naar zijn huidige onderkomen: een geïmproviseerde houten keet, achttienhonderd meter boven de Egeïsche Zee. Wat is zijn leven veranderd. Hij heeft Londen tijdens de blitzkrieg verlaten en de leiding van de kaaswinkel overgedragen aan zijn jongere broer Harry. Zijn vertrek is voor zijn gezin een onwelkome verrassing geweest en heeft zijn zoon, de negenjarige Edward Trencom, aan het huilen gemaakt. 'Waarom gaat u weg, papa?' had de jonge knaap aan zijn vader gevraagd. 'Waarom moet u juist nu weggaan, nu ze ons bombarderen?'

De gevoelens van de jonge Edward werden gedeeld door Peregrines vrouw, Emily. Ze had hem gebeden niet te gaan en hem gesmeekt er nog eens over na te denken. Toen dit geen resultaat had, was ze dicht tegen hem aan gaan liggen in bed en had ze voor het ontbijt toost met samso gemaakt. Waarom ging hij toch naar Griekenland, zo vroeg ze zich herhaaldelijk af. Waarom, waarom? Hij gaf gehoor aan een opwelling – en nog wel een heel egoïstische en gevaarlijke. Ze herinnerde hem eraan dat zijn vader door net zo'n opwelling vroeg aan zijn einde was gekomen. O, ja. Peregrines eigen vader had door dezelfde obsessie de dood gevonden. Zag hij dat dan niet? Was hij nu wérkelijk blind voor het feit dat de geschiedenis zich zou kunnen herhalen?

Peregrine had niet naar Emily's smeekbeden willen luisteren. 'Je begrijpt het belang van mijn missie niet,' had hij ongewoon pompeus tegen haar gezegd. 'Zie je dat dan niet, liefste? Op mijn neus rust het lot van een heel land.' Op dit punt in het gesprek had hij even gezwegen en over zijn snor gewreven, een gewoonte die zich openbaarde wanneer hij nerveus was. Toen had hij even instinctief een zakdoek tevoorschijn gehaald en zijn uitsteeksel opgepoetst. 'O ja, ja, schat – een heel land wacht op deze neus.'

Emily had haar schouders opgehaald en boos gekeken. De blosjes op haar wangen verrieden haar woede. 'Jullie Trencommannen zijn allemaal hetzelfde,' had ze met vermoeide berusting tegen hem gezegd. 'Jullie zijn koppig – en egoïstisch. Die verwenste neus, Perry, zal je ondergang zijn. En ik zal als weduwe achterblijven.'

Peregrines reis naar Griekenland had in het grootste geheim plaatsgevonden. Hij was driemaal overgestapt op een ander schip en werd vervolgens, zoals afgesproken, afgehaald in de baai van Theodoroi.Vanhieruit was hij in een plaatselijke vissersboot overgevaren naar de beschutte haven van Dháfni, op het schiereiland Athos, waar het Nationale Byzantijnse Bevrijdingsleger gespannen op zijn aankomst zat te wachten.

Deze groep verzetsstrijders, die plaatselijk bekendstond als de Adelaarsbrigade, had zich in het voorjaar van 1940 opgeworpen als beschermers van Athos. Ze hadden zichzelf ten doel gesteld de twintig kloosters die over het schiereiland verspreid waren, te beschermen en iedere poging van de kant van het Duitse leger om de schatten te plunderen, te verijdelen.

Met de komst van Peregrine Trencom kregen ze er een nieuwe en uiterst belangrijke verplichting bij. Ze waren de hoeders van de erfelijke Trencomneus geworden.

De leider van de Adelaarsbrigade was een lenige bandiet, Demetrios genaamd. Hij woonde al zo lang buiten op de berg dat zijn gezicht en handen op de rotspunten en -wanden van Athos waren gaan lijken. Hoewel hij nog geen dertig was, waren zijn ogen omgeven door ravijnen en was zijn kin bezaaid met rotsblokken in de vorm van striemen en korsten. Zelfs zijn kleding was één met de elementen. Zijn opgelapte jas was nog net geen levend organisme en in de lente, als de omstandigheden gunstig waren, had men wel eens plantjes in de naden van de boorden en de kraag zien ontspruiten.

Demetrios had Peregrine in Dháfni afgehaald en was samen met hem onder dekking van de duisternis de steile hellingen van Agion Oros, de Heilige Berg, op geklommen. Toen de twee mannen de top waren genaderd en Demetrios het wachtwoord had geroepen, werd Peregrine begroet door vijf andere leden van de brigade. Ze verwachtten hem al bijna een week en waren dolbij dat hij eindelijk veilig was aangekomen. 'In naam van Christus en van Griekenland,' zei Artemios, een van de vijf, 'heten we u welkom.'

Het is bijna twaalf uur op een snikhete julidag. Op de eilanden in de diepte bewegen geiten, boeren en vissers allemaal op halve kracht. Maar hierboven, halverwege hemel en aarde, hangt er een bevredigende koelte in de lucht. Peregrine zit tussen kleine kluiten wilde smilax naar de fonkelende Egeïsche Zee te staren en let op of er sleepboten of oorlogsschepen langskomen.

'Hmm,' zegt hij zachtjes, terwijl hij een nieuw brok touloumotyri bij zijn linkerneusgat houdt. 'Wat gek – hij ruikt vandaag niet zo lekker. Minder geitachtig en meer...' En voor het eerst in anderhalf jaar kan Peregrine Trencom niet precies zeggen waar de kaas naar ruikt.

Hij laat Artemios komen en wil hem net vragen aan de kaas te ruiken, wanneer hij zich er plotseling bewust van wordt dat er in de baai onder hen iets gebeurt. 'Asjemenou,' zegt hij, terwijl hij naar beneden wijst. Beide mannen kijken toe terwijl er een klein landingsvaartuig op het kiezelstrand wordt gezet. Er zitten acht mannen in – allemaal Duitse soldaten – die zwaar bewapend lijken.

Artemios merkt geschrokken dat ze er geen geheim van maken dat ze hun wapentuig aan land brengen. 'Want weet je,' zegt hij tegen Peregrine, 'ze weten dat we hen gadeslaan.' Het wordt al snel duidelijk dat deze indringers van plan zijn de hoge rots te beklimmen, maar in plaats de oostflank, de gemakkelijkste route, lijken ze om de verste kant van de berg heen te trekken en de meer verraderlijke westelijke helling te nemen.

Dit veroorzaakt heel wat onrust onder de gewapende kameraden van Peregrine. De westelijke flank biedt iemand die de berg beklimt talloze mogelijkheden om zich schuil te houden en ze weten allemaal dat de uitstekende rotsgedeelten het voor hen moeilijk maken een tegenaanval in te zetten.

'Here Jezus,' fluit Konstantios tegen Demetrios. 'Ze hebben zeker ontdekt dat hij hier zit.' Hij wijst op Peregrine. 'Ja, ja. Ik heb het afschuwelijke gevoel dat ze het op hem hebben gemunt.'

'Mogelijk,' zegt Iannis. 'Maar die zwijnen houden ons hierboven al lang in het oog. Dat zei priester Panteleimon tegen me. En ze hebben ook de monniken van Megisti Lavra ondervraagd. Ze hebben zelfs vragen gesteld aan de abt van Stavronikita.'

Peregrine huivert, ondanks de warme bries, en wrijft over zijn neus. Die voelt koud en vochtig aan. Precies zoals hij zijn moet, denkt hij. Precies als die van een kat, en toch... wat vreemd dat de touloumotyri nergens naar ruikt.

Deze gedachte doet hem om de een of andere reden aan zijn vrouw en zoon denken; hij vraagt zich af of ze het zonder hem wel redden. Wat is de jonge Edward op dit moment aan het doen? Misschien helpt hij in de winkel? Peregrine is geen sentimenteel man, maar hij heeft de afgelopen weken heel vaak aan zijn zoon gedacht.

Misschien had ik thuis moeten blijven. Misschien had ik in Trencoms moeten blijven. Hij doet even zijn ogen dicht en droomt van toost met samsø, van bloemkool met kaas en gegratineerde aardappels. 'Nee, nee,' zegt hij tegen zichzelf, terwijl hij op zijn speeksel kauwt. 'Totaal onmogelijk.' Hij denkt aan alle bijzondere dingen die hem de afgelopen vier maanden zijn getoond en komt tot de slotsom dat hij er goed aan heeft gedaan naar Athos te gaan.

'Bovendien,' zegt hij, 'kan ik nu niet meer terug. Niet na alles wat ik heb ontdekt. Deze berg is tenslotte het enige echte thuis dat we hebben. Ja, inderdaad. Hier horen de Trencoms thuis.'

Peregrines gemijmer wordt onderbroken door Demetrios, die met zijn geweerkolf het vuur opport alvorens zijn mannen toe te spreken. Hij beveelt hun uit te waaieren over de berg en daarbij de geulen in de rots te vermijden. 'Ze doen er ruim vier uur over om ons te bereiken,' zegt hij, 'en nog langer als ze via de achterkant met al die richels komen. Als ze de westelijke helling met al die losse stenen nemen, wat mogelijk is, zijn ze hier pas wanneer het donker wordt. Bij Christus, we zullen hen doden.'

Demetrios draagt Peregrine op in de luwte van de top te blijven, waar een oud Krupps-machinegeweer een fantastisch bereik heeft over de hele westelijke helling van de berg. 'Vuur alleen wanneer ze dichtbij zijn,' waarschuwt Iannis. 'Anders loop je het risico dat je ons raakt.'

De mannen omhelzen elkaar, zoals ze altijd doen wanneer ze ten strijde trekken. 'Kyrie eleison!' roepen ze naar elkaar. 'Moge de Heer ons genadig zijn en moge God ons beschermen.' Ze slaan driemaal een kruisteken en pakken hun geweer op. 'Tot vanavond.'

Enige seconden later zijn alle zes mannen verdwenen. Twee gaan op weg naar de zuidpunt. Twee andere lopen in de richting van de schuilplaats op de oostelijke klip, die bekendstaat als 'het hol'. Kostas en Iannis gaan rechtstreeks op weg naar de westelijke flank van de berg, in de hoop iedereen die daar naar boven gaat de pas af te snijden. Peregrine blijft alleen achter en schuift een eindje op in de richting van het machinegeweer.

Er verstrijkt een uur. En nog een. Laat in de middag verorbert Peregrine een stukje touloumotyri en hij beseft dat de zon zich nu aan de andere kant van de berg bevindt. Hemeltje, denkt hij. Hoe kan dat nou? Ben ik in slaap gevallen?

Een geluid van beneden doet hem plotseling opschrikken. Hij hoort een stuk steen loskomen van de berghelling en hoort dan het gekletter van metaal tegen steen. Hij verstijft en staat als aan de grond genageld. Het is niet Demetrios en het zijn ook niet zijn mannen. Ze kunnen nog niet terug zijn. Het kan ook geen monnik uit een van de kloosters beneden zijn. Die zou iets hebben laten weten. Terwijl Peregrine daar naar beneden zit te staren, voelt hij een golf kippenvel zich over zijn armen en benen verspreiden. Voor het eerst voelt hij angst. Ja, hij is echt bang. Waar zijn zijn kameraden? Waarom heeft hij erin toegestemd hier alleen achter te blijven?

In absolute stilte – en nog bevend van angst – schuift Peregrine weer een eindje in de richting van het machinegeweer. Dan, nog steeds in stilte, zwaait hij de loop van het geweer in de richting van het geluid dat hij zojuist heeft gehoord. Hij weet zeker dat daar iemand is.

Hij ziet een wolkenbank aan de horizon. Vreemd, denkt hij. De lucht was zo-even nog stralend blauw. Hoe is het mogelijk dat hij zulke donkere wolken niet heeft opgemerkt? De wind trekt aan. Het voelt plotseling kil. Peregrine vervloekt het feit dat hij niet meer lagen kleding draagt.

Wanneer de aanval komt, is die plotseling en intens. Peregrine merkt een flitsende beweging op de grasrichel onder hem op. Een, twee, drie soldaten kruipen omhoog, hun geweren op Peregrine gericht. Automatisch en zonder er bij na te denken drukt hij op de trekker van het machinegeweer. Ta-ta-ta-ta-ta-ta-ta-ta-ta-ta-ta-ta-ta-ta-ta-ta-ta-ta-ta-ta-ta. Het ding spuugt een eindeloze reeks kogels uit, waarbij Peregrines arm en schouderbladen schokken. Ta-ta-ta-ta-ta-ta-ta-ta-ta-ta-ta-ta-ta-ta-ta-ta-ta-ta-ta-ta-ta-ta-ta-ta.

Hij wil net zijn geweer in de richting van een geluid rechts van hem zwaaien, wanneer hij een plof diep in zijn hoofd voelt. Het is net of iemand met een steen een harde klap op zijn hoofd heeft gegeven. Zijn ogen zien niets meer. In zijn hersenen wordt het donker. In minder dan twee seconden verandert Peregrine Trencom van een levende in een dode.

Hij wankelt achterover, uit balans geraakt door de kracht van het schot. Zijn rug slaat op de rand van een rots, zijn hoofd belandt met een zuigend geluid op het met kaas gevulde geitenvel. Het bewustzijn verlaat hem met uitzonderlijke snelheid. Hij heeft geen tijd om aan zijn vrouw en zoon te denken. De laatste vage roerselen van zijn geest registreren de penetrante geur van geitenkaas en twee Duitse soldaten die over zijn lichaam gebogen staan. Ze kijken naar zijn neus en glimlachen. *'Das ist unser Mann!'* Anderhalf jaar lang al hopen ze Peregrine Trencom te kunnen doden. En nu ligt hij hier dood.

II

28 januari 1969

Op de vijfde dag na zijn lunchbezoek aan Richard Barcley in diens kantoor kwam Edward wat vroeger dan zijn gewoonte terug van zijn werk. Hoewel hij van zijn stuk was gebracht door de man die vanuit het gebouw aan de overkant naar hem had gekeken, was hij gerustgesteld geweest door het feit dat er drie hele dagen voorbij waren gegaan zonder dat hij ook maar een glimp van hem had opgevangen. Toch voelde hij zich niet op zijn gemak. Hij had tweemaal gedroomd dat iemand hem achternazat door een doolhof van straten en de voorgaande nacht was hij nog badend in het koude zweet wakker geworden. Hij had een nachtmerrie gehad waarin een spook zonder gezicht zijn handen stevig om zijn keel geklemd hield.

Op zijn werk had Edward iedere dag tegen beter weten in gehoopt dat de man uit de groep opnieuw zou verschijnen. Telkens weer dacht hij na over wat de man had gezegd, maar toch kon hij er niets zinnigs van maken. 'We hebben u nodig. Al onze hoop is op u gevestigd.' Waarom? Waarom? Waarom? En waarom zou hij, Edward Trencom, die nog nooit iemand kwaad had gedaan (voorzover hij zich kon herinneren), plotseling in groot gevaar verkeren?

Het was allemaal hoogst eigenaardig. Hij had zelfs mevrouw Williamson gebeld om te vragen of ze zich nog iets meer van de man herinnerde. 'Niet zoveel, meneer Trencom,' had mevrouw Williamson gezegd, die zeer verheugd was dat Edward haar thuis had gebeld. 'Maar ik zou met alle plezier een kop thee met u willen drinken als u dat wilt. Ik zou me misschien nog een paar details kunnen herinneren als ik me ertoe zette.'

'Nee hoor, mevrouw Williamson. Ik wil u niet onnodig lastigvallen.'

'O, maar het is geen enkele moeite,' onderbrak mevrouw Williamson hem. 'Echt niet. Helemaal geen moeite.'

'Belt u me maar bij Trencoms,' vervolgde Edward, 'als u zich nog iets herinnert.'

Hij zei haar gedag en legde de hoorn op de haak. Nog geen minuut later werd er gebeld.

'Ik herinner me één ding,' zei mevrouw Williamson. 'Hij kwam uit Thessaloniki, ja, en hij zei dat hij hier voor zaken was. Ik herinner me zelfs nog dat ik hem vroeg wat voor zaken, en dat leek hem te ergeren.'

'Hoezo?' vroeg Edward. 'Wat zei hij?'

'Hij zei dat het persoonlijk was,' zei mevrouw Williamson. 'En ik had duidelijk de indruk, meneer Trencom, dat hij me te nieuwsgierig vond. Wat ik natuurlijk niet was. Ik wilde het alleen maar weten.'

'Ik weet het, ik weet het,' antwoordde Edward. 'U bent gewoon te vriendelijk en te aardig, mevrouw Williamson.'

'Vindt u?' zei een geagiteerde stem aan de andere kant van de lijn. 'Ik heet trouwens Edith. Of Edie. Wat u het leukst vindt. Ik besefte niet dat u zo, dat u zich zo…'

Er gingen plotseling alarmbellen bij Edward rinkelen toen hij inzag wat het impliceerde dat hij mevrouw Williamson thuis belde, en hij besloot het gesprek te beëindigen voordat ze het nog erger kon maken.

'Nou, ik wens u een goede dag,' zei hij vriendelijk maar beslist. 'Ik zie u ongetwijfeld bij de volgende rondleiding.'

'Ja,' zei een emotionele stem aan de andere kant. 'Ik verheug me nu al op de selectie kazen die u me zult laten proeven.'

Edwards verontrusting over de manier waarop mevrouw Williamson tegen hem had gesproken was niet minder erg dan wat hij voelde wanneer hij klanten bediende. Hij voelde geen plezier of voldoening meer wanneer de deurbel rinkelde. De klank van de bel wekte nu twee tegenstrijdige emoties bij hem op: de angst dat de bel de verschijning van de mysterieuze man uit Queen Street aankondigde, maar ook de hoop, zij het een zwakke, dat de persoon uit de groep weer zou opduiken om precies uit te leggen wat hij met zijn cryptische waarschuwing had bedoeld.

In deze zware tijden had de aanwezigheid van meneer George een opbeurende uitwerking. Edward troostte zich met de gedachte dat wat er ook in de wereld mocht gebeuren, meneer George er altijd zou zijn. Hij had hem zijn angsten niet onthuld: hij had zelfs geprobeerd even normaal als altijd door te werken en kaas uit te pakken en klanten te bedienen op de vrolijke wijze die hem zo'n trouwe cliëntèle had bezorgd. Toch had de intuïtieve meneer George al gemerkt dat er iets niet in de haak was. Iedere avond wanneer hij thuiskwam, begroette hij zijn kat met de woorden: 'Die meneer Trencom – die zit ergens mee.'

De kat, Dubonnet, leek het van harte met hem eens te zijn. Hij knikte, miauwde twee keer en stak een paar maal zijn poot uit naar het linkerbeen van meneer George.

'Ik moet me wel heel erg vergissen, Dubonnet, als de geschiedenis zich niet gaat herhalen. Let op mijn woorden: hij gaat regelrecht in dezelfde val lopen als zijn vader.'

Meneer George had nooit precies geweten wat die val nu precies was, en ook was hij nooit in staat geweest te doorgronden waarom meneer Trencom senior Londen midden in de oorlog had verlaten.

'Maar dat heeft hem wel het leven gekost,' zei hij met een zucht, 'en het schijnt dat zijn vader in precies dezelfde val om het leven is gekomen.'

Opnieuw was Dubonnet het volledig eens met wat meneer George zei en sloeg hij nog krachtiger zijn poot uit naar zijn baas toen die een blikje kattenvoer pakte.

'En ik heb ook een lekkere traktatie voor je meegenomen,' zei hij, terwijl hij Dubonnet onder de kin aaide. 'Een heerlijke plak vinney, voor ons tweetjes. We eten hem op bij het avondmaal. Dat lust je toch wel? Ja, dat vind je lekker. Ik weet het zeker!'

Hij sneed de vinney in twee gelijke stukken en legde er een in het metalen etensbakje van Dubonnet. Het andere liet hij op de aanrecht liggen. Dat nam hij later op de avond wel, nadat hij zijn ovenschotel met saucijsjes had gegeten.

Richard Barcley had Edwards angsten eerst niet serieus genomen. Het leek allemaal te vergezocht en ongerijmd. Maar zodra hij de man aan de overkant zijn kantoor had zien binnenkijken, besefte hij dat Edward reden had om bezorgd te zijn. Dat de man bij het raam was verschenen had inderdaad iets vreemds gehad, en Barcley beloofde dat hij het gebouw goed in de gaten te houden. Met een ongewoon vertoon van moed beloofde hij zelfs de man aan te spreken als en wanneer hij op straat verscheen.

Kort voordat hij Barcleys kantoor verliet, had Edward zijn goede vriend gevraagd of hij Elizabeth al dan niet moest vertellen wat er allemaal was gebeurd. Barcley dacht even na voordat hij zijn weloverwogen mening gaf.

'Slecht idee, ouwe jongen,' zei hij. 'Je zult haar alleen maar ongerust maken. En dat wil je natuurlijk niet. Laten we het' – hij tikte veelbetekenend tegen zijn neus – 'onder ons houden. Althans, voorlopig. Laten we elkaar elke dag even spreken – elkaar op de hoogte houden van de ontwikkelingen. En o ja, nog één ding…'

Edward keek zijn vriend verwachtingsvol aan.

'Pas alsjeblieft op wanneer je vanuit je werk naar huis gaat. Ja, zorg ervoor dat je niet wordt gevolgd. Het laatste wat je wilt is dat ze weten – dat hij weet – waar je woont. Je zou Elizabeth toch niet onnodig in gevaar willen brengen?'

Edward had er nog geen moment aan gedacht dat de gebeurtenissen die zich in de winkel hadden voorgedaan door zouden kunnen werken in zijn leven thuis. Maar Barcley had gelijk. Wat moest hij doen als de man die hem bespioneerde erachter zou komen waar hij woonde? Edward nam de waarschuwing van zijn vriend ter harte en besloot wanneer hij de winkel verliet zijn routine te wijzigen.

Ik zal elke dag een andere route naar het station nemen, dacht hij. En ik moet proberen elke ochtend op een ander tijdstip van huis te gaan. En de winkel 's avonds op steeds andere tijdstippen te verlaten. Dan zullen ze het spoor wel bijster raken.

Zo kwam het dat Edward op de achtentwintigste dag van de maand januari om tien over zes – een volle twintig minuten eerder dan anders – meneer George de winkel liet afsluiten (de eerste keer dat hij hem de sleutels toevertrouwde) en op weg ging naar Streatham.

Hij had Elizabeth nog niets verteld over zijn angst dat hij werd geobserveerd en gevolgd, maar hij had wel aan haar onthuld dat hij familiedocumenten had gevonden.

Elizabeth was eigenaardig en precies het tegenovergestelde van wat Edward had verwacht.

'Ik weet niet zeker of dat gesnuffel in het verleden wel zo'n goed idee is,' zei ze zonder een blad voor de mond te nemen. 'Sommige dingen in het leven kun je maar beter onaangeroerd laten. Tenzij je er natuurlijk goed op voorbereid bent.'

Edward was zo verbaasd toen ze dat zei dat hij haar laatste opmerking niet eens hoorde.

'Maar Elizabeth, je weet toch hoe graag ik dit soort dingen uitzoek. Ik weet bijna niets over mijn vader – en nog minder over mijn grootvader.'

'Maar wat je wel weet is niet echt aanlokkelijk,' zei ze, hem boos aankijkend. 'Ga maar na, Eddie. Je vader liet midden in de oorlog zijn vrouw en jou, zijn jonge zoon, in de steek. Dat is… dat is…' Ze dacht even na, zich ervan bewust dat ze haar woorden met zorg moest kiezen. Edward had zijn vaders verdwijning per slot van rekening nooit helemaal verwerkt. Maar toen bedacht ze zich. Nee, dit was niet het moment om je woorden met zorg te kiezen.

'Het was door en door egoïstisch van hem dat hij Emily zo achterliet. En jou trouwens ook. Hij moet volledig zijn opgegaan in zijn eigen verhaaltje. Ik kan helaas geen sympathie voor hem opbrengen. Geen enkele.'

Edward was even sprakeloos; hij had Elizabeth nog nooit zo vrijuit horen praten. Hij moest toegeven dat er wel wat in zat: zijn vaders gedrag was inderdaad vreemd geweest. En zijn moeder had het hem de rest van haar leven zeker kwalijk genomen. Maar dat maakte hem alleen maar nieuwsgieriger om erachter te komen wat er was gebeurd en hij vond het vreemd dat Elizabeth dat niet leek te begrijpen.

Later die avond, nadat hij had afgedroogd, bekeek Edward weer een van de brieven die hij tussen de familiepapieren had gevonden. Hij had hem al tien of meer keer bestudeerd, maar hij kon er niets van begrijpen. De brief verschafte geen enkel antwoord en leek alleen maar meer vragen op te roepen. Het papier was van oorlogskwaliteit en bovenaan stond een stempel met het vlekkerige motief van een tweekoppige adelaar. De brief was ondertekend door een zekere Demetrios, de leider van een organisatie die zich het Nationale Byzantijnse Bevrijdingsleger noemde. Hij was in slecht Engels geschreven en af en toe stond er een Grieks woord tussen. Hij bracht Edwards moeder op de hoogte van het feit dat haar echtgenoot, Peregrine Trencom, gesneuveld was.

Op ochtend van 15 november krijgen wij een groep Duitsers in het oog die oprukt over de westkant van Agion Oros. We gaan weg om met hen te strijden, waarbij we hem [Peregrine] veilig achterlaten op de top. (...) We vechten twee uur lang tegen de vijand en doden hen allemaal. We weten niet dat een tweede groep oprukt over de westkant van de berg. We weten niets totdat het te laat is. Peregrine Trencom wordt neergeschoten als een held terwijl hij zijn positie verdedigt.

De brief eindigde met de mededeling dat het Nationale Byzantijnse Bevrijdingsleger diep verslagen is door de dood van haar echtgenoot. 'Als heel Griekenland van deze tragedie op de hoogte was,' stond er in de brief, 'zouden alle Grieken rouwen. Maar

95

zijn dood moet om voor de hand liggende redenen strikt geheim blijven.'

Edward stopte de brief weer in de envelop. 'Waarom, Elizabeth?' vroeg hij. 'Waarom álle Grieken? Wat had mijn vader gedaan?'

Elizabeth keek op van haar borduurwerk. Ze was een grote en tamelijk artistieke schaal met kaas aan het borduren en de schimmel van de roquefort maakte het haar knap lastig. Het blauwe garen vond ze veel te blauw en het groene garen was beslist van het foute soort groen. Schimmel was heel moeilijk goed te krijgen.

'Zat er in die doos verder niets wat over hem ging? Heeft je moeder niets over hem gezegd voordat ze stierf?'

Elizabeth legde even haar naald neer en probeerde zich in Edward te verplaatsen. 'Je zult je toch wel íéts herinneren? Je moet toch al, wat is het, bijna negen geweest zijn.'

'Dat is zo,' antwoordde Edward. 'Maar dat is juist zo raar. Ik herinner me helemaal niets. En je weet hoe moeder was. Ze weigerde gewoon over hem te praten. Ze heeft nooit één woord gezegd. Ik weet niet eens waarom mijn vader nu eigenlijk naar Griekenland ging. Hij was drieënveertig – hij hoefde niet te vechten – en toch ging hij er vrijwillig heen' – hij benadrukte het woord 'vrijwillig' – 'en liet hij mijn moeder en mij in de steek. Waarom, Elizabeth? Waarom?'

'Nou, ik mag hangen als ik het snap,' zei ze, en dat klonk zo definitief en zo duidelijk ongeïnteresseerd dat het Edward irriteerde. Maar Elizabeth was nog niet uitgesproken.

'Er zo vandoor gaan... ik weet het niet... sommige mannen kunnen zo geobsedeerd door iets raken dat ze alle verhoudingen uit het oog verliezen. Ze zien niet' – ze doorploegde haar hersenen om een geschikt beeld te vinden – 'het verschil tussen duisternis en nacht. Zoals ik al eerder zei: het moet een heel egoïstische man zijn geweest. En ik moet eerlijk zeggen dat ik héél blij ben dat je niet op hem lijkt.'

Edward zweeg even. Hij leunde achterover in zijn stoel en liet zijn gedachten dwalen. Stel nu eens dat hij naar Griekenland had móeten gaan? Had hij misschien een bijzondere opdracht gehad? 'Weet je?' zei Edward peinzend, want hij dacht inmiddels hardop. 'Misschien werkte hij wel voor de geheime dienst. Misschien mocht zijn naam dáárom thuis nooit worden genoemd.'

'Dat kan ik me haast niet voorstellen,' zei Elizabeth ongewoon minachtend. 'Daar zou je na de oorlog wel achtergekomen zijn. Weet je nog wat Marjory tegen ons zei? Háár moeder kreeg toen de oorlog eindelijk voorbij was een hele map met informatie.' En na die woorden – en een snelle slok earl grey – concentreerde Elizabeth zich weer op haar borduurroquefort.

Maar Edward kon niet zo gemakkelijk de knop omdraaien. Hij legde de brief op de salontafel en staarde wezenloos naar het plafond. Griekenland, Griekenland, Griekenland, peinsde hij. Wat is er toch met Griekenland? Mijn vader stierf in Griekenland. De man uit de groep was een Griek. En de onbekende die ik op straat volgde was ook een Griek.

Hoe meer Edward erover nadacht, hoe meer hij ervan overtuigd raakte dat hij niet de enige was die wist dat de familiedocumenten van de Trencoms ontdekt waren.

III

29 januari 1969

De volgende ochtend werd Edward wat vroeger wakker dan anders. Hij kleedde zich aan zonder een bad te nemen.

'Sjonge, wat heb jij een haast vanochtend,' zei Elizabeth, die doorgaans vóór haar man opstond. Ze was nog verbaasder toen ze op de wekker keek. 'Edward,' zei ze. 'Het is nog niet eens half zeven.'

'Ik weet het, ik weet het,' zei Edward. 'Maar ik moet vandaag vroeg de stad in. Ik moet een hele berg kazen uitzoeken en opstapelen, en dan hebben we ook nog het maandelijkse opnemen van de voorraad.'

'Ik sta echt verbaasd van je, meneer Kaas,' antwoordde Elizabeth geeuwend. 'Ik hoop dat dit met de vogels opstaan de uitzondering wordt en niet de regel. Ik ken je. Wanneer je eenmaal een gewoonte hebt ontwikkeld, stap je er niet zo gauw vanaf. Wil je dat ik ook naar beneden ga? Ik moet denk ik ook maar opstaan.'

Edward schudde zijn hoofd en liep de keuken in, waar hij snel een ontbijt nam. In plaats van toost met gesmolten kaas te maken, waarvoor hij de grill moest verwarmen, at hij een snee brood met een homp kaas.

Lang niet zo lekker als wanneer hij gesmolten is, dacht hij, terwijl hij op zijn horloge keek. Maar ik win er tien minuten mee. Ik zou de trein van twee over zeven moeten kunnen halen als ik opschiet.

Na nog drie slokken thee genomen te hebben rende hij de trap op om Elizabeth gedag te zeggen. 'Ik zal proberen vanavond vroeger terug te zijn,' zei hij. 'Ervan uitgaand dat alles goed loopt in de winkel.'

'Nou, ik hoop dat je niet later terugkomt,' antwoordde ze met een lachend gezicht, 'want anders zal ik nog gaan denken dat je een minnares hebt.'

'Dat heb ik ook,' zei Edward vrolijk grijnzend. 'En ze heet Elizabeth Trencom.'

Het was tien voor zeven toen Edward de deur uit stapte. De ochtendlucht was zo scherp als een dolk en het gazon was gebleekt door een laagje rijp. Edward snoof gretig de lucht op om zijn longen te zuiveren. Maar toen hij dat deed verstarde hij van angst. De lucht had niet dat gebruikelijke kille, metaalachtige van een bijtend koude winterochtend, maar voerde het onmiskenbare aroma van Balkantabak mee. De geur was helemaal niet sterk – de meeste mensen zouden hem niet eens opgemerkt hebben – maar voor Edwards fijn afgestelde neusgaten had hij de neutrale lucht even subtiel geïnfiltreerd als een onhandige indringer een gesloten en vergrendeld huis.

Hij was zo van zijn stuk gebracht door de geur – en zo ontzet – dat hij onwillekeurig de portiek van de voordeur vastgreep en nietsziend naar het met snijwerk versierde hout keek. Zijn blik bleef rusten op een grote en ongewoon dikke oorwurm die over de regenpijp naar beneden liep. Het beestje stond even stil en leek met zijn tangvormige uitsteeksel zo'n beetje in zijn richting te zwaaien. Daarna verdween hij pardoes in een spleet in de pijp.

Edward snoof een tweede en een derde maal. Hij wist dat er geen hoop was dat hij de persoon die de tabak had gerookt, ergens zou zien. De zwakte van het geurspoor deed hem veronderstellen dat de man ruim een uur geleden was vertrokken.

Dat betekent, bedacht Edward, dat hij weet waar ik woon. En het betekent ook dat ik gisterenavond gevolgd ben toen ik naar huis ging. En toch had ik kunnen zweren dat ik niet werd geschaduwd.

Deze twee gedachten verontrustten hem zeer. Hij vroeg zich af of hij Elizabeth wel helemaal alleen thuis kon laten. Zij kon per slot van rekening ook in gevaar zijn. Als hij nu eens terugkomt? peinsde Edward. Als hij haar iets aandoet?

Hij was al half in de verleiding thuis te blijven; hij overwoog zelfs de politie te bellen. Maar hij besefte al snel dat geen van beide opties praktisch of bevredigend was. De politie lacht me gewoonweg uit als ik zeg dat ik gevolgd word door een buitenlander wiens identiteit een raadsel is. En ik zou het hun eerlijk gezegd ook niet kwalijk nemen.

Hij besloot ook niet thuis te blijven, aangezien hij dan aan Elizabeth moest vertellen wat er tot dan toe was gebeurd – iets waar hij nog niet toe bereid was.

Ik kan maar beter naar mijn werk gaan, dacht hij met een zucht. Doen zoals ik altijd doe. Je moet nooit toegeven aan dit soort dingen.

Ondanks zijn vaste voornemen en dappere woorden was het een angstige en beslist nerveuze Edward die op dit bitter koude februariochtend naar zijn werk ging.

Hij kwam iets voor achten bij Trencoms aan en maakte de hoofdingang van de winkel open. Toen hij naar binnen stapte, snoof hij onmiddellijk de lucht op om die eerste muffe geur op te vangen, nog niet bezoedeld door de toevoer van frisse lucht van buiten.

'Ah, ja… heerlijk.' Hij kon bijna zeker de Bourgondische epoisses boven alle andere geuren uit ruiken. 'Je hebt gisteravond weer capriolen uitgehaald,' grapte Edward met een samenzweerderig gegrinnik. Hij hief een waarschuwende vinger in de richting van Bourgondië. 'Ja, ja, echt wel. Goed – niets zeggen, niets zeggen. Je bent op stap geweest met de soumaintrain.'

Het was een drukke ochtend in de kaaswinkel en er was tot aan de lunch een constante stroom mensen. Op een gegeven moment kwam er een stel jongedames de winkel binnen dat de weg vroeg naar uitgeverij Bister en Brown.

'Goeie god,' fluisterde Edward tegen meneer George terwijl ze beiden over de toonbank gluurden. 'Ze zien eruit alsof ze vergeten zijn een rok aan te trekken.' Ze grinnikten allebei en Edward veroorloofde zich de luxe Elizabeth in dergelijke kleren voor zich te zien.

Ach, waarom ook niet? dacht hij. Zo gaat dat nu eenmaal.

De klanten bleven de hele lunchtijd komen, en het frustreerde Edward steeds meer dat het uitgerekend vandaag zo druk was. Hij wilde zich dolgraag in de kelder terugtrekken om de rest van de familiepapieren te doorzoeken, maar hij moest tot bijna tien voor half drie wachten voordat hij eindelijk pauze kon nemen.

'Meneer George,' vroeg hij, 'zou u vandaag het fort iets langer willen bemannen? Ik heb beneden wat administratieve klussen die nodig gedaan moeten worden.'

'Zoals u wilt, meneer Trencom,' zei meneer George. 'Hoewel ik misschien een beroep op u moet doen als we het heel druk krijgen.'

Hij aarzelde even en vroeg zich af of hij zou durven vragen wat voor administratieve klussen er dan wel gedaan moesten worden. Het ging hem eigenlijk niets aan — administratie was niet zijn afdeling — maar toch had meneer Trencom iets in zijn manier van doen dat zijn achterdocht wekte.

'Gaat het om de familiepapieren, meneer Trencom? Hebt u iets van belang gevonden?'

'O nee, nee,' antwoordde Edward. 'Niets wereldschokkends. Enne... nee... dit zijn klussen voor de winkel. Bestelformulieren, facturen — u weet wel, dat soort dingen.'

Toen Edward ten langen leste in de kelder afdaalde, overkwam hem iets wat zo vreemd was, zo ongewoon dat we er even bij stil moeten staan om ons er meer in te verdiepen. Hij had reeds lang de gewoonte om wanneer hij op de vierde trede van onderen was gekomen, even de tijd te nemen om lang en diep in te ademen. Op iedere andere dag was de geur zodanig dat hem het water in de mond liep. Edwards neus bespeurde dan het eerst de kazen die het dichtst bij lagen — de thenays, saint benoîts en barbereys — alvorens de veel subtielere boventonen in de stagnerende lucht

101

op te vangen. Was dat niet een vleugje pepato? Rook hij daar de boosaardige Alpenkaas robiola? Kwam die vleug aardewerk van de kareishes uit Egypte?

Met dergelijke verwachtingen in zijn achterhoofd daalde Edward Trencom af in de kelder en snoof hij daar de lucht op toen hij op de vierde tree van onderen was aangekomen. Hij snoof en hij snuffelde, hij ademde en hij slikte. En nu komt het rare. Er was niets. Geen geur. Geen geurigheid. Geen odeur. *Rien de rien.*

'T-t-t,' zei Edward zachtjes, 'uiterst verontrustend.'

Hij probeerde het nog eens en tikte daarbij zachtjes op zijn neus zoals oudere heren op hun horloge tikken. Nog steeds niets.

Edward werd nu echt ongerust. 'Ik snap er niks van,' zei hij. 'Wat gebeurt er in duivelsnaam?'

Toen hij aanstalten maakte om een derde maal in te ademen, begon zijn neus te trillen. Hij prikte. Hij werd warm. En toen Edward de bedompte lucht diep opsnoof, merkte hij tot zijn opluchting dat zijn reukzin was teruggekomen. Plotseling kon hij, als was het een tochtvlaag, de zure geur van Ierse taith ruiken. 'De hemel zij dank,' zei hij. 'De hemel zij grote dank.'

Edward baande zich een weg naar het krat met familiedocumenten en tilde hem op het altaar. Nadat hij even de tijd had genomen om de lucht weer op te snuiven, haalde hij de geitenkaasjes uit de Auvergne van de kalkstenen plaat die hij de avond ervoor had staan proeven.

Het altaar is heel geschikt voor het archief, dacht hij. Reuze geschikt.

Tot dusverre had Edward slechts een vluchtige blik geslagen op de meeste boeken en papieren in de kist. Hij had de weinige zaken die met zijn vader te maken hadden, eruit gehaald, evenals degene die betrekking hadden op zijn grootvader. Nu haalde hij alles uit het krat en sorteerde hij de papieren in keurige stapeltjes, generatie bij generatie. Boven op elk stapeltje legde hij – als dat mogelijk was – een portret van de betreffende persoon. Op die manier, zo dacht hij, heb ik een naam bij een gezicht.

Telkens wanneer hij iets uit de kist haalde, voelde hij een prikkeling van opwinding door zijn lichaam trekken. 'Ze zijn er allemaal,' mompelde hij zachtjes. 'Niet één uitgezonderd.'

De documenten roken aangenaam – de geur deed denken aan oude kerken op het platteland – en Edward hield elk nieuw papier of voorwerp onder zijn neus en snoof diep. Hij merkte dat een aantal sterk naar wierook geurde, zonder enige twijfel mirre, alsof ze lange tijd in een kapel van een klooster waren geweest.

Hij ontdekte tot zijn verbazing dat er heel wat meer informatie over de vroegere generaties was dan over zijn meer recente voorouders. Er waren niet zoveel dingen die te maken hadden met zijn grootvader George, maar er was wel een grote stapel brieven en papieren die met Humphrey Trencom verband hielden, die ergens aan het eind van de zeventiende eeuw overleden leek. Er waren diverse zaken die geen duidelijk verband met iemand van de familie leken te hebben. Zoals het icoon. Aan wie had dat toebehoord? En wie was de eigenaar van de Griekse boeken geweest? Voorzover Edward wist, was geen van zijn voorvaderen taalkundige geweest. Het verwarrendste voorwerp was een kopergravure van een man met wrede ogen en een gespleten baard. Zijn haar was omwonden met een enorme tulband en hij zag er oosters, mogelijk Turks, uit. De neus van de man was wel het opvallendste element van het portret: hij was lang, recht en er zat een prominente, maar volmaakt gevormde ronde bobbel op de brug. Edwards hand ging onwillekeurig naar zijn eigen neus toen hij de gravure bekeek. 'Heremetijd,' fluisterde hij zachtjes. 'Dat is vreemd. Wie dit ook moge zijn geweest – hij had precies dezelfde neus als ik.'

Edward was zo verbaasd over het portret dat hij meneer George niet in de kelder had horen komen toen die kwam vragen of hij een handje wilde helpen in de winkel. 'Meneer Trenc...' begon hij, maar hij bleef midden in de zin steken. 'Hmmm... administratie hè?' mompelde hij. 'Bestelformulieren en facturen.' Hij schudde vermanend zijn hoofd, maakte rechtsomkeert en liep stilletjes de trap weer op. 'Nou ja. Ik ben blij dat er in ieder geval één iemand is die zijn hoofd koel houdt.'

Hij keerde zich naar de groeiende rij en sloeg zijn handen ineen alsof hij wilde aankondigen dat hij klaar was voor de strijd. 'En, dames, wie was er dan aan de beurt?'

Edward was een methodische man en besloot in chronologische volgorde het spoor terug door de stapel documenten te volgen. Er waren in totaal negen generaties en die overspanden drie volle eeuwen. Een paar dingen leken zelfs nog ouder te zijn. De gravure kon best uit de zestiende eeuw stammen, terwijl de icoon eruitzag alsof hij in de Middeleeuwen was geschilderd.

Hij stopte een heel geitenkaasje in zijn mond en pakte toen de stapel documenten die met zijn grootvader, George Trencom, te maken hadden. Edward had George nooit ontmoet, want die was allang overleden toen hij werd geboren, en zijn naam was thuis zelden of nooit genoemd. Het stond Edward nog duidelijk bij dat hij toen hij jong was eens naar zijn opa had geïnformeerd.

'O, die,' had zijn moeder snuivend gezegd. 'Een dwaas – en ook nog een egoïstische dwaas. Zoals alle Trencoms.'

'Maar waaróm dan?' had Edward gevraagd.

'Vergeet je opa nou maar,' had Emily geantwoord. 'En vergeet je vader ook maar. In deze wereld moet je nooit te lang bij het verleden stilstaan.'

En daarmee was de kous af. Edward, die toen elf was, wist nu nog evenveel als eerst over het karakter, de persoonlijkheid, het leven en het uiterlijk van zijn opa van vaderszijde, die hij niet als 'opa' kende, en ook niet als 'opa George', maar slechts als 'George Trencom'.

En nu had hij dan eindelijk een foto met George Trencoms handtekening erop in zijn hand. Er stond een knappe jongeman op die gekleed was in een combinatie van een jas tot op de knieën en een geruite broek die in het Londen aan het eind van de negentiende eeuw zo in de mode was. Edward glimlachte toen hij zag dat zijn grootvader voor Trencoms stond – de voorgevel van de winkel kon je meteen herkennen – en iets vasthield wat een groot krat met Duitse weisslackerkäse leek. 'Ja, natuurlijk,' zei Edward in zichzelf. 'Daar was de prins van Wales zo dol op.' Toen prins Edward eindelijk, na een half leven gewacht te hebben, de troon had bestegen, had Trencoms de weisslackerkäse voor de kroningsfestiviteiten geleverd.

Het plezierigste element van de foto van George Trencom was het feit dat hij precies dezelfde neus als Edward had. Ah, ja, ja, dacht Edward. En zijn gok doet niet onder voor de mijne. Hij is echt het evenbeeld.

Hij draaide de foto om en zag dat iemand de geboorte- en sterfdatum van George Trencom erop had geschreven: 'Geboren 1869, overleden september 1922.'

Tjee, mijn vader moet heel jong zijn geweest toen George stierf, dacht Edward. Echt heel jong. Wat vreemd dat de geschiedenis zich steeds herhaalt.

Hij legde de foto neer en nam de andere papieren en documenten door. Er leek weinig informatie over zijn grootvader bij te zitten, maar wat er was dat wel naar hem verwees, was uiterst curieus. Twee ervan waren vergeelde krantenverslagen, waarvan een in het Arabisch en het andere in het Grieks. Edward zou nooit geweten hebben dat ze op zijn opa sloegen, als op beide krantenknipsels niet de foto van George Trencom had gestaan. Hij stond voor een grote basiliek en werd vergezeld door naar het scheen een Griekse priester. In de marge van het Griekse artikel was in het Engels alleen de plaatsnaam 'Smyrna' geschreven.

Wat ontzettend vreemd, dacht Edward. Wat moest hij daar nou?

Hij keek naar de datum van de krant, die in Romeins schrift geschreven was: 12 september 1922. 'Als ik me niet vergis' – hij keek op de foto om er zeker van te zijn dat hij zich niet vergiste – 'was dat de maand waarin hij stierf.'

Zodra dit tot hem doorgedrongen was, voelde hij een ijskoude rilling zich over zijn hele lichaam verspreiden, van de nagels van zijn tenen naar zijn knieën, en vandaar naar zijn heupen en nek. Zijn vingers werden gevoelloos. En ook zijn armen. Hij voelde zelfs een golf kippenvel op zijn neus, iets wat hem nog nooit was overkomen.

George Trencom, dacht Edward, opa George, moet in Smyrna om het leven zijn gekomen. Dat is al het tweede familielid dat in het buitenland is gestorven. En dat is iets wat ik toch wel hoogst eigenaardig vind.

'Eigenaardig?' zei Barcley later die avond. 'Zo eigenaardig is dat niet. Heel wat families hebben voorvaderen die in het buitenland zijn omgekomen. Het is wel apart, dat moet ik toegeven. Maar eigenaardig is het niet – tenzij je wílt dat het eigenaardig is.'

Edward slaakte een vermoeide zucht. Hij en Richard waren het over bepaalde zaken nooit helemaal eens, en familiegeschiedenis was daar duidelijk één van.

'Het is net als munten verzamelen,' legde Edward uit. 'Ik weet zeker dat je niet mijn opwinding kunt begrijpen wanneer ik een munt koop met de afbeelding van een keizer erop die ik nog niet heb. Zie je niet hoe bevredigend dat kan zijn? Toen ik een keer een denarius met keizer Olybrius erop kocht, was ik echt dágen opgetogen. Olybrius regeerde slechts vier maanden – víér máánden! – en ik was al bijna tien jaar op zoek naar een van zijn munten. Nou, met die familiepapieren is het net zo. Telkens wanneer ik die kist openmaak, loopt er een rilling over mijn rug.'

'Maar waarom dan?' vroeg Richard met een vreemd grinnikend geluid. 'Je hebt nog geen enkel antwoord gevonden! Er zijn zelfs veel meer leemten in je familiegeschiedenis dan er feiten zijn.'

'Je slaat de spijker op zijn kop,' zei Edward. 'Die leemten, daar hou ik juist van. Je hebt mijn muntenverzameling gezien – je hebt mijn plateaus met Romeinse munten gezien. Eén vakje voor elke keizer. Kijk, het zijn nu juist de lege vakjes die het zo spannend maken. De munten die nog ontbreken. Er komt namelijk een dag dat ik die vakjes ga vullen.'

Hij zweeg even en vroeg zich af of hij zijn passie ooit op Richard zou kunnen overbrengen.

'Er waren honderdvijf Romeinse keizers, als je de onrecht-matige niet meetelt, en eenennegentig Byzantijnse keizers. Dat zijn er in totaal honderdzesennegentig. Ik heb er al zesentachtig van de eerste groep en tweeënzestig van de Byzantijnen. Dan zijn er dus nog maar achtenveertig leemten over! Maar die lege vakjes, Richard, daar droom ik over. Die achtervolgen me dag en nacht!

Die keer dat het me lukte een munt met keizer Manuël II Pa-laiologos erop te bemachtigen – ik zweer je dat dat een van de gelukkigste momenten van mijn leven was. Ik kocht hem in de Villiers Street op de zaterdagse muntenmarkt. En weet je waar-om ik daar zo gelukkig van werd? Keizer Manuël kwam in 1400 naar Londen. En hij vierde het kerstfeest met koning Hendrik IV in het Elthampaleis. En ik werd, voor de zeer bescheiden som van een pond en drie shilling, de trotse eigenaar van een munt met die man erop! Als dat niet levende geschiedenis is, weet ik het niet meer.'

'De genoegens van de jacht,' zei Richard met een wrang lachje. 'Het is net als met mijn rechtszaken, denk ik. Behalve dat ik er na afloop voor betaald word, terwijl jij geld moet uitgeven om de leemten te vullen.'

'Ik was ooit alleen maar geïnteresseerd in Romeinse keizers,' vervolgde Edward, die maar half naar zijn vriend luisterde. 'Nero, Caligula, Hadrianus. Maar tegenwoordig voel ik me steeds meer tot de Byzantijnen aangetrokken. En weet je waarom? Omdat ze moeilijker te vinden zijn. Sinds Elizabeth niet meer bij Percy werkt, heeft het me de grootste moeite gekost ze op te sporen. En dan zijn we dus weer bij de leemten. De dag waarop ik een munt vind met Constantijn XI Palaiologos, de laatste Byzantijnse keizer, erop, zal een zeer gelukkige dag zijn.'

'Behalve dan dat je de leemte zult hebben opgevuld,' reageerde Richard razendsnel.

'Da's waar,' zei Edward lachend. 'Er zal een leemte verdwenen zijn. Maar met al die familiepapieren heb ik inmiddels heel wat andere leemten om me mee bezig te houden. Tientallen zelfs. En ık ben van plan me daar intensief mee bezig te gaan houden, Richard, werkelijk waar.'

'O, dat geloof ik best,' antwoordde Richard scherp. 'En dat is nu juist wat me zorgen begint te baren.'

IV

9 september 1922

Het terras van Hotel Bristol zit vol met Amerikaanse zeelieden, Armeense kooplui, Joden, Turken en Brits consulair personeel. Signor Orlando, de Italiaanse librettist, ziet men een glas zoete zwarte koffie drinken. Monsieur Dupont, de pianobouwer uit Marseille, rookt zijn middagwaterpijp. En de figuur die helemaal aan de andere kant van het terras zit... nee maar, dat is niemand minder dan George Trencom, van kaaswinkel Trencoms uit Londen! Wat doet hij in de Levant in de Ottomaanse stad Smyrna, op een wolkenloze herfstdag in het jaar 1922?

'De situatie is hopeloos,' fluistert hij tegen zijn tafelgenoot, een man met baard die is uitgedost als een Grieks-orthodoxe metropoliet. 'Alles is verloren – alle hoop is verdwenen. Beseft u dat? Het is slechts een kwestie van tijd voordat de hele zaak instort.'

De metropoliet knikt instemmend hoewel hij eigenlijk diep in gedachten verzonken is. 'Kyrie eleison,' zegt hij na een lange stilte. 'Het einde – het einde.' Hij zwijgt weer en neemt een slokje van zijn citroenwater alvorens verder te spreken. 'Ja, ja – het betekent het einde van je dromen, Georgios, en ook het einde van de mijne. Ik vrees ook dat we een keerpunt hebben bereikt, ja, een keerpunt dat het einde van alle streven van Griekenland inhoudt. Hebzucht en trots – dat zijn de zonden van de Griekse natie.'

George wrijft over zijn elleboog terwijl hij naar metropoliet Chrysostomos luistert. Dicht bij het bot in zijn arm zit een puntige granaatscherf die hem op hoogst onaangename wijze trekkingen in de zenuwen bezorgt. 'Die rotarm ook,' mompelt hij zachtjes, waarna hij Chrysostomos uitlegt: 'Een Turkse granaat die me – zzzoef – zo hier raakte. Dat gebeurde in Afyonkarahisar.'

Vijf dagen daarvoor waren George en zijn Griekse kameraden in gevecht geraakt met het Turkse leger vlak bij Ushak, zo'n tweehonderd kilometer bij Smyrna vandaan. De divisie waarin hij meevocht, had gehoopt door de Turkse flank heen te kunnen breken en naar Constantinopel op te kunnen rukken. De mannen hadden hun avonden slempend doorgebracht na een reeks overwinningen, en ze hadden besproken hoe ze de stad zouden binnengaan. Een van hen, een zelfverzekerde kolonel die Teodoro heette, had voorgesteld dat George te paard Constantinopel zou binnenrijden, op een wit strijdros, om sultan Mehmet de Veroveraar na te doen toen deze op die vreselijke dag in 1453 Constantinopel binnenreed. 'U moet Constantinopel als eerste binnenkomen,' had kolonel Teodoro gezegd. 'Met Gods zegen zult u ook de eerste zijn.'

Het voorstel van de kolonel had een wild hoerageroep bij zijn mannen losgemaakt en George had de omvang en het tempo weten te verhogen door voor te stellen te proosten op de herinname van de stad en de overwinning op de goddelozen. Maar hun zelfvertrouwen en moreel werden spoedig verpletterd. Het hele Griekse leger, dat zo lang onoverwinnelijk had geleken, was in de pan gehakt door de legermacht van Mustafa Kemal, die van twee kanten een bliksemaanval had ingezet. De paar overlevenden waren naar de kuststad Smyrna gevlucht.

George had het geluk er als eerste te arriveren. Hij had een stad aangetroffen die niet vermoedde welk onheil haar boven het hoofd hing. Het casino was open zoals anders. De kade was bevolkt met kruiers en stuwadoors die kleverige vijgen in wachtende vrachtschepen laadden. Griekse scheepspatriarchen dineerden in Hotel d'Angleterre, de Engelse inwoners in Bournabat bleven gin en bittertjes drinken, de kleine Amerikaanse gemeenschap was druk bezig de thé dansants van het herfstseizoen in het YMCA te organiseren.

George stopt een plaatselijke tulum in zijn mond. In plaats van erop te kauwen, zoals hij altijd doet, plet hij hem langzaam met zijn tong. Hij voelt hoe de kaas door de spleetjes tussen zijn tanden heen wordt geperst en zich hecht aan zijn tandvlees. Hmmm, denkt hij met een gefronst voorhoofd. Hij smaakt vandaag niet zo lekker. Nee, hij heeft een heel andere smaak. Terwijl hij dat denkt, kijkt hij even naar de zee. Zijn gevoelige neus heeft zijn hersenen erop attent gemaakt dat er op de kade iets vervelends gebeurt, nog geen driehonderd meter bij hem vandaan. Ja, de bries voert een afschuwelijke stank mee en daardoor ook een verhaal van ellende en wanhoop. Honderden, misschien duizenden gewonde Griekse soldaten stromen vanuit het binnenland Smyrna binnen. Ze struikelen, schuifelen en lopen bijna dubbelgeklapt vanwege het gewicht van hun bepakking. Hun holle gezicht en wezenloze uitdrukking verraden groot leed. Sommigen leunen op hun kameraden om overeind te blijven. Anderen slepen zich voort, worstelend om de havens van Smyrna te bereiken, waar ze bescherming hopen te vinden.

De metropoliet fluit zacht wanneer hij een gewonde karabinier van de pijn in elkaar ziet zakken. 'Ik had het nooit voor mogelijk gehouden,' zegt hij. 'Ik dacht dat de overwinning zeker was.'

Hij wendt zijn blik af en richt hem weer op de kade, die de aandacht van iedereen op het terras van Hotel Bristol gevangenhoudt, en kijkt ongerust toe terwijl een steeds groter wordend aantal soldaten langs de waterkant voortschuifelt.

'De Turken zullen de stad niet binnen durven trekken,' fluistert de metropoliet. 'Niet met al die buitenlanders hier.' Hij wijst naar de haven, die meer dan twee dozijn buitenlandse oorlogsschepen herbergt. George telt elf Britse schepen, vijf Franse kruisers en diverse Italiaanse mijnenvegers. Er zijn ook drie Amerikaanse torpedobootjagers, waarvan de grootste de avond ervoor laat binnen is gelopen en nu voor anker ligt naast de terminal van Standard Oil aan het noordelijke einde van de kade.

'Ik hoop dat u gelijk hebt, eerwaarde,' zegt George Trencom.

'Ik hoop bij God dat u gelijk hebt.' Maar terwijl hij dat zegt, wordt het duidelijk dat de situatie nog meer zal verslechteren.

Alle ogen in Hotel Bristol zijn gericht op het verste puntje van de kade, waar zich een zeer onrustbarend tafereel ontvouwt. Het is zo verontrustend dat metropoliet Chrysostomos onwillekeurig gaat staan en een kruissteken slaat. Allen zien de beruchte Turkse cavalerie, onder bevel van Murcelle Pasja, aan komen rijden langs het havenfront. Ze zitten rechtop in het zadel en dragen een hoge zwarte fez met de halvemaan en ster erop. In hun rechterhand houden alle ruiters een blinkend kromzaard. Ze schreeuwen onder het rijden: 'De overwinning! De overwinning!' en daarna barsten ze uit in een stimulerend gejuich.

'In naam van alles wat heilig is,' zegt de metropoliet, die nogmaals een kruisteken slaat, 'het is dan toch zover gekomen.'

In de loop van de middag wordt Smyrna overstroomd door ruim tweeduizend Turkse soldaten. Ze worden door de Turkse minderheid die in de hoger gelegen delen van de stad wonen als helden en bevrijders binnengehaald, maar elders in Smyrna is de stemming omgeslagen in een onheilsstemming. Tientallen Armeniërs zijn in koelen bloede afgeslacht en een paar honderd winkels zijn geplunderd. George Trencom kijkt in stilte toe terwijl de rijkste Griekse families aan boord van hun pleziervaartuig stappen en stilletjes de haven uit glippen. Degenen die achterblijven hebben in de tussentijd hun wapens schoongemaakt en bereiden zich voor op het ergste.

Om precies 3.22 uur in de middag geeft generaal Noureddin, de pas benoemde bevelhebber van Smyrna, metropoliet Chrysostomos het bevel naar zijn hoofdkwartier te komen. De metropoliet weet dat hij niet anders kan dan gehoorzamen en begeeft zich naar het kantoor van de generaal, vergezeld van meneer George Trencom, die heeft aangeboden als dragoman te fungeren. Hoewel beide mannen een Turkse militaire escorte hebben, kost het hun aanzienlijke moeite om de ingang van het gebouw te bereiken, want er heeft zich een vijandige menigte verzameld die de Griekse metropoliet uitjouwt. Wanneer hij in het zicht komt, bekogelen ze hem met rommel en steentjes.

Chrysostomos gaat het geïmproviseerde hoofdkwartier van de generaal binnen en steekt zijn hand uit om Noureddin te begroeten, want hij heeft hem al bij diverse eerdere gelegenheden ontmoet. Hij feliciteert hem met zijn overwinning en vraagt hem grootmoedig te zijn jegens de overwonnenen. Noureddin weigert zijn hand, kijkt hem smalend aan en spuugt hem dan in het gezicht. 'U bent ten dode opgeschreven,' zegt hij kil, 'en uw volk is dat ook. Ga uit mijn ogen. Mijn volk heeft nog een paar rekeningen te vereffenen.' Hij zegt geen woord tegen George Trencom, hoewel zijn ogen heen en weer schieten en tekenen van herkenning verraden. 'Is hij het echt?' vraagt hij aan zijn hoofdluitenant. 'Hebben we hem zo gemakkelijk ons hol binnengelokt?'

De luitenant knikt en zegt: 'Kijk maar naar zijn neus – het kan haast niemand anders zijn.'

Metropoliet Chrysostomos en George Trencom keren zich om en lopen het kantoor van de generaal uit. Ze lopen de trap af naar de hal. Voordat ze het gebouw uit gaan, wisselen ze een blik en kijken ze argwanend naar de menigte. Chrysostomos slaat onwillekeurig een kruisteken en mompelt een gebed. 'Alleen God kan ons nu redden,' zegt hij.

Wanneer de twee mannen bij de onderste trede komen, verschijnt generaal Noureddin op het balkon van zijn hoofdkwartier. Hij spreekt de menigte in felle bewoordingen toe en geeft hun carte blanche om te doen zoals hun goeddunkt. 'Behandel de honden zoals ze verdienen behandeld te worden,' zegt hij, 'maar vooral deze.' Hij wijst naar George Trencom en maakt een niet mis te verstaan gebaar van de keel doorsnijden, waarna hij weer kalm naar binnen gaat. Terwijl hij de balkondeuren sluit, dringt de menigte naar voren en grijpt Chrysostomos bij de baard. George Trencom probeert zijn vriend te verdedigen, maar terwijl hij dat doet, wordt hij door iemand uit de menigte in de nek gestoken. Met zijn hand op de gapende wond valt hij geschokt op de grond.

113

Het laatste wat hij ziet voordat hij het bewustzijn verliest, is de moord op de metropoliet. Chrysostomos wordt de keel doorgesneden en zijn ogen worden met messen uitgestoken. Daarna snijd de menigte zijn baard met een scheermes af.

De woede van de menigte wordt door het doden getemperd en spoedig begint ze uiteen te vallen. Een paar mannen blijven achter om de lijken aan een lantaarnpaal op te knopen. Om de nek van elk van beide mannen hangen ze een bord waarop iets in het Turks, Grieks en Armeens staat. De boodschap bestaat slechts uit drie woorden: 'Constantinopel is Turks.'

V

7 februari 1969

Edward was nog niet zo lang aan het werk toen de deurbel van de winkel rinkelde en de deur openvloog. Hij sprong overeind in een mengeling van paniek en schrik, maar was snel gerustgesteld toen hij een bekende figuur de winkel zag binnenstappen.

'Richard,' riep hij uit. 'Ik schrok me een ongeluk. Wat een verrassing! Wat brengt jou weer eens hier?' Maar voordat hij de kans kreeg zijn vraag af te maken, besefte hij precíes waarom zijn vriend gekomen was. 'Je hebt nieuws,' zei hij op dringende toon. 'Je hebt een leemte opgevuld? Wat ben je te weten gekomen?'

'Kalm, ouwe jongen,' zei Barcley, die moest lachen om het ongeduld van zijn vriend. 'Ik zal je alles vertellen – alleen… nou ja, ik moet toegeven dat er niet veel te vertellen valt.'

'Maar je ben erachter gekomen wie hij is?'

'Nee,' zei Richard. 'Ik ben er niet achtergekomen wie hij is, maar ik heb wel ontdekt wat er gisteren op nummer 14 iets vreemds plaatsvond. Iets wat ik met mijn eigen ogen heb gezien.'

'Wat dan? Wat dan?' zei Edward. 'Kom, vertel op.'

Richard zweeg even. 'Weet je, misschien moeten we naar beneden gaan. De kelder in. Dit is niet zo'n geschikte plek.'

'Helemaal waar,' zei Edward, die naar de houten trap liep en naar meneer George beneden riep of hij een paar minuutjes in de winkel kon staan.

'Kom eraan,' antwoordde meneer George, die boven aan de trap verscheen, schuilgaand achter twee grote dozen camembert die hij in zijn handen had. 'O, dag meneer Barcley,' zei hij vriendelijk. 'Lang niet gezien. Waar hebben we dit genoegen aan te danken? Kaas of persoonlijke aangelegenheden?'

Richard lachte naar hem. 'Ik moet Edward even van u lenen,' zei hij. 'Heel even maar, hoor. Kunt u de wacht houden? De haard brandende houden?'

Toen Richard en Edward eenmaal beneden in de kelder waren, wilde Edward dolgraag alle bijzonderheden weten van wat er zich had afgespeeld. 'Ach,' zei Richard, 'er is eigenlijk niet zoveel te vertellen. Maar voor wat het waard is...'

Hij beschreef dat hij de voorgaande middag om ongeveer half zes in zijn kantoor voor het raam had gestaan. 'De gordijnen van het gebouw aan de overkant waren open,' zei hij, 'en ik kon rechtstreeks de kamer in kijken. Er was de hele dag niemand in geweest, voorzover ik wist, maar op dat moment, net toen ik het voor gezien wilde houden, zag ik drie mannen de kamer binnenkomen. Het was moeilijk te zien wat er precies gebeurde, want het zonlicht werd door de ramen weerkaatst. Maar ik ben ervan overtuigd dat een van die drie mannen de persoon was die onlangs naar ons stond te kijken.'

'Wat deed hij?' vroeg Edward. 'En die andere twee – wat deden dié?'

'Het was duidelijk dat ze onenigheid hadden. Of eigenlijk een fikse ruzie. Twee van de mannen leken tegen de derde te schreeuwen. En op een gegeven moment grepen ze hem bij zijn revers.'

'En toen?' vroeg Edward.

'En toen zagen ze me helaas bij het raam staan. En toen viel het doek. Sloten ze de gordijnen, bedoel ik.'

Edward liet een lange zucht ontsnappen. 'Dat is het?' vroeg hij. 'Meer niet?'

'Nee,' zei Barcley. 'Ik bedoel: ja. Er is meer. Er is heel veel meer. Want er is dit.'

Hij haalde een envelop uit de binnenzak van zijn jas en zwaaide ermee voor Edwards gezicht, alsof hij een troefkaart liet zien.

'Wat heb je daar?' zei Edward. 'Wat is dat?'

'Toen ik gisteren op mijn werk kwam,' legde Richard uit, 'lag dit op me te wachten. Het was in de brievenbus gestopt en lag op de mat. Mevrouw Clarke raapte het op toen ze 's morgens binnenkwam.'

'En?' zei een steeds ongeduldiger wordende Edward. 'Wat staat erin?'

'Niet veel,' zei Barcley. 'Eigenlijk helemaal niet veel. Maar het is daarom niet minder interessant. Moet je horen. Er staat: "Wilt u alstublieft zo vriendelijk zijn me te ontmoeten op vrijdag 21 februari om 12 uur 's middags op de kruising van de Throgmorton Street en de Old Broad Street. Ik heb u iets van het allergrootste belang mede te delen – iets wat overgebracht dient te worden aan uw vriend. Ik kan u om redenen die ik hier nu niet kan uitleggen, niet eerder ontmoeten."'

'En dat is het?' vroeg Edward, terwijl hij het vel papier omdraaide.

'En dat,' antwoordde Richard, 'is het inderdaad. Niets meer en niets minder.'

'En wat nu?' vroeg Edward met een lange, getergde zucht. 'Dat duurt nog twee weken. Ga je erheen? Nee… dat kan niet. Je kunt jezelf niet omwille van mij in gevaar brengen. Nee, Richard, ik ga wel. Ik zal hem die vrijdag ontmoeten.'

'Nee,' zei Barcley beslist. 'Jij kunt niet gaan. Het is heel duidelijk dat jij degene bent die in gevaar is. Iemand wil jou om nog onbekende redenen iets aandoen. En je bent al zo'n gemakkelijk doelwit zonder dat je naar die afspraak gaat. Nee, nee, Edward, ik ga.'

Richard pakte een stukje gorgonzola en hield het bij zijn neus.

'Wauw, Edward, dat ruikt sterk! Daar is het nog een beetje te vroeg op de dag voor. Maar nu,' zei hij, terwijl hij op zijn horloge keek, 'moet ik er weer vandoor, als je het niet erg vindt. Die goeie mevrouw Clarke zal zich ernstig zorgen om me maken. Pas goed op, ouwe jongen. Ik zal je van alle ontwikkelingen op de hoogte houden.'

En daarop liep Richard Barcley door de kelder naar de houten trap en verdween de winkel in.

VI

Edward Trencom meende reeds lang dat er twee soorten mensen in het leven waren. De ene soort, waartoe hijzelf behoorde, kon het heden alleen maar begrijpen door voortdurend naar het verleden te verwijzen. 'Het is als met een mooie stilton,' zei hij altijd. 'Hoe kun je hem in godsnaam beoordelen als je hem niet met zijn voorgangers kunt vergelijken?'

De tweede soort – waarvan Richard Barcley bij uitstek een voorbeeld was – gaf niets om oude voorwerpen. Voor hem was het verleden alleen nuttig als het hem een oplossing opleverde voor zijn kruiswoordpuzzel of als hij er een te slimme cliënt mee op zijn plaats kon zetten.

Je hoefde alleen maar hun respectieve huizen in ogenschouw te nemen om te beseffen dat er in Edwards theorie een kern van waarheid school. In Barcleys huis stonden functionele stoelen en tafels die met weinig inspanning en nog minder aandacht bij Arding & Hobbs waren gekocht. Edwards huis daarentegen stond vol met oude leunstoelen en dressoirs die in de twaalf jaren van zijn huwelijk gekocht waren in kringloopwinkels en op veilingen. Zijn Sedgefield-eettafel van rond 1890 was afkomstig van de firma Pringle in Honiton. Zijn theekist uit Oost-India, die nog steeds aangenaam naar jasmijn rook, was gekocht bij Dobson Antiques in de Tower Street. Hoewel Edward nooit had bijgehouden wat hij allemaal had gekocht, kon hij zich wel herinneren waar elk meubelstuk vandaan kwam en wat hij ervoor had betaald.

Hij vond het bijna even plezierig deze feiten uit zijn geheugen op te diepen als aan de generaties mensen zoals hij te denken die reeds van de voorwerpen hadden genoten die de kamers op de Sunnyhill Road nummer 22 vulden. Telkens wanneer Edward zat bij te komen op zijn Windsorstoel, dacht hij terug aan hoe hij hem voor twee pond en vier shilling gekocht had – echt een koopje. Hij zou de eerste zijn die toegaf dat er niets opmerkelijks aan de stoel te zien was. De hoofdsteun was niet versierd en de poten waren minder opzichtig dan bij veel andere Windsorstoelen die hij gezien had. Maar het eikenhout had in de loop der jaren het diepe patina van oude laarzen gekregen en er zaten groeven in de leuningen, waar generaties ellebogen overheen waren gegaan en op hadden gerust. Wanneer Edward op de stoel zat, snoof hij de verse boenwas op (die ook naar antiek rook) en slaakte een tevreden zucht, terwijl hij dacht aan alle mensen die van de warmte van de gemodelleerde rug hadden genoten.

Hij had ook veel andere favorieten. Een paar jaar eerder had hij een Royal Doulton kroningsmok van koning Edward VIII gekocht – een hoogst ongewoon voorwerp, gezien het feit dat de koning al troonsafstand had gedaan voordat hij werd gekroond. Het deed Edward genoegen alleen al naar de mok te kijken, niet zozeer vanwege de waarde (hij was in feite niet zoveel waard), als wel omdat het zo'n ongewoon voorwerp was. Hij stond op één lijn met de achttiende-eeuwse balein van een dwergvinvis die boven de haard hing.

Al deze voorwerpen zonken in het niets bij de familiedocumenten die Edward in de kelder van Trencoms had ontdekt. Dat was niet alleen omdat hij een krat met oude voorwerpen had opgediept, wat op zich al een bron van grote voldoening was, maar ook omdat werkelijk ieder voorwerp in de kist direct betrekking op zijn eigen leven had.

Op de avond van 7 februari zat Edward ruim een uur na te denken over de papieren die betrekking hadden op zijn grootvader. Hij besefte algauw dat er frustrerend weinig informatie over George was. Behalve de foto waren er twee krantenartikelen en zes of zeven kaarten van het Ottomaanse Rijk. En dat was het.

Edward wilde net de papieren oppakken en naar bed gaan, toen hij een met de hand geschreven brief opmerkte die in de vouw van een van de kaarten zat. Met trillende handen vouwde hij het briefpapier open en toen hij zijn blik naar onderen liet dwalen, besefte hij dat het een brief van George aan zijn vrouw Alice was:

Mijn liefste Alice,

Al onze hoop is vervlogen. Al onze dromen zijn vergeefs geweest. Mijn laatste brief kwam uit Afyonkarahisar, waar ik door granaatscherven aan de elleboog gewond raakte. We hadden gehoopt door de vijandelijke linies heen te kunnen breken en mijn strijdmakkers hadden het er al over dat ik als eerste Constantinopel binnen zou rijden – op een wit strijdros nog wel! Maar we zijn teruggedreven naar Ushak (waar ik deze brief schrijf) en onze troepen zijn er beroerd aan toe. Over twee dagen ga ik naar Smyrna, waar ik zal proberen een schip te vinden dat naar huis vaart.

Hoe is het met Trencoms? Hoe is het met Peregrine? Hoe is het met jou? Ik betreur de hele dwaze onderneming – die ik nu voor altijd opgeef – en vraag jou, liefste, mijn oprechte verontschuldigingen te willen aanvaarden.

Met al mijn liefde en genegenheid,
George

Edward las de brief een tweede en toen een derde keer. Dat maakt voor hem niets duidelijker wat hij betekende, en hij bestudeerde hem regel voor regel in de hoop dat de puzzelstukjes op hun plaats zouden vallen. Hij krabde aan zijn neus – een gewoonte die zich al op jonge leeftijd ontwikkeld had – en staarde wezenloos naar het plafond. 'Op een wit strijdros nog wel,' zei Edward zachtjes voor de zoveelste keer. 'Waarom een wit strijdros? Dat vind ik toch wel zo bizar.'

Deze vragen zaten Edward de volgende ochtend nog steeds dwars toen hij iets na negenen de pas geïnstalleerde zwaaideuren van de gemeentelijke openbare bibliotheek in Southwark openduwde. Hij nam plaats aan de derde tafel rechts, zijn gebruikelijke, en wilde net een boek openslaan, toen hij een bekend gezicht verderop in de bibliotheek zag. Aha, dacht hij, daar is iemand die me kan helpen en hij komt al deze kant op. 'Dag, Herbert!'

Herbert Potinger was de hoofdbibliothecaris van de openbare bibliotheek in Southwark en ook een vriend en goede buur van Edward. De ongetrouwde Herbert, tevens amateurhistoricus, modelspoorweghobbyist, vegetariër en liefhebber van het Grieks, was een bijzonder Engelse type – het soort man dat elke zomer twee weken lang weggedoken in een windjack onder de grijze lucht van Broadstairs de komedies van Aristofanes zat te verslinden. Hij was geobsedeerd door alles wat Grieks was, vooral Middeleeuws en modern Grieks, en had voor de bibliotheek in Southwark een indrukwekkende verzameling recent gepubliceerde Byzantijnse kronieken aangekocht (kosten: 48 pond, 5 shilling en 2 pence), plus de complete werken van Kostis Palamas (kosten 13 pond en 6 shilling), waarvoor de belastingbetaler van dat deel van Londen gul had betaald.

Herbert en Edward hadden veel gemeen: de liefde voor geschiedenis, oude munten en buitenlandse kaas en, last but not least, (hoewel ze dat niet van elkaar wisten), een zekere onbekendheid met hun eigen lichaam. In Herberts geval was dit misschien begrijpelijk, want als je hem naakt zag, zag je iets wat je niet snel vergat. Hij was natuurlijk niet gewoon zijn kleren uit te trekken in de zeer openbare omgeving van de gemeentebibliotheek. Geen van de vaste klanten had de hoofdbibliothecaris ooit gezien zoals de natuur het bedoeld moest hebben. Maar Edward had dat wel, tijdens een weekenduitje naar het zwembad van Tooting, en dat had zo'n indruk op hem gemaakt dat hij er iedere keer dat hij Herbert zag aan moest denken.

Zijn naakte vriend bood inderdaad een bijzondere aanblik. Dat had niets te maken met zijn xylofoon van uitstekende ribben, noch met zijn kleine, maar volmaakt ronde buikje. Het kwam eerder doordat de bleke en over het geheel genomen tengere gestalte van Herbert Potinger ongewoon en onnatuurlijk behaard was. Zijn schaamstreek, die nog nooit in actie was gekomen, was bedekt met een verwarde massa oranjerood haar. Ook zijn hoofd was dat. Het werd gesierd door een krans van rode krullen die zo'n zeven à acht centimeter boven het hoogste punt van zijn hoofd uitstaken.

Edward lachte opgewekt toen Herbert dichterbij kwam, waarbij het hem opviel dat diens rode wenkbrauwen wel een centimeter langer leken te zijn geworden sinds ze de laatste keer dat ze elkaar gezien hadden. Hij moet ze eigenlijk bijknippen, dacht Edward. Of anders zou zijn kapper dat moeten doen.

Herbert wist niets van de vele vreemde dingen die Edward de voorgaande dagen waren overkomen, maar hij wist wel dat zijn vriend familiepapieren had gevonden. Hij wist ook dat Edward moeite had met het vertalen van de krantenartikelen die naar zijn opa verwezen en had aangeboden een handje te helpen. Het was nu twee dagen later en hij had inmiddels een paar antwoorden gevonden.

'Goddank hebben we zoiets als de jaarboeken,' fluisterde Herbert tegen Edward. 'Waar zouden we zijn zonder de jaarboeken?'

'De jaarboeken... de jaarboeken,' herhaalde Edward. 'Nee, ik geloof dat ik niet helemaal begrijp wat je bedoelt.'

'Sst! Je moet záchtjes praten,' siste Herbert terwijl hij zijn vinger tegen zijn lippen legde. Toen hij om zich heen had gekeken om zich ervan te vergewissen dat niemand in de leeszaal er last van had gehad, haalde hij een groen boekje tevoorschijn dat lekker warm onder zijn oksel had gezeten.

'Goed dan: de jaarboeken. Een jaarboek vertelt ons wat er elk jaar in de wereld gebeurde. En dit' – hij hield de rug omhoog zodat Edward hem duidelijk kon zien – 'is de kroniek van het jaar 1922.'

'Ja, en?' zei Edward.

'En,' antwoordde Herbert, 'ik heb misschien een paar antwoorden op de vraag waarom je grootvader in Turkije was – ja, antwoorden. Maar ik moet je er wel voor waarschuwen dat ieder antwoord diverse nieuwe vragen lijkt op te roepen. Laten we even naar mijn kantoor gaan, dan kunnen we vrijer praten.'

Edward zag dat Herberts bureau vol lag met stapels boeken en pamfletten, en hij vroeg zich af of zijn vriend hier de hele nacht jaarkronieken had zitten bestuderen.

'De geschiedenis is wel duidelijk,' zei Herbert. 'Aan het eind van de Eerste Wereldoorlog was Turkije gedwongen het verdrag van Sèvres te ondertekenen – een zware vernedering, zoals je vast ook wel weet. Het kwam erop neer dat het Ottomaanse Rijk ontmanteld werd. Syrië zou onafhankelijk worden. Armenië ook. Ook moesten grote delen van Turkije, waaronder Smyrna, aan Griekenland worden overgedragen.'

'Oké,' zei Edward, die het ineens ongewoon warm kreeg. Het was benauwd in Herberts kantoor en tamelijk bedompt. Er hing een verschaalde lucht van gebakken champignons, de nageur van Herberts ontbijt, en het rook heel onaangenaam naar goedkope oploskoffie. Hoe kan hij toch in zo'n omgeving werken? dacht Edward, bij wie het nooit opkwam dat voor sommige mensen het werken in een bedompte kaaswinkel waar constant een penetrante kaasgeur hing een brug te ver was.

'Een poosje,' vervolgde Herbert, die de zenuwtrekking in Edwards neus niet had opgemerkt, 'ging het de Grieken voor de wind. Hun leger marcheerde landinwaarts, diep Turkije in, en behaalde een reeks overwinningen op hun historische vijand. Maar ze zouden hun gelijke vinden in Mustafa Kemal.'

'Atatürk?' vroeg Edward.

'Inderdaad,' bevestigde Herbert, 'en zijn troepen raasden door de gebieden van Turkije die door de Grieken veroverd waren.' Hij zweeg even en dempte zijn stem tot een gefluister. 'Een doodgewone schurk, Edward, door en door crimineel. Ik snap niet waarom de Turken zo tegen hem opzien.'

Edward was bang dat Herbert aan een van zijn lange monologen zou beginnen en probeerde dat te voorkomen door hem een vraag te stellen.

'Maar wat me bevreemdt,' zei hij, 'is die obsessie voor Griekenland. Waarom vocht George Trencom in hemelsnaam met de Grieken mee? Vergeet niet, Herbert, dat hij een zeer welvarende kaaswinkel achterliet om naar het buitenland te gaan, en dat hij ook zijn vrouw en zoon achterliet – mijn eigen vader. Als mijn oudoom er niet was geweest, had Trencoms misschien wel zijn deuren moeten sluiten.'

'Ik moet bekennen,' zei Herbert, 'dat ik ook niet alles weet. Maar een vermoeden heb ik wel. Moet je horen: het verslagen Griekse leger trok zich terug in Smyrna, aan de kust, waar men dacht veilig te zijn. Ook je grootvader was daar in september 1922 – dat weten we zeker – precies op dat kritieke moment.

Nu heb je de hele tijd aangenomen dat hij met de Grieken mee vocht, en ik ben het met je eens dat de brief ook die indruk wekt. Maar ik ben tot een iets andere conclusie gekomen. Ik denk dat hij in feite verslaggever was, ja, echt, en dat hij voor een krant werkte.'

Edward wierp zijn vriend een sceptische blik toe.

'Wacht, wacht,' vervolgde Herbert, die voelde dat Edward iets wilde tegenwerpen. 'Voordat je iets zegt, Edward: je weet dat hij niet de enige amateur zou zijn geweest die verslag deed van de oorlog. Denk maar aan John Grimble, die later redacteur buitenland bij *The Times* werd. En dan had je nog die beroemde vent, ach, je weet wel, hoe heet hij nou ook alweer? *De oude man en de...*'

'Hemingway?'

'Ja, Hemingway. Die was er ook. Ik denk dat je grootvader verslaggever was, net als Hemingway.'

Edward ademde diep uit en maakte daarbij per ongeluk een snuivend geluid.

'Nee, nee, Herbert. Onmogelijk! George Trencom was kaashandelaar, geen journalist. Bovendien moet je me dan maar eens zeggen waarom de troepen wilden dat hij als eerste Constantinopel binnenreed. En wel op een wit strijdros. Nou?'

'Nou...' antwoordde een zichtbaar opgewonden Herbert, die stond te trappelen om zijn coup de grâce te kunnen geven. 'Kijk, als je mijn theorie aanvaardt, gaat alles kloppen. Je moet begrijpen dat de Britse kranten tijdens de hele oorlog met de Grieken aan de kant van Turkije hadden gestaan. Ja! Maar toen het nieuws van de moordpartijen Londen bereikte, sloeg de stemming plotseling om. Ineens wilde het hele Britse publiek dat de Grieken zouden winnen.'

'Nou, en?' zei Edward.

'Nou, stel je voor,' zei Herbert, 'stel je voor wat voor primeur je dan hebt, als journalist, wanneer je als eerste in Constantinopel bent. Het bleef per slot van rekening het doel, de mooiste beloning, voor het Griekse leger. Stel je voor hoe dramatisch het zou zijn als diezelfde verslaggever de stad binnenreed op een wit strijdros, in de stijl van Mehmet de Overwinnaar. Het zou echt iets voor *The Daily Telegraph* zijn geweest, dat kan ik je wel vertellen.'

Herbert was zo geanimeerd geraakt dat er op zijn wangen, die normaal zo bleek waren als ze alleen bij roodharigen kunnen zijn, plotseling blosjes verschenen. De laatste keer dat Edward zijn vriend zo opgewonden had gezien was op de dag waarop hij een zeldzame oude uitgave van *Kikkers* van Aristofanes had gekocht.

'Tja, het is een goeie theorie,' zei hij. 'Dat moet ik je nageven. Maar heb je ook maar één keer de naam George Trencom in de nieuwsbladen van die tijd zien staan? Ik betwijfel het. En het verklaart ook niet waarom mijn vader ook aan Griekse zijde schijnt te hebben gevochten.'

'Da's waar,' gaf Herbert toe, 'dat is inderdaad vreemd.'

'En dan is er nog iets,' zei Edward. 'Mijn grootvader is nooit meer thuisgekomen, dus ik neem aan dat hij in Smyrna is omgekomen.'

'O, ja,' antwoordde Herbert, 'daar gaan die krantartikelen ook over. Kennelijk, en dat is echt raar, stierf die George Trencom van jou toen hij deze man wilde verdedigen. De een of andere Griekse bisschop.'

Edward leunde naar achteren en strekte zich uit, waarbij hij een luid gefluit liet horen.

'Ssst!' zei Herbert. 'Probeer er toch om te denken waar je bent.'

Edward pakte een van de twee krantenknipsels op en bekeek het aandachtig. Het was gewoon griezelig, dacht hij, hoeveel hij op zijn grootvader leek: dezelfde ogen, dezelfde gezichtsvorm. Maar bovenal, ja, bovenal dezelfde neus. Hij hield het artikel een eindje van zich af om wat afstand tussen hemzelf en de foto te creëren. 'Ja,' zei hij, 'het is het evenbeeld van mijn neus.' Daarna bracht hij het knipsel naar zijn gezicht; hij hield het vlak bij zijn huid, zodat zijn neus en die van George Trencom elkaar bij de punt raakten. Precies op dit moment, toen de twee neuzen met elkaar in aanraking kwamen, voelde Edward een elektrische tinteling – als een huivering of kippenvel – met grote snelheid over het oppervlak van zijn lichaam trekken. De haartjes op zijn armen gingen overeind staan en de zenuwen in zijn schouders maakten onwillekeurige bewegingen. Het leed voor Edward geen twijfel: de neus van George Trencom, ruim veertig jaar eerder gefotografeerd, voelde warm aan.

De meer cynische waarnemers zullen natuurlijk aandragen dat het artikel in een vlekje zonlicht had gelegen. Ze hadden misschien ook opgemerkt dat Edward het in zijn warme, klamme handen had gehouden. Maar voor hem waren dergelijke verklaringen totaal niet bevredigend. Hij had altijd geweten dat de neus van de Trencoms bovennatuurlijke krachten had en nu werd dit feit bevestigd.

'Ik denk dat George deel uitmaakt van een veel groter verhaal, zei hij. 'Ik heb het gevoel dat – en daar kan ik maar moeilijk een vinger achter krijgen – mijn oom al die tijd gelijk had. Er is iets met die Trencomneus aan de hand, er is iets vreemds aan de oorsprong van die neus. Ik vond een portret in de kist met papieren dat beslist al meer dan vierhonderd jaar oud is, maar van wie het ook moge zijn, hij heeft precies dezelfde neus als ik. Dat is afdoende bewijs dat hij al vele eeuwen in de familie zit. Het zou me niets verbazen als ik ontdekte dat ook hij door zijn neus is

126

omgekomen. Evenals zijn zoon. En zijn kleinzoon. En al die anderen – allemaal – tot mijn eigen vader en grootvader aan toe.'

Herbert wierp Edward een sceptische blik toe.

'Zie je het dan niet?' vervolgde Edward. 'Ze wisten iets. Er was duidelijk het een of andere verborgen doel dat...'

'... hun het leven kostte,' onderbrak Herbert hem. 'Zoveel is waar. Wees maar voorzichtig, Edward, wees maar voorzichtig. Het kan zijn dat je met vuur speelt.'

'Het mag hun dan het leven gekost hebben,' zei Edward, 'maar mij zal dat niet gebeuren. Tenzij ik doodga van frustratie. Nee, maar zonder gekheid, zij waren allemaal betrokken bij oorlogssituaties. Mijn vader kwam om door een hinderlaag van de Duitsers. En mijn opa vond de dood aan het eind van een bijzonder bloedige oorlog in Turkije. Mijn omstandigheden zijn heel anders. Ik kan je verzekeren dat de nieuwsgierigheid deze Trencom niet fataal zal worden.'

'Nou, ik hoop dat je gelijk hebt,' zei Herbert. 'Het verleden is gevaarlijk terrein.'

'O ja,' zei Edward, zijn eerdere gedachtegang weer oppakkend. 'Ik heb nog een vraag voor je, maar dan over een ander onderwerp. Aangezien je mijn huisexpert op het gebied van Griekse aangelegenheden bent: zegt de naam Makarezos je iets? Dat is een bedrijf in Queen Street.'

'Makarezos?' zei Herbert hem na. 'Nee, ik heb nooit van het bedrijf in Queen Street gehoord. Maar de naam Makarezos ken ik wel degelijk. Het verbaast me eigenlijk dat jij hem niet kent. Makarezos is een van de leden van de Griekse junta. Nikolaos Makarezos, als ik me niet vergis. Maar of die iets te maken heeft met jouw Makarezos in Queen Street, daar heb ik helaas geen idee van. Maar wat stel je toch een rare vragen,' zei Herbert. 'Waarom wil je dat in godsnaam weten?'

VII

10 februari 1969

Op een zonnige maandagmiddag in de tweede week van februari kon je Edward Trencom aantreffen in de kelder van Trencoms, waar hij kaas aan het uitpakken was. Hij had nog steeds zijn gebruikelijke glimlach op zijn gezicht, maar de diepe frons op zijn voorhoofd wees erop dat hij niet helemaal zichzelf was.

Wat is er met me aan de hand? dacht hij. Ik voel me helemaal niet zoals anders.

Er zijn mensen die zich verbeelden dat ze ziek zijn. Er zijn ook mensen die zich ziek denken. En dan zijn er nog de ziekten die om de een of andere reden onmogelijk vast te stellen zijn: degenen die eraan lijden, zijn niet zichzelf, maar dan op zo'n manier dat ze het niet kunnen begrijpen, noch uitleggen.

Ik voel me niet bepaald ziek, dacht Edward. Maar ik voel me ook niet helemaal lekker. Ik voel me gewoon anders dan anders.

In vroeger tijden zou Edwards ziekte misschien zijn toegeschreven aan een gebrek aan evenwicht in de lichaamssappen – een teveel aan zwarte gal, misschien, of een ziekelijke opwelling van geel slijm. Zo'n instabiliteit op vloeistofgebied leidde in de Renaissancetijd menig heer naar de ondergang.

Of er bij Edward nu chaos in de lichaamssappen heerste, is moeilijk vast te stellen, maar wat wèl zeker is, is dat hij helemaal uit balans was – als een ouderwetse weegschaal waarbij in het bakje de zwaarste gewichten gestapeld zijn. Hij was scheef geworden, wankel, hij miste het wezenlijke evenwicht dat meer kwetsbare stervelingen op het rechte pad houdt. En dat is een uiterst gevaarlijke toestand. We weten allemaal dat een scheef staande klok ophoudt met tikken. We weten dat een machine die uit balans is, niet meer kan functioneren. De radertjes lopen vast. De zuigers komen schokkend tot stilstand.

Zo verging het Edward Trencom ook. Het was niet zo dat hij volledig tot stilstand was gekomen – je kon hem op iedere willekeurige werkdag achter de toonbank van Trencoms zien staan. Maar hij was beslist uit zijn ritme en helde in de turbulente wateren van de familiegenealogie zwaar over naar stuurboord.

Hij pakte een stukje slipcote, kaas uit Sussex, en hield het bij zijn neus. Op een gewone middag zou hij tijm en rozenbottel geroken hebben, mogelijk met een prikkelende ondertoon van citroen. Maar op die bewuste dag rook hij naar... Tja, waar rook hij eigenlijk naar?

Korstmos? dacht Edward. Paddenstoelen? Turf?

Hij legde hem terug op de mat en pakte een dikke punt bauden, een kaas uit de bergen van Bohemen die pas was binnengekomen. Deze zou me moeten helpen, dacht Edward. Deze ken ik goed.

Maar waar was de geur van de zomeralpage? Waar waren de kille winden op de met ijs bedekte bovenhellingen?

Edwards onrust werd er ook niet beter op toen mevrouw Toller, een vaste klant van Trencoms, de winkel binnenstapte net toen Edward de bauden neerlegde.

'Goh, meneer Trencom,' zei ze, 'u ziet er vandaag heel anders uit dan anders.'

Ze keek om zich heen naar de vertrouwde uitstalling van kazen en voegde er zacht aan toe: 'En uw winkel trouwens ook.'

Dat was zeker waar. De kazen stonden op de gebruikelijke matten, precies zoals altijd, maar ze waren niet zo hoog opgestapeld als een paar dagen ervoor. De vinnen draaiden nog aan het plafond, maar ze leken in de voorgaande dagen een landerige loomheid ontwikkeld te hebben. Het was net of de lucht dik en zwaar was geworden, alsof iedere draai een gigantisch geduw en getrek kostte.

Meneer George had gedaan wat hij kon om de zaak draaiende te houden, maar ook hij had zijn grenzen. Hij merkte geschrokken dat bepaalde kazen niet waren besteld en dat de voorraad niet werd aangevuld. Hij had uit eigener beweging per telefoon Deense havarti bijbesteld en had ook de leverancier van de Beierse limburger gebeld. Toen er ruim een week geen Milanese grana lodigiano was besteld, vroeg hij meneer Trencom of hij daar ook wat van moest bestellen.

'Ja, ja, meneer George,' antwoordde Edward een beetje half-slachtig en mistroostig. 'En eventueel ook andere. De voorraad moet op peil worden gehouden.'

'Maar wilt u dan niet liever zelf bestellen, meneer Trencom? Dat is altijd uw afdeling geweest.'

'Dat is zo, dat is zo. Maar als u het niet erg vindt om een handje te helpen, dan lucht me dat enorm op. We zullen de winkel gauw weer op orde hebben – dat is een ding dat zeker is.'

Terwijl Edward dit zei, schoot er een vreemde gedachte door het hoofd van meneer George.

Als er iets met meneer Trencom mocht gebeuren, dan... dan zou er niemand zijn die de winkel over kon nemen. Hij is de enige stamhouder.

Meneer George hield de dagen daarop Edwards gedrag goed in de gaten en hij maakte zich steeds meer zorgen dat het einde al gekomen was. Edward had sinds zijn ontdekking van de familie-documenten ruim twee weken daarvoor geen kaas meer inge-kocht. En hij nam ook niet meer aan het eind van de week zijn gebruikelijke pakje kazen mee naar huis. Hij ging in de lunch-pauze zelfs niet meer bij mevrouw O'Casey zijn sandwiches halen. De meeste dagen kondigde hij aan dat hij naar de open-bare bibliotheek in Southwark ging om er tijdens een wat langere lunchpauze onderzoek te doen. Dat werd meestal een periode van drie uur en zeker één keer nam hij de hele middag in beslag. Toch leek de navorsing van zijn voorouders Edward niet bepaald

130

stabieler te maken – het had juist het tegenovergestelde effect. Hoe meer hij zich in de familiedocumenten van de Trencoms verdiepte, hoe meer hij wist dat er iets goed fout zat.

Elizabeth had met toenemende ongerustheid de verandering in haar echtgenoot opgemerkt. Ze was nog onwetend van de vele verontrustende dingen die hem in de voorgaande dagen waren overkomen, en het verbaasde haar dat de ontdekking van zijn familiepapieren zo'n effect op hem had. Wat haar met name zorgen baarde, was het effect op hun relatie. Ze voelde dat er afstand tussen hen was gekomen. Het was nog maar een kier, maar wel een die (als er niets aan werd gedaan) gemakkelijk een gapende, gevaarlijke spleet met ijskoude kaken kon worden.

Edward had Elizabeth altijd op de wang gekust wanneer hij terugkwam uit zijn werk. Nu had hij dat al een paar dagen achter elkaar verzuimd. Hij vertelde haar altijd gedetailleerd wat er allemaal in de winkel was gebeurd. Nu toonde hij weinig enthousiasme wanneer hij over de klanten of de kaas praatte. Pas wanneer ze hem vragen stelde over zijn familieresearch kwam hij tot leven. Hij kon met gemak een uur of langer over George en Peregrine Trencom praten.

Ik moet iets doen, dacht Elizabeth, terwijl ze een wijnglas zo stevig omklemde dat de steel gewoon stukknapte. Want anders loopt de zaak vast en zeker helemaal uit de hand. Ze merkte dat ze haar hand had gesneden aan het kapotte glas en veegde het bloed met de vaatdoek weg. Het bleef echter opwellen en daarom hield ze de wond onder de koude kraan.

Ze was niet uit op een confrontatie. Nee, ze zag het liever als een interventie. Onlangs nog had ze een nieuwslezer horen praten over een interventie van de Verenigde Naties ergens in een probleemgebied. Een interventie – dat was precies wat ze in gedachten had. De vrede en harmonie herstellen voordat de problemen erger werden.

Ze haalde haar hand even onder de kraan vandaan, maar zodra ze dit deed, begon het bloed weer te vloeien. Het vermengde zich onmiddellijk met het water op haar hand, zoals inkt uitloopt op vloeipapier, en daardoor zag de snee er honderdmaal erger uit dan hij in werkelijkheid was. Ze had van menig huwelijk gehoord waarmee het mis was gegaan omdat de communicatie niet meer liep – ze dacht met name aan Michael en Susan Whitelock – en was vastbesloten dat dit met haar relatie niet zou gebeuren.

Op de avond van 10 februari zaten Elizabeth en Edward zij aan zij in hun comfortabele zitkamer in Streatham. Ze had net een kop venkelthee voor zichzelf gezet en ging de laatste hand leggen aan haar borduurwerk. Edward las opnieuw het jaarboek van 1922 dat hij uit de bibliotheek had meegenomen. Allebei vonden ze het moeilijk zich te concentreren op wat ze deden.

Ik snap wel dat het interessant voor hem is, dacht Elizabeth, maar zou het nu echt zó interessant zijn?

Ze begrijpt het gewoon niet, dacht Edward, en wat nog erger is: ze wil het ook niet begrijpen. Ze kan niet snappen wat er op het spel staat.

Misschien is dit de avond waarop ik iets zou moeten zeggen? Misschien is dit het moment om het te bespreken?

Als ze er weer over begint, als ze weer tegen me zegt dat ik moet ophouden met mijn onderzoek...

'Edward,' zei Elizabeth, de stilte in de kamer verbrekend.

'Mmmm?' antwoordde Edward zonder op te kijken van zijn boek.

'Edward, wil je alsjeblieft even stoppen? We moeten praten.'

Daar gaan we weer, dacht Edward. Ik weet niet of ik hier wel zin in heb.

Dit ooit zo gelukkige stel had bijna iedere avond van hun huwelijksleven in deze kamer gezeten, met uitzondering van de keren dat Edward weg was om kazen te verzamelen. Ze waren gewoon geweest de uren voordat ze naar bed gingen te praten, boeken te lezen en Edwards research op kaasgebied te bespreken. In al die tijd had Edward zich nog nooit – hoe zullen we het zeggen? – afgevraagd, of er zelfs maar over nagedacht, hoe zijn nogal bevallige vrouw eruit zou zien als ze poedelnaakt vlak voor hem in haar leunstoel zou zitten.

Maar dat was precies wat er deze bewuste avond gebeurde. Het gebeurde zelfs nu. Zijn gedachten, zijn vreemde, erotische gedachten gingen plotseling met hem op de loop. Helemaal op de loop. Naar een heel ver land.

Of dit nu kwam door het feit dat hij zo onevenwichtig was, is met geen mogelijkheid te zeggen. Was het een gevolg van het gebrek aan balans in zijn lichaamssappen? Van zijn wankele evenwicht? Ook Edward zelf kon niet de vinger leggen op wat er precies in zijn verwarde hoofd omging.

Het scenario ontvouwde zich als volgt. Elizabeth was net begonnen aan de waarschuwing dat de belangstelling die haar man voor zijn afkomst toonde, zich in rap tempo tot een obsessie aan het ontwikkelen was. Ze had de openingszet al gedaan toen er het volgende gebeurde. Plotseling en geheel onvoorzien rukte Edward zijn vrouw de blouse van het lijf. Zoef! Weg was-ie.

'Je wordt zo geobsedeerd, schat. Ja, geobsedeerd.'

Tjoep! Weg waren haar schoenen en panty. Elizabeth zat alleen nog in haar beha en rok en Edward zat te overwegen wat hij nu uit zou trekken.

Oei... dacht hij. Rustig aan, Edward, rustig aan. Ze is hier niet aan gewend.

'Weet je nog wat Marjory zei? Ze zei dat...'

Woep! Daar ging de rok. Edward leunde achterover in zijn stoel om het resultaat te bekijken. Hij zag verrukt dat er twee rozerode blosjes op de wangen van Elizabeth verschenen, een zeker teken dat ze opgewonden was.

Goh, dacht hij, ze bloost zelfs.

'En dan nog wat, Edward...'

Elizabeth wilde net haar man nog wat vertellen toen hij bliksemsnel haar beha en onderbroekje uittrok. Ze was nu helemaal naakt en borduurde nog steeds door. Vreemd genoeg vond hij juist dat laatste nog het meest erotisch.

'Edward? Luister je?'

Hij luisterde beslist NIET. Hij zat in zijn eigen wereld, een wereld die gevuld was met oneindige mogelijkheden.

'*Ed-ward?*' Ze was nu echt heel boos.

Hij knipperde driemaal met zijn ogen en keek naar zijn vrouw. Verdorie, verrek en verhip. Ze was helemaal aangekleed.

'Ja, ja, ja,' zei hij. 'Laten we naar bed gaan.'

'Maar Edward, lieverd,' antwoordde ze ongerust, 'het is nog niet eens half negen.'

VIII

25 maart 1878

Emmanuel Trencom snuift de lucht op en dan klinkt er een luide nies. Hij voelt zich danig opgelucht en wrijft vervolgens ongewoon krachtig over zijn buik. 'Eigenlijk,' zegt hij in zichzelf, 'heb ik trek. Ja, inderdaad. De heer Emmanuel Trencom barst van de honger.'

Hij masseert zijn buik opnieuw, alsof hij wil bevestigen dat die inderdaad leeg is. Dan, slechts stilstaand om te verifiëren dat er geen klanten in de winkel zijn, en ook niet op straat, pakt hij zijn mes en snijd hij een dikke plak Zweedse västerbotten af. Maar voordat hij die in zijn mond steekt, gunt hij zich even de tijd om te speculeren. 'Bij god!' zegt hij. 'Wat drinkt een mens bij een västerbotten? Een glas donker bier? Of een pul negus?'

In de paar seconden die het hem kost het antwoord op deze uiterst kwellende vraag te vinden, hebben wij net genoeg tijd om nota te nemen van de uiterlijke en innerlijke gesteldheid van de heer Emmanuel Trencom.

Hij is ongetwijfeld een tevreden en goedgehumeurd man. Hij is gelukkig met zijn werk, dolblij met zijn vrouw (de lieftallige Constance) en gek op al zijn vijftien kinderen, stuk voor stuk. 'Moet de stroom kleintjes gaande houden,' zegt hij ondeugend knipogend tegen zichzelf. 'Jaaa, in deze kwestie hebben we geen keus.'

Emmanuels geluk vindt een afspiegeling in de ronding van zijn buik die, wanneer hij gevangen is in een mousselinen schort, de indruk wekt dat zijn lichaam omgeven wordt door een reusachtige glimlach. Ook zijn gezicht is zo rond als een ton en aan weerszijden getooid met een dikke haargroei. De vette buik en weelderige bakkebaarden behoren ongetwijfeld tot de meest opvallende kenmerken van Emmanuel Trencom, maar het is zijn eigenaardige neus die hem tot een volbloed Trencom verheft.

'Mijn neus,' zegt hij, er met een vulpen licht tegen tikkend. 'Mijn neus.' Die is lang en nobel en wordt gesierd door een prominente maar volmaakt gevormde ronde bobbel op de brug.

Emmanuel voert een logge huppelpas uit terwijl hij langs de toonbank loopt om een fles donker bier te pakken. 'Bij iedere kaas past een drank, pom-pom,' zingt hij, 'en bij iedere drank een kaas.' En terwijl hij de dikke, bruinrode vloeistof in een tinnen drinkkan laat kletteren, begin hij het speelse deuntje te zingen dat hij zelf heeft bedacht.

'Een biertje bij een pavé en een sherry bij een sleight. Een bordeauxtje bij een bleutje, en een toddy bij een tomme. Een port bij een saluutje en een negus bij een niolo. Een gin bij een gomost en een grogje bij en gruth. Champagne bij chacat en een cider bij chaource. Bij iedere kaas past een drank, pom-pom, en bij iedere drank een kaas.'

Wanneer het lied uit is, brengt Emmanuel het stuk västerbotten naar zijn neus en ademt diep in. Zijn trillende neusgaten verwachten het harsachtige aroma van Zweeds dennenhout en de muffe geur van vochtig hooi. Maar zijn neushaartjes deinzen vol weerzin terug. Er is iets mis met deze kaas, en Emmanuel haalt hem instinctief weg bij zijn neus en bekijkt hem door zijn monocle. Wanneer hij zeker weet dat hij eruitziet zoals hij eruit moet zien, houdt hij hem weer bij zijn neusgaten.

'Goeie genade,' zegt hij luid, 'of deze kaas is bedorven, of er is iets met mijn neus.' Hij is zijn honger helemaal vergeten en zijn lege maag is opgehouden met rommelen. Emmanuel heeft veel belangrijkere zaken aan zijn hoofd: hij wil dit mysterie tot de bodem uitzoeken.

Hij snijdt een plak mycella af en houdt die bij zijn neus. 'Ja, ja,' zegt hij, 'die klopt.' Maar de Duitse romadurkäse ruikt duidelijk bitter en de piora heeft een geur die doet denken aan oude hanen. 'Asjemenou…' zegt Emmanuel, terwijl hij een flinke slok bier neemt. 'Kom op, ouwe jongen,' zegt hij tegen zijn neus, 'verman je.'

Precies op dit moment in het neusleven van Emmanuel Trencom gaat de deur van Trencoms met veel geklingel en geklangel open. Hij kijkt op en ziet twee onbekende gezichten.

'Middag, middag,' zegt hij met zijn gebruikelijke goede luim. 'Wat kan ik voor de heren doen?'

Terwijl hij deze vraag stelt, draaien zijn hersenen op volle toeren. Op de een of andere manier, en om de een of andere onbekende reden, voelen die gevaar. Deze twee mannen hebben donker haar, zijn ongeschoren en gaan zeer excentriek gekleed. De ene is gehuld in een cape met twee rijen knopen die veel te groot voor zijn postuur is. De andere draagt een soort vest dat Emmanuel al menig jaar niet meer in de straten van Londen heeft gezien.

Het zijn buitenlanders, denkt hij, ja, ze zien er absoluut buitenlands uit.

Dit wordt bevestigd wanneer een van de mannen spreekt. 'We komen Turkse mihalic bezorgen,' zegt hij.

Emmanuel wacht even voordat hij reageert. Zijn brein is druk bezig de informatie te verwerken. Hij kan zich namelijk met geen mogelijkheid herinneren dat hij mihalic heeft besteld. Doorgaans lopen al zijn bestellingen van Ottomaanse kaas via meneer Papadrianos aan de Albert Wharf, een Griekse levensmiddelenhandelaar uit Constantinopel. Nee, hij zou op de Heilige Bijbel kunnen zweren dat hij in de afgelopen weken niets bij meneer Papadrianos heeft besteld.

'Zo, zo,' zegt Emmanuel Trencom verward. 'Ik moet bekennen dat dit wel zeer vreemd is… Er moet sprake zijn van de een of andere verwarring… Maar ach, welja, u kunt het net zo goed naar de kelder brengen. Komt u maar mee heren, volgt u mij.'

De twee mannen zeggen niets. Ze staren Emmanuel strak aan

terwijl hij spreekt, alsof ze proberen te beoordelen of hij niet slechts dóét alsof hij zo dom is. Maar nee, ze constateren tegelijkertijd dat hij werkelijk zo dom ís. Ja, dom en dwaas.

Terwijl Emmanuel hen voorgaat naar het kelderluik en hem aan de ijzeren ring omhoogtrekt, fluistert een van de mannen tegen de ander in het Turks: 'Kijk – zijn neus. Het is hem.'

'*Allah,*' mompelt de ander. '*Allahu akbar.*'

'Hm?' zegt Emmanuel, die iets van hun gebabbel opvangt. 'Vroeg u me iets?'

'Nee, nee,' antwoordt een van de mannen. 'We hadden het net over meneer Papadrianos. U kent hem goed?'

'O, ja, meneer Papadrianos – een goed man,' zegt Emmanuel. 'Zijn familie en de mijne zijn al vele jaren bevriend.'

Emmanuel is nu onder aan de trap gekomen en de twee vreemdelingen volgen hem naar beneden. Een van hen steekt zijn armen uit om de kratten met mihalic aan te pakken, de andere laat ze voorzichtig zakken alvorens de trap af te gaan.

'Goed. Eens even zien. Waar wil ik hem hebben?' vraagt Emmanuel zich hardop af. 'Hmmm, tja, wat is de beste plek om hem neer te zetten?'

Hij stommelt wat tussen de stapels om een goede plek te zoeken voor de kaas. 'Ah, ja – dit is een mooie plek,' zegt hij zachtjes terwijl hij een blik achterom op de twee mannen werpt. Precies op dit moment in het leven van Emmanuel Trencom verdwijnt zijn gebruikelijke glimlach voor altijd. Want wat zijn ogen aanschouwen is zo schokkend, zo ontzettend angstwekkend, dat hij ter plekke verstijft. 'Nee,' zegt hij, 'nee, dat niet... Nee, o god, nee.'

'Op bevel van sultan Abdul Hamid II, de Weldoener,' zegt een van de mannen, 'en met de zegen van Allah de Genadige.' Dan lopen de twee indringers zonder verder nog één woord te zeggen op hun slachtoffer af.

Emmanuel zet struikelend een stap naar achteren, en dan nog een... Maar dan wordt de doorgang geblokkeerd door een grote stapel Corsicaanse rustinu. Hij wil zich omdraaien... vluchten... ontsnappen. Maar het is al te laat. Hij kan nergens heen.

'O, vaderlief!' roept hij uit, niet goed wetend of hij daar de ongelukkige Henry Trencom mee bedoelt, of de Heer zelf.

Het laatste wat hij ziet is dat er twee lange dolken hoog boven zijn hoofd worden geheven en diep in zijn nek worden gezet. Hij voelt een scherpe pijn en proeft bloed in zijn mond. Zijn tong wordt omgeven door warm bloed en hij kan niet meer slikken. Hij blijft nog een paar seconden overeind, dan worden zijn ogen troebel en stort zijn omvangrijke lijf op de grond. In zijn val neemt hij drie enorme stapels maroilles mee.

'Snel,' zegt een van de moordenaars. 'Wegwezen. Onze taak zit crop.'

Twee dagen later, ergens tussen de avond- en de ochtendschemering, wordt het corpulente lichaam van Emmanuel Trencom in het geheim overgebracht naar de Albert Wharf. Het wordt opgewacht door Yannokis Papadrianos, wiens tranen echt zijn en rijkelijk vloeien. Een begaafd man, denkt hij, die ons misschien nog had kunnen redden. Zijn broer is hem komen helpen. Samen tillen de heren Papadrianos het lijvige lijk bij de benen op. Ze laten het voorzichtig zakken in een vat dat gevuld is met cognac. Emmanuel zakt langzaam in de vloeistof – eerst zijn hoofd, totdat zijn rug een beetje doorbuigt en zijn benen dubbelvouwen. Even later verdwijnt hij onder de oppervlakte. 'Vaarwel, beste vriend,' zegt Yannokis. 'Moge je een goede laatste reis hebben.'

Na dit alles sluiten de twee broers het vat af en rollen het voorzichtig over de kade het trouwe schip Vasilios op. Luttele uren later vaart het schip met vat de monding van de Theems uit, op weg naar het kleine Griekse vissershaventje Dháfni.

IX

12 februari 1969

Vier dagen na zijn gesprek met Herbert Potinger deed Edward Trencom iets wat zo anders dan anders was, dat het leek alsof hij al enig inzicht had verworven in de duistere gangen van zijn voorvaderen en centimeter voor centimeter in de richting van de verraderlijke schollen en breuklijnen van de genealogische tektoniek van de Trencoms werd getrokken.

De desbetreffende avond begon heel prozaïsch. Edward kwam iets na kwart over zeven thuis uit zijn werk. Schijnbaar opgewekter dan een tijd het geval was geweest, begroette hij Elizabeth met een innige kus op haar linkerwang en nog een tweede – aarzelender nu – op haar lippen.

"Navond, meneer Kaas,' antwoordde ze glimlachend. 'En, hoe was het vandaag in de winkel?'

Edward dacht even na en krabde zich op het hoofd. 'Niets vermeldenswaardigs,' antwoordde hij zo nonchalant mogelijk. 'Alles rustig op het werkfront.'

'Er moet toch iets gebeurd zijn,' zei ze, omdat ze wilde dat hij in ieder geval íéts over zijn werkdag vertelde. 'Was er een rondleiding in de winkel? Werd meneer George ingepakt door mevrouw Williamson? Denderde er een kudde neushoorns door de kelder?'

Haar luchtige toon verhulde het feit dat ze zich meer zorgen om Edward maakte dan ooit. Die ochtend had ze juist ontdekt dat hij al meer dan twee weken niet eens ook maar een blik geworpen had op het manuscript van *De geschiedenis van de kaas*. Toen ze het onderwerp had willen aansnijden, had hij slechts opgemerkt dat hij het aan meneer George had gegeven om er een paar correcties in aan te brengen.

Elizabeth werd nog ongeruster toen ze vernam dat Edward die week minstens tweemaal zijn reukzin was kwijtgeraakt. Dat was nog nooit gebeurd. Zelfs toen hij de winter daarvoor griep had gehad – mevrouw Tolworth had hem besmet – had hij nog wat kunnen ruiken. Elizabeth glimlachte toen ze zich herinnerde hoe Edward nog onderscheid had weten te maken tussen een bleu de bassillac en een bleu de laqueuille toen zijn holten zo verstopt waren dat hij achter zijn ogen een stekende hoofdpijn voelde. En dan was er dat voorval met de bloemkool met kaas. Dat was niet minder verontrustend. De avond ervoor had ze zijn favoriete bloemkool met kaas gemaakt, met een saus van Oostenrijkse bergkaas en Zwitserse toggenburger. Maar Edward had als een jonge puber lusteloos in zijn eten zitten prikken, alvorens te verklaren dat hij niet echt trek had.

Elizabeth deed haar best het gif uit haar echtgenoot te trekken. Echt, ze probeerde álles – medeleven: 'Ik weet dat het niet gemakkelijk voor moet zijn,' overredingskracht: 'Ik weet zeker dat je je beter zou voelen als je erover sprak,' en genegenheid: 'Je weet dat ik er voor je ben als je er behoefte aan hebt te praten.' Maar Edward zei niets, wat Elizabeth mateloos frustreerde. Het is wel moeilijk, dacht ze, om iemand te helpen die zichzelf niet wil helpen.

Maar Edward zou duidelijk gaan maken dat hij zichzelf heel goed wist te helpen, zij het op een wijze die Elizabeth helemaal niet verwachtte. Jarenlang was alles wat zich tussen de lakens afspeelde teder, conventioneel en grenzend aan het plichtmatige geweest. Het was niet zo dat ze niet genoten van hun liefdesleven – met name Elizabeth beleefde veel plezier aan hun intieme momenten. Als Edward ermee had ingestemd, zou ze hun zondagse seks best naar andere avonden van de week willen hebben uitbreiden, en zou ze (als puntje bij paaltje kwam) misschien zelfs een van die intrigerende handboeken – steevast van een dokter Prettig of een professor Vanzelf – hebben gekocht die steeds veelvuldiger op de planken van de boekwinkels verschenen. Ze had altijd al graag zo'n boek willen inzien, en het had soms niet veel gescheeld of ze had er een van de plank gehaald. Maar een verborgen hand had haar altijd tegengehouden en ze had het een vernederende gedachte gevonden dat de winkelbediende haar misschien zou zien. Bovendien had het geen zin: Edward zou verbleekt zijn bij de gedachte dat je 'die dingen' uit een boek kon leren.

Ik heb denk ik niets te klagen, dacht Elizabeth. Virginia heeft zich wel eens laten ontvallen dat ze 'het' al meer dan een halfjaar niet had gedaan.

Je kunt je afvragen waarom Edward en Elizabeth geen kinderen hadden. Dat was niet omdat ze geen kinderen wilden. Mevrouw Trencom had vaak tegen Edward gezegd: 'Als het voorbeschikt is, gebeurt het ook.' Maar tot dusverre was het niet gebeurd en de waarheid gebiedt te zeggen dat Elizabeth, die nu vijfendertig was, er hevig naar verlangde kleine Trencoms in hun huis in Streatham te zien rondrennen.

Edwards visie op kinderen was dubbelzinniger. Ja, het leek hem wel leuk een gezin te hebben en de naam Trencom weer een generatie langer levend te houden, maar ach, hij had al meer dan genoeg op zijn bordje, sorry, pardon. De winkel, zijn boeken, de festivals. Hoe kon hij ook nog kinderen in zo'n drukke agenda passen? Als ze kwamen, goed, dan kwamen ze – allemaal best. Maar hij was niet van plan het erop aan te sturen.

Dergelijke gedachten zaten al twaalf jaar lang onveranderd in Edwards hoofd – vanaf hun huwelijksnacht tot aan de avond van 12 februari 1969. Op die avond legde hij plotseling een hoogst ongewone wens, drang en noodzaak aan de dag om geslachtsgemeenschap te hebben – ja, om zich voort te planten. Gelukkig ging dit verlangen tegelijkertijd gepaard met het volle besef dat Elizabeth Trencom wel eens de belangrijkste vrouw in zijn leven zou kunnen zijn – nee, wás.

Het was iets na elven toen ze naar hun slaapkamer op de bovenverdieping gingen. Elizabeth trok haar rok en trui uit en zocht, nog gekleed in beha en onderbroekje, naar haar nachthemd. Ze maakte haar haar los en liet het over haar schouders vallen, waarbij ze zichzelf bekeek in de lange spiegel die ze onlangs aan de achterkant van de deur had bevestigd. Ze was geen ijdele vrouw en ook beslist niet opschepperig, maar toch moest ze toegeven dat ze aangenaam verrast was door wat ze zag. Nog maar een paar dagen daarvoor had ze met een tikkeltje jaloezie de figuurtjes van de modellen in de kleurentijdschriften in de wachtkamer van de tandarts zitten bewonderen. Misschien moet ik toch niet afgunstig zijn, dacht ze met een lach op haar gezicht terwijl ze voor de spiegel ronddraaide.

Edward schonk veel minder aandacht aan de vormen van zijn vrouw dan Elizabeth zelf. Op een gewone doordeweekse avond liep hij de badkamer in terwijl zijn vrouw zich voorbereidde om naar bed te gaan. Hij poetste zijn tanden, ging naar de wc; dan trok hij zijn kleren uit en werkte zich, ietwat onhandig, in zijn gestreepte pyjama. Nadat hij de badkamerdeur had geopend en in vier zorgvuldig afgemeten passen de kamer door was gelopen, stapte hij in bed; kuste Elizabeth op een van haar wangen en pakte het boek dat hij op dat moment aan het lezen was.

Op deze ene avond poetste hij zoals altijd zijn tanden. Hij ging zoals altijd naar de wc. Hij trok zoals altijd zijn kleren uit. Maar in plaats van zijn pyjama aan te trekken, die op het handdoekenrekje hing, stevende hij zonder zelfs maar een onderbroek aan zijn lijf de badkamer uit en sprong in bed.

Mevrouw Trencom verslikte zich van verbazing en stiet een geluid uit dat net zo goed gemaakt kon zijn door een piepende plank in een houten vloer. Nog niet eenmaal in al die jaren van haar huwelijk had ze van Edwards kant zo'n ongewoon gedrag meegemaakt. Hij was altijd heel preuts geweest en had zijn tere delen niet graag laten zien.

Deze inleiding zou het begin blijken van vijf verbazingwekkende handelingen op deze buitengewone woensdagavond. Want

Edward lag nog niet in bed of Elizabeth werd met zo'n kracht en enthousiasme gekust dat ze zich onwillekeurig afvroeg of Edward inderdaad een van dokter Prettigs handboeken had doorgebladerd. Maar die gedachte werd al spoedig ingehaald door vreemde gebeurtenissen onder het donsdek. Elizabeth uitte een kietelig gegiechel toen ze voelde dat er aan haar navel werd geknabbeld en lachte nog zenuwachtiger toen ze besefte dat dat deel van haar dat Edward altijd 'de tropen' noemde, volhardend werd aangevallen door iets wat alleen maar de tong van haar echtgenoot kon zijn. Edward was nu volledig uit het zicht verdwenen. Het kronkelen en op en neer gaan van het dekbed was nog het enige wat erop wees dat er op dat moment twee mensen in het huwelijksbed op Sunnyhill Road nummer 22 lagen.

Elizabeth sloot haar ogen en dacht... niet aan Engeland, maar aan het feit dat ze morgen Edwards pak bij de stomerij moest ophalen. Dat betekende dat het vandaag woensdag was, en dat betekende weer dat het niet zondag was, en dát betekende weer dat wat er ten zuiden van haar middenrif gebeurde zelfs nog ongewoner was dan ze aanvankelijk had gedacht. Ze had zich bijna aan het plezier overgegeven, maar merkte toen dat ze haar hersenen toch niet helemaal stil kon zetten. Want ergens in haar voorhoofd gaf een schelle bel een alarmsignaal af. Ze was plotseling terug in de werkelijkheid – zij het een nogal ongewone werkelijkheid – en vroeg zich af of Edwards afwijkende gedrag op de een of andere manier verband hield met alle andere wonderlijke dingen die er in de afgelopen dagen waren gebeurd. Waar moet dit heen? vroeg ze zich af.

Op de korte termijn ging het naar een zeer aangename afsluiting. In alle jaren van hun huwelijk hadden Edward en Elizabeth Trencom altijd de liefde bedreven in wat dokter Prettig en professor Vanzelf de missionarishouding zouden hebben genoemd. Maar toen op deze bewuste avond het moment van de coïtus was aangebroken, werd Elizabeth zachtjes op haar buik gerold. Daarna werd er, na heel wat gewriemel, en een uiterst gênant zuigend geluid, met zo'n animo op haar in gebeukt dat ze heel hard op

144

het met ganzenveren gevulde hoofdkussen moest kauwen. En toen ze die avond voor de tweede keer piepte, sloegen de klokken van de St.-Stephenparochiekerk het middernachtelijk uur. Even later was het allemaal voorbij. In het bed, de slaapkamer en de straten van Streatham keerde de stilte weer. De vering van het bed nam zijn oorspronkelijke stand weer in en Elizabeth streek zachtjes met haar hand over het kussen om de tandafdrukken weg te wrijven.

Lieve help, dacht ze. Waar kwam dat allemaal vandaan?

'Als we écht kinderen willen,' fluisterde Edward in het oor van zijn vrouw, 'zullen we lang en intensief moeten oefenen.'

Toen geeuwde hij, rolde op zijn zij en viel in slaap. Er zouden vijf hele uren verstrijken voordat hij zich weer diep onder het donzen dekbed zou wagen.

X

29 mei 1853

Henry Trencom schrikt wakker. Door het raam hoort hij de oproep tot gebed beginnen: een lange, zachte jammerklacht die
door de roerloze ochtendlucht zweeft en door de houten latjes-
luiken dringt. Henry draait zich om, nog suf van de slaap, en trekt
een peluw over zijn hoofd. Dat verdomde lawaai, denkt hij. Dat
ellendige, verdomde lawaai.

Hij sluit zijn ogen in een vergeefse poging zijn droom te hervatten, maar het mag niet baten. Zijn hersenen snorren al als een
waterrad en er is echt niets wat hem terug kan brengen in zijn
eerdere toestand van vergetelheid.

Op iedere andere ochtend zou Henry in gedachten de gebeurtenissen van de vorige dag hebben doorgenomen: de boottocht
over de Bosporus, het thé dansant in Pera, de prachtige ontvangst
die hem bereid was door de bisschop van de wijk Fener in Constantinopel. Maar op deze bewuste ochtend denkt hij alleen maar
aan de dag die komen gaat. Want de dag is aangebroken, de dag
waarop Henry al vele jaren wacht. Voor deze dag heeft hij de lieftallige Mabel Trencom verlaten, heeft hij zijn zoon Emmanuel
verlaten, heeft hij kaaswinkel Trencoms verlaten, heeft hij Londen
verlaten en is hij op weg gegaan naar Constantinopel, de Stad der
Dromen, de Koningin van de Bosporus.

Aan de andere kant van de stad, in het keizerlijke Dolmabahçe-
paleis, bereidt ook sultan Abdul Mecit zich voor op de komende
dag. Omdat hij niet kan slapen (vanwege de oproep tot gebed),

heeft hij drie van zijn Circassische concubines laten komen om voor hem luit te spelen en te zingen. 'Maak muziek tot het ochtendgloren,' draagt hij hun op, 'en zing voor me als vogeltjes.' De dames van de harem voldoen gewillig aan dit verzoek, want ze weten dat de sultan hen zeker met een extraatje en kostbare sieraden zal belonen als hun optreden hem behaagt.

Kort na zonsopgang worden ze onderbroken door Munejin Bashy, de hoofdastroloog van het hof, die goed nieuws komt brengen. De stand van de planeten voorspelt een niet nader te duiden overwinning in de loop van die dag. 'Ja, hoogheid,' zegt hij, terwijl hij op zijn knieën valt. 'De processie van dit jaar, deze viering van de overwinning, wordt zo te zien de schitterendste van allemaal.'

De sultan slaakt een lange, zachte zucht. Hofprocessies hebben hem altijd al verveeld, en deze, waarmee wordt gevierd dat Constantinopel in 1453 is veroverd op de ongelovige Nazarener – zal de gehele dag in beslag nemen.

'Vier eeuwen zijn er verstreken, meester, sinds de grootste aller overwinningen,' zegt Munejin Bashy. 'Allah, de Allergenadigste, zij geprezen.'

Henry Trencom heeft elk detail van de route van de processie achterhaald. Hij begint bij de Dolmabahçe Sarayi, vanwaar de sultan in de keizerlijke kaïk naar het lager gelegen gedeelte van de oude stad wordt geroeid. Dan gaat hij te voet naar de Begroetingspoort van de Topkapi Sarayi, waar hij de felicitaties in ontvangst neemt van hoogwaardigheidsbekleders uit het hele rijk, tezamen met de loftuitingen van vele buitenlandse delegaties.

'En daar,' zegt Henry zacht terwijl zijn gezicht betrekt, 'zal ík hem ontmoeten. Ja, ja, ook de familie Trencom zal haar dank betuigen – maar dan wel op een bijzondere en geheel eigen manier.'

De flottielje van de sultan is het toonbeeld van pracht en praal, zoals hij daar gracieus door de Bosporus glijdt. De keizerlijke kaïk is versierd met goudlak die in de meizon glinstert en fonkelt. De andere boten zijn versierd met een opzichtige mengelmoes van wimpels, snuisterijen en vaandels. Terwijl de vloot langzaam op de oude stad af vaart, worden vanuit de paleizen op de oever kanonnen afgevuurd. 'Moge God de sultan nog vele overwinningen gunnen,' roept de menigte, die op sommige plekken aan de waterkant tien rijen dik staat. 'Moge God met ons zijn – en moge de overwinning voor altijd aan ons zijn!'

Terwijl de kaïk de aanlegsteiger aan de Gouden Hoorn nadert, wordt sultan Abdul Mecit, die op kussens zit, overeind geholpen ter voorbereiding op de ontscheping. De eerste die hem begroet is patriarch Vasilios, het hoofd van de Grieks-christelijke gemeenschap in de stad, die zich, zoals de gewoonte is, aan de voeten van de sultan diep vooroverbuigt. Wanneer hij opdracht krijgt overeind te komen, schenkt hij sultan Abdul Mecit (enigszins vermoeid) de sleutels van de stad, die symboliseren dat hij namens alle christenen aanvaardt dat het Byzantijnse Rijk voorgoed verslagen is.

'Moge God u genadig zijn,' zegt de patriarch, 'zoals uw voorvader, Suleiman, ons genadig was.' Terwijl de sultan zich omdraait en naar de Topkapi Sarayi wil vertrekken, voegt de patriarch er een nieuwe begroeting aan toe die niet in het script staat. 'En moge God u vele jaren van leven en gezondheid en voorspoed schenken.'

De sultan knikt waarderend en ontbiedt zijn gevolg. Na een klaroenstoot en een hol tromgeroffel trekt de stoet te voet verder naar de Begroetingspoort.

Henry Trencom heeft alles vanaf het hoger gelegen terrein boven de kade gadegeslagen. Mooi, mooi, denkt hij. Hij zal hier over een paar minuten zijn. Kom, Henry Trencom, je kunt je maar beter gaan voorbereiden – het is nu of nooit.

Terwijl hij dit denkt, voelt hij van de zenuwen een rilling door zijn lijf trekken die ergens in de buurt van zijn grote teen begint en pas bij zijn nekvel eindigt. Wanneer hij naar zijn arm kijkt, ziet hij dat die bedekt is met kippenvel. 'Verman je toch,' fluistert hij zacht. 'Kom op, Henry Trencom – stel jezelf niet teleur.'

Hij denkt even aan zijn geliefde Mabel en hun kinderen. 'Ik weet zeker dat de jonge Emmanuel in Trencoms goed werk levert. Ach, ja, Emmanuel – dat is me er een – is gezegend met een van de fraaiste Trencomneuzen in generaties.'

Henry raakt zijn eigen neus aan terwijl hij dit zegt, en poetst hem op met zijn zakdoek. Het is deze kleine jongen, denkt hij, terwijl hij zorgvuldig de rand van ieder neusgat schoonveegt, die me hier heeft gebracht.

Henry loopt langs het keizerlijke vispaviljoen naar de omheinde menagerie. Hij knippert met zijn ogen vanwege het felle zonlicht en knippert nog eens wanneer hij de lange nek van een giraf uit het struikgewas ziet steken. Het verbaast hem dat hij zoveel mensen in de tweede binnenhof van het paleis ziet rondlopen. Dat is niet slecht, denkt hij. Dat maakt het er voor mij veel gemakkelijker op.

Het feit dat hij duidelijk niet Turks is, ontlokt de toeschouwers en voorbijgangers maar weinig nieuwsgierige blikken. Onder de mensen die naar de Begroetingspoort toe drommen, bevinden zich veel Europeanen – vertegenwoordigers van grote ondernemingen en bedrijven die goud hebben verdiend aan de uitspattingen van de sultan.

Er is een salvo van kanonschoten, gevolgd door een tweede klaroenstoot. 'Aha, daar komt hij,' mompelt Henry tamelijk opgewonden. 'Vooruit, Henry Trencom, zet je schrap.'

Sultan Abdul Mecit is nog geen twintig meter van hem verwijderd wanneer Henry de bovenste twee knopen van zijn vest losmaakt en er een kleine Duitse revolver uit haalt. Met uitzonderlijke kalmte heft hij het wapen tot schouderhoogte; hij controleert de schootslijn en richt recht op de sultan. Hij krimp even ineen wanneer hij zich op de onvermijdelijke knal voorbereidt. Maar – k-k-klik – er komt geen knal. 'Stik en ver...me.' Er is iets blijven steken en het wapen heeft niet geschoten.

Henry probeert de trekker nog eens over te halen. Deze keer

klinkt er een luide knal, gevolgd door een antwoord en nog een antwoord. Maar die komen niet uit zijn pistool. Twee scherpschutters van de sultan hebben de bewegingen van Henry Trencom vanaf het dak van de schatkamer in het paleis gadegeslagen en haastig aangelegd. Pang. Pang. Pang. Henry Trencom heeft nog net de tijd om voor de laatste keer over zijn neus te wrijven en valt dan dood op de straatkeien neer.

Terwijl er uit de menigte een kreet van ontzetting opstijgt, baant Munejin Bashy zich een weg door de menigte om de sultan te bereiken, en hij fluistert iets in zijn oor. 'Precies zoals de hemel heeft voorzegd,' zegt hij. 'Dat moet de overwinning zijn geweest die door de planeten is voorspeld. Nu is uw rijk eindelijk buiten gevaar.'

XI

14 februari 1969

Edward wist al voordat hij de sleutel in de deur van de winkel stak dat er iets mis was. Er hing een ongewone geur in de lucht – iets wat hij niet herkende. Hij snoof – eenmaal, tweemaal en nog een derde maal. 'Vreemd,' zei hij. 'Het is wel tabak, beslist tabak, maar het is niet die Balkantabak. En ook – snuf, snuf – geen Engelse.'

De geur was zo zwak en moeilijk te bespeuren dat Edward veronderstelde dat wie het ook was die de tabak had gerookt, die persoon minstens vier uur daarvoor vertrokken was. En dat betekent, dacht hij, dat die persoon in de vroege ochtenduren hier was.

Hij opende de deur, stapte de winkel in en knipte de vinnen aan. Toen hij zijn eerste teug muffe ochtendlucht inademde, kreeg hij de schok van zijn leven. Diezelfde geur, van buitenlandse tabak, was te bespeuren ín de winkel. En dat kon maar één ding betekenen: iemand had in de loop van de nacht bij Trencoms ingebroken.

Edward was verontrust, zelfs zo verontrust dat hij het gevoel had dat zijn bloed begon te stollen. Hij rende weer naar buiten en onderzocht het slot op de deur. Het zag er niet uit alsof ermee was geknoeid en ook was de deur niet geforceerd. Hij liep de winkel weer in en keek aandachtig om zich heen. Afgezien van twee couhé-véracs waar het omhulsel van kastanjebladeren af was gevallen, was alles precies zoals hij het de vorige avond had achtergelaten.

De kelder, flitste het door Edward heen. Het moet de kelder zijn.

Hij rende naar achteren en ging via het houten trappetje zo snel hij kon de kelder in. Snuf, snuf. Daar had je het weer. Diezelfde sigarettengeur, zwakker dan hij boven was geweest, maar voor de gevoelige neusgaten van Edward Trencom gemakkelijk op te vangen.

Hij volgde het geurspoor via Normandië en Bourgondië totdat hij de kazen van het Massif Central naderde. Hij snoof weer en realiseerde onmiddellijk waar het spoor heen voerde.

'Natuurlijk!' mompelde hij zacht. 'Het altaar – ik had het kunnen weten.'

Edward had de avond ervoor voordat hij wegging de grote stapel familiepapieren opnieuw gesorteerd. Omdat hij sterk aan orde hechtte, had hij de papieren opnieuw in keurige stapeltjes neergelegd en ervoor gezorgd dat ze chronologisch waren gerangschikt. Op het eerste gezicht leken ze nog precies te liggen zoals hij ze had achtergelaten, maar toen hij ze beter bekeek, merkte hij dat iemand aan een van de stapels had gezeten – die van Humphrey. Hoewel er geen boek of papier ontbrak, lagen ze beslist niet in de volgorde waarin ze waren achtergelaten.

Iemand, dacht Edward, is hier in deze kelder geweest. En die iemand heeft in mijn papieren gesnuffeld.

En dat was ook zo. En toch kwam het op Edward over alsof er helemaal niets was meegenomen.

Elizabeths angst dat Edward zou ophouden met zijn monumentale werk *De geschiedenis van de kaas* bleek ongegrond. Precies twee dagen na hun ongewone samenkomst onder de dekens kondigde Edward zijn besluit aan dat hij het werk aan zijn boek ging hervatten.

'Meneer George is er met een stofkam doorheen gegaan,' zei hij. 'Hij heeft me geweldig geholpen.'

'Heb je het echt aan meneer George gegeven?' vroeg Elizabeth. 'Ik dacht dat het een grapje was.'

'Ik wilde een *second opinion* – en bovendien leest hij heel aandachtig. Hij vond het een fantastisch boek. Hij had de indruk dat er maar weinig veranderd hoefde te worden. Nog even hard aanpoten en dan is het af.'

'Nou, wat zei ik je, schat?' antwoordde Elizabeth, terwijl zich in haar binnenste een lach verspreidde. 'Je wilde maar niet naar me luisteren. Als het even goed wordt ontvangen als je encyclopedie – en even goed verkoopt – stel ik voor eens een echte vakantie te nemen. Je bent aan wat rust toe – je hebt de laatste tijd onder veel te veel druk gestaan. Wij allebei, en dat is niet goed. Kijk maar wat er bij de Pattersons gebeurde – kijk maar hoe het hun is vergaan. Hij is ervandoor gegaan naar Kaapstad om er god mag weten wat te zoeken, en zij is helemaal nergens meer. Toen ik haar voor het laatst zag, zei ze tegen me dat Desmond met een jonge Zulumeisje samenwoonde.'

'Tja, maar als je met Sally Patterson getrouwd bent...'

'Edward!' riep Elizabeth uit. 'Dat mag je niet eens denken.'

Elizabeth was dolblij dat Edward tot inkeer was gekomen, want ze was ervan overtuigd dat er nu een einde aan Edwards onnatuurlijke gedrag zou komen. Nu wordt alles eindelijk weer normaal, hield ze zichzelf voor. Maar ze had dit nog niet gedacht of ze voegde er in gedachten al een kleine voetnoot aan toe: hoewel ik moet zeggen dat ik niet zou klagen als de gebeurtenissen van die woensdagavond zich zouden herhalen.

Wat Elizabeth niet door had, was dat Edward had besloten bijna alles wat hij tot dan toe had geschreven – vijf à zes jaar werk – op te geven en aan de geschiedenis van de familie Trencom te beginnen. De onstuitbare opkomst van de familie Trencom vanaf Humphrey Trencom, de oprichter van de winkel, tot aan het heden.

'*Dynastie*,' zei Edward met een triomfantelijke klank in zijn stem. 'Zo zal ik het noemen. De Amerikanen zullen het prachtig vinden. Ik heb altijd gedacht dat alles met kaas begint en eindigt, maar de geschiedenis van mijn familie is veel interessanter.'

Hij had met de gedachte gespeeld zijn boek strikt chronologisch te ordenen, beginnend bij Humphrey en eindigend bij hemzelf. Maar hoe meer hij zich in zijn familiedocumenten verdiepte, hoe meer hij ervan overtuigd raakte dat dit niet de manier was om het onderwerp te benaderen.

Natuurlijk niet. Waarom heb ik dat niet eerder gezien? Het moet achterstevóren worden geschreven, alsof het een stamboom is. Het moet beginnen bij mij en eindigen bij Humphrey Trencom. Zo kan ik de lezer mee terug door de tijd voeren.

Deze gedachte bracht hem op een andere titel. Zal ik het *De pijl van de tijd* noemen? mijmerde hij. *De pijl van de tijd* – nee, dat klonk te veel als een van die vreselijke romans van Kingsley Amis. *Dynastie* was beter.

Per slot van rekening, bedacht hij, heb ik al drie mysterieuze sterfgevallen in de eerste drie generaties. En het zou me niets verbazen als ik gaandeweg nog meer doden tegenkom.

Wat Edward tijdens zijn research nog het meest had verbaasd, was dat van de vier generaties die hij tot dusverre had onderzocht, drie de winkel op enig moment in hun carrière hadden verlaten. Dat had niemand Edward ooit verteld. Wat vreemd dat oom Harry het daar nooit over heeft gehad. Wat vreemd dat hij dat voor zich heeft gehouden, dacht hij.

Nu pas begon hij zich te realiseren dat zijn oom nog heel wat meer informatie had achtergehouden – informatie die rechtstreeks verband hield met zijn eigen leven.

Oom Harry moest alle antwoorden hebben geweten, dat móést. Zou hij degene zijn geweest die de papieren in de kelder had verborgen?

Hoe meer Edward nadacht over de papieren die hij had doorgenomen, hoe meer de leemten in zijn kennis hem frustreerden. Hij beleefde er niet langer plezier aan, maar kreeg eerder het verontrustende gevoel dat er iemand was die expres iets probeerde te verbergen. Zijn vader, grootvader en betovergrootvader waren allemaal met een onbekend doel naar het buitenland gegaan en hadden Trencoms in de handen van een jongere broer of neef achtergelaten. En wat dat doel was... Hij tikte met zijn vingers op zijn bureau. Hmm, dacht hij, het schijnt hun leven helemaal te zijn gaan beheersen – van hen allemaal – en hen ertoe te hebben aangezet ofwel naar Griekenland, ofwel naar Turkije te gaan.

De enige uitzondering op de regel was zijn overgrootvader, Emmanuel Trencom, die niet naar het buitenland was gereisd, althans, niet bij zijn leven. Edward had enige troost geput uit het feit dat in ieder geval één van zijn voorouders in staat was geweest de familieobsessie de baas te blijven. Toch werd nu langzaam duidelijk dat hij was gedood – vermoord – in de kelder van de winkel. Nog nooit had iemand het daar met Edward over gehad. 'En waarom zou zijn lichaam in godsnaam naar Griekenland zijn gebracht?' vroeg hij zich hardop af. 'Waarom is hij niet in Londen begraven?'

Er was nog een eigenaardig feit dat Edward in de loop van zijn onderzoekingen had ontdekt. Telkens wanneer een lid van zijn familie Engeland had verlaten, was er kort daarvoor iets vervelends met het winkelpand gebeurd. Een paar maal was dat zo ernstig geweest dat het Trencoms fataal zou zijn geworden als er niet haastig was ingegrepen door aannemers en ingenieurs. Bij Edwards vader was dat geweest dat het dak van een van de zijkapellen (degene die de Zwitserse bellelay en Oostenrijkse schlosskäse bevatte) zo ongeveer als een noot open was gekraakt. Peregrine had destijds de schuld gegeven aan de brandbom die in de zomer van 1940 op de King Street belandde, maar Edward was niet overtuigd. De kapellen van Trencoms werden allemaal ondersteund door zes dikke zuilen die schier onverwoestbaar waren.

Ik kan het haast niet geloven, dacht Edward. Die kapel moet zijn opengebarsten door iets anders, door een ander soort iets.

Dan had je nog dat vreemde verhaal van de voorgevel. In 1921, een paar weken voordat George Trencom naar Smyrna afvoer, was de voorgevel van de winkel ruim vijf centimeter verzakt. Er werd zozeer gevreesd dat het gebouw zou instorten dat alle aangrenzende panden haastig ontruimd moesten worden. George vertrok ondanks het probleem naar Turkije; slechts de ijver en het snelle denkwerk van zijn broer Archibald zorgden ervoor dat het gebouw werd gered.

De oorzaak werd nooit vastgesteld. George zelf had het ongewoon droge weer de schuld gegeven, dat volgens hem de klei in de Londense ondergrond had doen drogen en krimpen. Maar ook in zijn tijd al werd deze visie met de nodige achterdocht bekeken. Meneer Sampson van Sampson's Meats voerde aan dat geen enkel ander gebouw in de buurt door de droogte was beïnvloed.

De winkel had onder het beheer van zowel Emmanuel als Henry Trencom een gelijksoortig lot ondergaan. Eén keer was een deel van de vloer verzakt. Een andere keer was de houten trap die naar de kelder leidde spontaan gebroken en was dat Henry bijna fataal geworden.

Edward overpeinsde deze 'ongelukken' en vroeg zich af of er een gemeenschappelijke noemer was. Hij had zo het vermoeden dat die er was. Hij durfde dit tegen niemand te zeggen, want hij wist dat het echt belachelijk klonk. Toch was hij inmiddels echt gaan geloven dat de winkel op de een of andere manier bezield was. Ja, hij reageerde op de een of andere onverklaarbare manier op de beslissingen van de eigenaars. Zijn vader was naar Griekenland gegaan, en de winkel was bijna in tweeën gespleten. Zijn opa was naar Turkije vertrokken, en de zaak was bijna ingestort. Kunnen dergelijke dingen echt gebeuren? vroeg Edward zich af.

Zijn overtuiging dat dat kon, en ook gebeurde, was niet zo vreemd als zo op het oog lijkt. Hij was per slot van rekening reeds lang van mening dat de kazen in zijn winkel een eigen leven leidden. Volgens zijn redeneerwijze was dit onmiskenbaar het geval. Kazen hadden zo hun eigenaardigheden. Hij wist dit zeker, omdat ze dolle streken uithaalden wanneer hij niet aanwezig was.

En aangezien hij accepteerde dat de kazen een eigen leven leidden, was het duidelijk ook mogelijk dat het gebouw op de een of andere manier leefde. Edward moest denken aan het moment waarop hij die ochtend de deur had opengedaan. De deur had gepiept, de vloer had gekraakt en de kelder had een zachte, lome zucht geslaakt.

Dit gebouw leeft, dacht Edward. Het is even gevoelig als een taleggio. Het is even nerveus als een moularen. Wanneer het ergens bang voor is, reageert het. Wanneer het zich zorgen maakt, haalt het de schouders op. En als het denkt... ja, als het denkt dat er met de eigenaar iets mis is, iets helemaal mis, dan laat het dat weten – zo zeker als ik Edward Trencom heet.

Hij stopte een plak cantal in zijn mond en kauwde krachtig. De kaas smaakte vreemd bitter, alsof de melk al zuur was voordat de kaas werd gemaakt. Hij sneed nog een plak af, van een andere kaas, en terwijl hij dat deed werd hij plotseling bevangen door angst, door het reële en verschrikkelijke besef dat het misschien slechts een kwestie van tijd was totdat ook hij, net als al zijn voorvaderen, het teken zou krijgen.

Deel drie

I

20 februari 1969

Iets na zevenen op een warme, winderige avond kwamen Edward en Elizabeth Trencom hun huis op Sunnyhill Road 22 uit en stapten ze in een gereedstaande Londense taxi.

'Je ziet er heel... aanlokkelijk uit, liefje,' zei Edward tegen zijn vrouw. Terwijl hij dit zei, kneep hij even in haar hand. Dit overviel Elizabeth, die er nog steeds niet aan gewend was dat haar man openlijk tekenen van genegenheid gaf. 'En jij, meneer Kaas, ziet er ook heel... knap uit,' zei ze, haar hoofd scheef houdend om hem beter te bekijken. 'Ja nou. Geef me eens een knuffel. Ik zou je wel op kunnen vreten.'

Edward en Elizabeth namen normaliter geen taxi's, aangezien ze dat een onnodige luxe vonden. Maar deze avond was een uitzondering. Ze waren op weg naar het jaarlijkse diner van de Most Worshipful Company of Cheese Connoisseurs en alle zeventig kaaskenners kregen een gratis taxirit.

'Een van de leuke bijkomstigheden van dit werk,' zei Edward monter en opgeruimd tegen de chauffeur. 'Een vriendelijk aanbod moet je nooit afslaan.'

Het jaarlijkse diner was het hoogtepunt van het kaasjaar. De meest vooraanstaande kaasmakers en kaasverkopers van het land zouden aanwezig zijn, evenals een handjevol van het vasteland van Europa. Het was Edwards rol als voorzitter voor het leven en ceremoniemeester om het banket formeel te openen. Hij had er ook in toegestemd na de kaasgang het slotwoord te spreken.

Er waren twee redenen waarom hij zich altijd op deze gebeurtenis verheugde. Allereerst kon hij zo, in tegenwoordigheid van alle aanwezigen, bevestigd zien dat hij de beste neus van heel Groot-Brittannië had. Ook bood het hem de gelegenheid de loftuitingen in ontvangst te nemen van veel van de beste kaasmakers van het land – loftuitingen die hij welwillend en dankbaar in ontvangst nam. 'En mijn dankbaarheid zal oprecht zijn,' zei hij tegen Elizabeth toen ze Borough High Street in reden. 'Werkelijk waar.'

En zo was het ook. Edward nam zijn rol als de meest vooraanstaande kaaskenner van heel Groot-Brittannië zeer serieus, en was verheugd wanneer zijn expertise door de diverse kaasmeesters werd erkend.

Er was nog een reden waarom Edward trots was op hun lof. Hij was geen wraakzuchtig mens en ook deed het hem geen genoegen anderen te zien lijden. Maar hij was altijd opgetogen wanneer het verzamelde gezelschap hem opnieuw tot Kaashandelaar van het Jaar koos. De afgelopen elf jaar was er een troonpretendent geweest – een zekere Henri-Roland d'Autun – die in die tijd eigenaar van kaaswinkel d'Autun in de St. James's Street in Picadilly was. Het maakte hem eeuwig jaloers dat hij door Trencoms op de tweede plaats werd gedrongen (hoewel hij erg zijn best deed dat te verbergen), en Edward zwol daardoor ieder jaar even op van voldoening.

"'Navond, meneer Trencom,' zei de portier van de historische Cheese Hall, die imposante jakobijnse eetzaal die dicht bij de Guildhall in de City van Londen staat. 'En u bent zeker mevrouw Trencom? U ook een zeer goede avond gewenst, mevrouw.'

'Goedenavond, goedenavond,' zei Edward, zowel de portier als een groep vertrouwde gezichten toesprekend die op het gelambriseerde atrium stonden. Hij maakte een vriendelijk gebaar naar meneer Gresham van Colsham Farm, de producent van een heel uitzonderlijke colsham blue. Hij schudde John en Mary Walstone de hand, die de ribblesdale original maakten. En toen keerde hij zich om en zag hij…

'Ah – Henri-Roland, 'navond. Hoe staan de zaken?'

Toen hij maître d'Autun zag, voelde Edward Trencom even een onverklaarbaar schuldgevoel. Het leek wel of hij zich ervoor schaamde een ruimte met hem te delen, niet zozeer vanwege zichzelf, maar omdat Edward (gevoelige ziel als hij was) wist dat zijn aanwezigheid de avond van de Fransman zeker zou bederven. Niettemin schonk hij zijn rivaal een verzoenende glimlach en begroette hij hem zo goedgehumeurd als hij kon opbrengen.

Zijn onbehaaglijke vrolijkheid werd niet beantwoord door Henri-Roland d'Autun, voor wie Edward Trencom een nare schimmel op het oppervlak van een verder volmaakte chèvre vertegenwoordigde. 'Bonne soirée, monsieur,' zei hij kortaf; hij sprak met een Provençaals accent dat zo sterk was dat je bijna de paarse lavendelvelden kon ruiken. 'Ik 'oor dat u récemment de nodige – 'oe zal ik 'et zeggen? – problemen 'eeft ge'ad.'

'Problemen?' antwoordde een ietwat verbijsterde meneer Trencom. 'En wat voor problemen dan wel?'

'Ah,' antwoordde Henri-Roland, wiens beurt het nu was zich opgelaten te voelen. Hij besefte plotseling dat hij op het punt stond onnodig onbeleefd te zijn. 'Ach... non. Vergeeft u mij. Ik 'ad ge'oord dat u problemen 'ad met 'et aanvullen van uw voorraad.' Hij zweeg even en voegde er toen aan toe: 'Als we, als we u ooit kunnen... assister, moet u niet aarzelen en een beroep op ons doen. Zoals jullie in Engeland zeggen: gedeelde smart is dubbele smart.'

'Halve,' corrigeerde Edward hem. 'Gedeelde smart is halve smart.'

'Ah,' zei Henri. 'Goed, 'alve. Maar meneer Trencom, u moet niet uzelf in de spaken rijden.'

'Wat een vreselijke man,' verzuchtte Elizabeth toen zij en Edward wegliepen. 'Hij verandert ook nooit, hè? Laten we de zaal in gaan. Kijk, daar roept Sir George ons.' Mevrouw Trencom duwde de glazen deur open en liep de Cheese Hall binnen, meteen gevolgd door haar echtgenoot.

Het eerste wat opviel, was het schitterende steekbalkdak dat stamde uit de tijd waarin de zaal gebouwd was. Het overspande ruim achttien meter en de zware eikenhouten 'rozetten' bestonden uit voorstellingen van de beroemdste kazen van het land. Hoewel het dak uit de Jakobijnse tijd stamde, waren de meeste versieringen recentere (Victoriaanse) toevoegingen. Aan het andere eind van de zaal stond op een verhoging de hoofdtafel die (voor deze speciale avond) volgepakt was met kaas die geproefd moest worden. De andere tafels waren in drie rijen over de hele lengte van de zaal opgesteld. Midden op elke tafel stond een grote schaal met kazen van over de hele wereld, waarvan vele voor het diner van die avond door Trencoms geleverd waren.

'Ruik je de touloumotyri?' fluisterde Edward, ingehouden grinnikend. 'De hele zaal is ervan doortrokken. Hij snoof de geur op en rimpelde zijn neus op de hem kenmerkende wijze. 'Weet je, Elizabeth, toen we van huis gingen, dacht ik al dat de touloumotyri de eerste kaas zou zijn die ik zou ruiken wanneer we binnenkwamen. Hij ruikt zo sterk naar geiten, het is zo'n penetrante geur, dat ik maar niet kan geloven dat ik hem pas vorige maand heb ontdekt.'

Edward was niet de enige die iets over de touloumotyri zei. 'Sodeju, Trencom,' zei Sir George terwijl hij hem krachtig de hand schudde. 'Waar voor de duvel heb je dat spul gevonden? Ik moet je eerlijk zeggen, Trencom, het stinkt.'

'Ik weet niet of je het wel een kaas kunt noemen,' zei Christopher Grey luidruchtig grinnikend; hij stond bij iedereen bekend als de maker van een heel fraaie geitenkaas uit Lincolnshire. 'Het is meer geit dan kaas. Ja, een kazige geit.'

Edward lachte en hield zijn handen omhoog alsof hij zich overgaf. 'Ik moet toegeven,' zei hij, 'dat hij zowel naar geiten ruikt als smaakt. Elizabeth heeft me verboden hem mee naar huis te nemen. Maar sommige klanten zijn er gek op – vooral de Grieken. Ben je wel eens in restaurant Artemis geweest? Vlak bij station Paddington? Nou, die nemen elke week drie huiden vol met dat spul af. Ze zeggen dat het een van hun populairste kazen is geworden.'

Het werd gestaag rumoeriger in de zaal toen er steeds meer

kaasverkopers en kaasmakers arriveerden. Elizabeth zag tot haar verbazing meneer George de zaal in komen.

'Hij is hier nog nooit geweest,' fluisterde ze tegen haar man. 'Hoe is hij aan een uitnodiging gekomen?'

'Dat heb ik gedaan,' zei Edward met een lachend gezicht. 'Ik vond het hoog tijd worden. Hij is per slot van rekening tegenwoordig mijn rechterhand.'

De frons op het voorhoofd van zijn vrouw ontging Edward, want hij had het te druk met het begroeten van al zijn vrienden en bekenden. ''Navond, mevrouw Bassett. Uw ardrahan vliegt over de toonbank. Dag, Brian. We moeten eigenlijk nog wat van jouw toolhea bestellen. Hé, daar heb je Heinrich Trautwein. Goedenavond, Herr Trautwein, prettig u weer te zien. Ja, ja – hij verkoopt goed, ja, inderdaad.'

Toen Edward zo aan het babbelen was, werd zijn blik naar een gezicht aan de andere kant van de zaal getrokken dat hij vaag herkende. Het was van een tengere, donkerharige persoon die eruitzag alsof hij ergens uit het zuiden van Europa kwam. Spanje? Joegoslavië? Griekenland? Hij hield een groot stuk touloumotyri tussen duim en wijsvinger en onderwierp het uiterlijk van de kaas aan een zorgvuldig onderzoek.

'Wie is dat?' zei Edward tegen Elizabeth. 'Die man daar? Ik weet zeker dat ik hem ergens van ken.'

'Ik heb geen idee,' antwoordde ze. 'Zullen we het uit gaan zoeken?'

'Blijf jij maar hier,' zei Edward. 'Ga maar even met mevrouw Bassett kletsen. Ik ben zo terug.'

Terwijl Edward dat zei, kreeg hij de verrassing van zijn leven. 'Mijn god!' riep hij zachtjes uit. 'Het is die man, het is die man – de man van de rondleiding.'

Edward spoedde zich naar de andere kant van de zaal en negeerde de vele bekende gezichten in zijn haast om met de man te praten.

'We hebben elkaar al eens ontmoet,' zei hij ademloos toen hij dichter bij de onbekende kwam. 'Edward Trencom van Trencoms.'

'Ja, ja, ik weet precies wie u bent,' zei de mysterieuze man. 'U bent zelfs de enige reden waarom ik hier ben. Ik moet me verontschuldigen voor het feit dat ik niet meer naar uw winkel toe ben gekomen, zoals ik had beloofd. Maar dringende zaken noopten me terug te keren naar Griekenland.'

'En wie... eh, bent ú, als ik zo vrij mag zijn?' zei een angstig kijkende Edward. 'Ik heb er alles aan gedaan om daarachter te komen sinds u in onze winkel was.'

'Papadrianos, Andreas Papadrianos, uit Thessaloniki. Ik heb uw touloumotyri staan bewonderen. Die is bijzonder lekker.'

Edward was zo verheugd iemand te ontmoeten die zijn touloumotyri kon waarderen dat hij even vergat dat hij eindelijk tegenover een van de twee mannen stond die hem de afgelopen twee weken ieder uur van de dag hadden beziggehouden.

'U bent vanavond de eerste die dat zegt,' zei hij. 'Hoewel hij bij de Grieken in Londen heel populair blijkt te zijn. Misschien kent u restaurant Artemis? Daar nemen ze een paar verpakkingen per week af.'

Hij hield midden in de zin op toen hij zich herinnerde met wie hij sprak. 'Maar wie bént u nou?' zei hij. 'En wat bedoelde u toch met uw cryptische opmerkingen? En waarom loop ik gevaar? Ik word in de gaten gehouden, dat is inderdaad waar, en ook door de man voor wie u me waarschuwde. En nu is er bij de winkel ingebroken. Iemand heeft midden in de nacht binnen weten te komen. Maar waarom?'

'Maar ze vonden niet wat ze hebben wilden,' onderbrak meneer Papadrianos hem met een veelbetekenende glimlach. 'Omdat dat niet meer in uw bezit is – nee. Het is meer dan een kwart eeuw geleden aan ons overhandigd.'

'Wat is er aan jullie overhandigd? En waarom? En wie zijn jullie?'

Meneer Papadrianos hief zijn hand om Edwards vragen te stuiten.

'Luister,' zei hij. 'Er zijn veel dingen die we u moeten vertellen. En geloof me, ik kan begrijpen waarom u zoveel vragen hebt die u beantwoord wilt zien. Maar u moet nog een beetje meer geduld hebben. Ik beloof u dat u heel gauw alles te horen zult krijgen wat u moet weten. Over een paar maanden, misschien eerder al, hopen we de planning rond te hebben. Maar ik kan uw vragen op dit moment niet beantwoorden. Als ik dat deed, zou uw leven nog meer in gevaar komen.'

'Maar ik loop al genoeg gevaar,' gooide Edward eruit, die dolgraag de man in ieder geval íéts wilde ontlokken. 'Ik heb u al verteld: ik word gevolgd waar ik ga of sta, en ik word in de gaten gehouden.'

'Dat is waar,' antwoordde meneer Papadrianos. 'Dat is waar. Maar er zal u voorlopig nog niets overkomen. Daar ben ik heel zeker van. Ze houden u alleen maar in de gaten. Proberen erachter te komen wat u weet. En daarom is het dan ook beter dat u niets weet – althans, voorlopig.'

Edward slaakte een geërgerde zucht. 'Vertel me dan in ieder geval,' zei hij, 'wie die man is die me voortdurend schaduwt. Hij staat voor mijn winkel, hij staat voor mijn huis. Zegt de naam Makarezos u iets?'

Meneer Papadrianos' gezicht vertrok onwillekeurig toen hij die naam uitsprak. 'Hoe weet u hoe hij heet?' vroeg hij. 'Wie heeft u dat verteld?'

Edward legde uit hoe hij de man naar de Queen Street was gevolgd door zijn neus achterna te lopen.

'Uw neus! Natuurlijk!' zei meneer Papadrianos. 'Daar hebben ze natuurlijk niet aan gedacht – met uw vader was het net zo.'

'Mijn vader!' riep Edward uit.

'En uw grootvader. Uw neus zal ons allemaal redden,' zei meneer Papadrianos. 'Men heeft u dat misschien nooit verteld, maar u hebt de mooiste neus sinds generaties.'

Edward zuchtte opnieuw. Hij voelde zich zo gefrustreerd dat het leek of hij zou imploderen.

'Moet u horen,' zei meneer Papadrianos. 'Zeer binnenkort zult u naar Griekenland gaan. Uw reis zal voor u worden geregeld – tot in de details. We zullen contact met u opnemen over de precieze datums, en ook over de plek waar u zult worden afgehaald. Dan pas, en geen dag eerder, zult u alles horen. Ik kan u verzekeren dat alles zal worden onthuld. Maar tot dat moment moet u niets doen. Pas goed op uzelf. Gedraag u zo normaal als onder deze moeilijke omstandigheden mogelijk is. En, als ik nog een goede raad mag geven: zet het onderzoek naar uw familiegeschiedenis stop. Het zal u geen goed doen. U zult alles wat u weten moet, horen wanneer u naar Griekenland komt.'

'Wanneer ik naar Griekenland kom?' herhaalde Edward wezenloos. Wat hij zei was inmiddels totaal niet meer verbonden met zijn geest en zijn gedachten, en de verzekeringen van meneer Papadrianos maakten hem alleen maar nog verwarder. Tot dan toe had het hem geërgerd dat hem informatie werd onthouden. Hij had het bloed door zijn lichaam voelen snellen. Maar nu trok hij ineens wit weg. Hij werd zelfs zo bleek dat Elizabeth, die aan de andere kant van de zaal even naar hem keek, plotseling bezorgd raakte. 'Excuseer me even,' zei ze tegen mevrouw Bassett, terwijl ze in de richting van haar man liep. 'Ik ben zo bij u terug.'

In de tijd die ze nodig had om bij hem te komen, doorliep Edward een heel scala van ongewone gewaarwordingen. Hij kreeg het vreemd warm, alsof er een warme vloeistof door zijn lichaam omhoog werd gestuwd. Daarna kreeg hij het ongewoon koud, zelfs zo koud dat er op zijn armen en wangen kippenvel verscheen. Hij kreeg een droge mond en daarna werd hij duizelig en vreemd licht in het hoofd. Hij werd misselijk en kreeg toen plotseling honger. Hij voelde zich los staan van zijn omgeving, totaal gescheiden van de zaal en de mensen. Hij kon het onophoudelijke geroezemoes, de stemmen en de gesprekken, horen, maar het was allemaal één groot waas. Het leek wel of hij er niet echt was, niet echt in de zaal was. Het was alsof hij ergens buiten zijn lichaam alles wat er gebeurde gadesloeg.

En toen, terwijl hij onwillekeurig naar zijn neus greep en de kenmerkende bobbel voelde, verdwenen al deze gewaarwordingen plotseling weer. Daar stond hij weer in de Cheese Hall, volledig aanwezig op de avond van 20 februari 1969 – de heer Edward Trencom van Trencoms in Londen, staand naast een zekere meneer Papadrianos, die hij aan zijn vrouw voorstelde.

'Elizabeth,' zei hij. 'Dit is meneer Papadrianos. Hij komt uit...'

'Thessaloniki,' zei meneer Papadrianos.

'Ah,' zei Elizabeth, die Edward bezorgd aankeek. 'Gaat het wel goed met je, Edward? Je ziet zo wit als een geest.'

'Ik vertelde uw man net iets over onze situatie in Griekenland,' kwam meneer Papadrianos tussenbeide. 'Daar zou iedereen wit van wegtrekken.'

'Ah,' antwoordde Elizabeth, die totaal niet op de hoogte was van de actuele situatie in Griekenland. 'Ja, ik heb gehoord dat de situatie veel slechter is geworden. Maar als u ons nu wilt excuseren?' zei ze beslist. 'Ik wil mijn man weer even voor mezelf hebben. Er zijn een paar belangrijke mensen die hij even moet spreken.'

Ze legde iets meer nadruk op het woord 'belangrijk' dan strikt noodzakelijk was, en gaf duidelijk de indruk dat voor haar meneer Papadrianos er niet zo toe deed. Dat was ook precies haar bedoeling geweest, want hoewel mevrouw Trencom verlegen en vaak heel gereserveerd overkwam, was ze er griezelig goed in mensen te laten weten hoe ze over iets dacht.

Ze troonde Edward mee naar Gregory Wareham, de vicevoorzitter van de Most Worshipful Company of Cheese Connoisseurs, die zijn oude vriend met een hartelijke handdruk begroette en Elizabeth verwelkomde met een bijna te familiaire kus op haar wang.

'Edward, ouwe jongen,' zei hij. 'Wat voor de duvel heb je deze keer meegenomen? Riekt naar oude geiten.'

'Maar het zíjn in zekere zin ook oude geiten,' antwoordde Edward. 'Touloumotyri. De beste kazen komen van een enkel schiereiland in Griekenland: Athos. Ik kan je wel vertellen dat ze bij de Grieken heel populair zijn.'

'Nou,' zei Gregory, 'aan mij is het niet besteed. Voor mij is het allemaal Grieks.' Hij reageerde op zijn eigen grap met gelach dat diep uit zijn buik kwam. Hij vervolgde: 'Enfin, ik denk dat het tijd is voor de openingsprocedure. Zullen we met de proeverij gaan beginnen?'

'Ja, ja,' zei Edward, en hij ging op een stoel staan en vroeg luid om stilte, zodat hij het programma kon aankondigen. Terwijl hij dat deed, zag hij meneer Papadrianos stilletjes naar buiten glippen.

De kazen die geproefd moesten worden, waren allemaal geitenkazen uit het Loiredal. Voor iedere bijeenkomst van de Most Worshipful Company of Cheese Connoisseurs werd een ander land en een ander gebied uitgekozen en voor de proeverij werden vijf of zes representatieve kazen uit dat gebied voorbereid. Dit zou een van de lastigste competities sinds jaren worden, aangezien de geselecteerde kazen bijzonder veel op elkaar leken qua kleur, uiterlijk en smaak. Vijf leden van het gezelschap hadden zich aangemeld voor het blindproeven, erop vertrouwend dat hun neus en smaakpapillen hen niet in de steek zouden laten.

Edward was met dergelijke wedstrijden altijd primus inter pares geweest. Hij had de voorgaande zeventien jaren iedere keer deelgenomen en had tot dusverre altijd iedere kaas weten te identificeren. Een goede tweede was maître d'Autun, wiens expertise bijna op gelijke hoogte met die van Edward stond. Toch waren er diverse gelegenheden geweest waarbij Henri-Roland domme fouten had gemaakt die hem hadden beroofd van de gelegenheid om de prijs met Edward te delen. Dit jaar straalde hij een stil zelfvertrouwen uit. Hij wist ontzettend veel van de kazen uit het Loiregebied en hoopte heel erg dat hij de prijs onder de neus (!) van zijn oude rivaal kon wegkapen.

Edward maakte zich ongebruikelijk veel zorgen over de proeverij van dit jaar en had Elizabeth van zijn angsten deelgenoot gemaakt. 'Driemaal, schat, heeft mijn neus me de afgelopen week in de steek gelaten,' fluisterde hij. 'Driemaal ben ik mijn reukzin kwijtgeraakt. Wat moet ik doen als het uitgerekend vanavond weer gebeurt?'

'Maar tot nu toe gaat het goed,' zei Elizabeth op zeer geruststellende toon. 'Toch?'

Edward zweeg even en keek toen zijn vrouw aan. 'Eh – ja en nee,' bekende hij nerveus. 'Ik moet bekennen dat ik, eh, een paar minuutjes geleden, mijn reukzin totaal kwijt was. Ik heb hem nu wel weer terug, maar...'

'Het gaat prima,' zei Elizabeth, de korte pauze benuttend. 'De zenuwen en de zorgen worden je te veel. Denk maar aan de successen uit het verleden. Het zal je ook dit jaar weer lukken.' Maar terwijl ze dit zei, drong het ineens tot haar door dat Edward, háár Edward, het misschien niet zou redden.

De deelnemers begaven zich naar de hoofdtafel, waar een dunne mousselinen doek de kazen bedekte. Er was een scherm neergezet om ervoor te zorgen dat iedereen in de zaal de kaas zou kunnen zien, maar niet degenen die deelnamen aan de proeverij. Toen de deelnemers allemaal plaats hadden genomen en klaar waren, tikte Gregory Wareham op de tafel om de aandacht te vragen. Het werd langzaam stil in de zaal en toen hield hij een korte toespraak waarin hij onder meer aankondigde dat alle zes kazen afkomstig waren uit de Loirestreek. 'En meer ga ik niet verklappen,' zei hij. Daarna haalde hij de mousselinen afdekking weg, zodat het publiek kon zien wat er geproefd zou worden. Er klonk een gemurmel in de zaal terwijl de verzamelde kaasmakers en -verkopers probeerden de kazen te identificeren. Toen het geroezemoes te veel aanzwol, verzocht Gregory om complete stilte, opdat de deelnemers de namen die gefluisterd werden, niet zouden kunnen horen.

'Ik zal nu onze proefkonijnen de eerste kaas presenteren,' verkondigde hij, en hij sneed de pouligny-saint-pierre in vijf gelijke stukken. Het eerste stuk werd aan Edward overhandigd, het tweede aan Henri-Roland, enzovoort, totdat elk van de deelnemers een stuk van de kaas had.

'Laat me u even aan de regels herinneren,' zei de vicevoorzitter. 'Er wordt niet overlegd en er wordt niets besproken. Wanneer u denkt het antwoord te weten, schrijft u het op. Na het proeven, wanneer u alle kazen hebt gehad, halen we uw papieren op en maken we de uitslag bekend. Zijn er nog vragen? Ja, monsieur, sorry, *maître* d'Autun.'

Henri-Roland wilde een bezwaar maken. '*Oui*. Het is zeer moeilijk iets te ruiken – wat dan ook te ruiken – wanneer de zaal *est impregnée* met de toulou…'

'…motyri,' zei Edward.

'*Oui – merci* – het enige wat we ruiken is de touloumotyri. En dat wordt steeds erger. U 'ebt daar een uitdrukking voor: 'oe meer je roert, 'oe erger het stikt.'

'Tja, ik vrees dat we daar niet veel aan kunnen doen,' antwoordde Gregory, 'behalve misschien dat we meneer Trencom moeten bedanken voor het feit dat hij ons heeft laten kennismaken met een kaas die, eh' – hij zweeg even en er verscheen een glimlach op zijn gezicht – 'naar oude geiten stinkt.'

Terwijl hij dat zei, werd Edward plotseling door paniek bevangen. Hij ademde langzaam door zijn neus in om te testen of de touloumotyri werkelijk zo overweldigend aanwezig was in de zaal. En terwijl hij dat deed, besefte hij dat hij absoluut niets rook. Het was heel vreemd – even tevoren kon hij nog meer dan twintig verschillende soorten kaas in het vertrek onderscheiden, boven de algemene cocktail van geuren uit. En nu ineens niets.

'Goed, heren en dame – de eerste kaas.'

Elk van de vijf deelnemers hield de kaas bij de neus na eerst de buitenkant en de kleur te hebben bekeken. De meeste gasten in de zaal wisten al dat het een pouligny-saint-pierre was, want ze hadden de kenmerkende kegelvorm en de oranje-blauwe schimmel gezien. Maar de schimmel was verwijderd voordat hij aan de deelnemers was overhandigd, en die hadden nu alleen het dikke, romige binnenste ter identificatie van de kaas.

Edward hield de kaas bij zijn neus en ademde in. O, alsjeblieft, alsjeblieft, dacht hij, laat er íéts zijn. Maar zijn wens werd niet vervuld. Terwijl de lucht zijn neusgaten vulde en daarna diep zijn neusholte binnendrong, besefte hij dat hij absoluut niets kon ruiken.

Maître d'Autun was niet zo gehandicapt. Hij besnuffelde de

kaas en herkende onmiddellijk de zoete geur van stro en de zure geur van geiten. *'Infiniment plus distingué que le touloumotyri,'* mompelde hij in zichzelf. *'Ah, oui* – de kenmerkende schimmel, de uitgelezen balans van zout en zoet. *Ah, la belle France.'*

'Ja – *alors* – dat is een duidelijke zaak,' zei hij tegen Edward met een zelfverzekerd lachje. 'Men herkent de boom aan het fruit, *n'est-ce pas?'*

'Zeker – zeker,' zei Edward, die razendsnel nadacht. Wat moet ik doen? Wat moet ik doen? Hij nam Elizabeth vanuit zijn ooghoek waar. Ze staarde hem ongerust aan, zich ervan bewust dat zijn neus de kaas niet kon identificeren.

Dit wordt een ramp, dacht ze. Als hij de kaas niet herkent, waar moet het dan heen met Trencoms? En voor het eerst van haar leven zag ze de mogelijkheid opdoemen dat Edward de kroon van onbetwiste autoriteit op het gebied van de beroemdste kazen ter wereld zou kwijtraken.

Toen de andere vier deelnemers hun blocnote grepen en de woorden pouligny-saint-pierre opschreven, vroeg Edward zich af wat hij moest doen. Misschien kan ik hem herkennen aan de substantie, dacht hij. Hij is heel bleek, zacht, ziet eruit als een chabichou, maar… nee. Hij wachtte even. Dit was hopeloos. Het kon een van de ruim twee dozijn geitenkazen van de Loirestreek zijn. En toen kreeg hij zomaar ineens een briljant idee. Terwijl de andere deelnemers hun blocnote neerlegden, pakte Edward het zijne op en schreef iets naast het eerste vakje. Elizabeth keek naar haar man en slaakte een zucht van opluchting. De hemel zij dank, dacht ze. Hij heeft hem kunnen identificeren.

De tweede kaas, een chavignol, gaf de deelnemers meer problemen. Hij had ruim vier maanden gerijpt en daardoor was het binnenste van de kaas heel brokkelig en leek hij op tientallen andere kazen van de bovenloop van de Loire. Henri-Roland was de eerste die iets op zijn blocnote schreef. Meneer Charles Storeford van Storefords uit Lancashire volgde, en daarna kwam Lady Anshelm uit Durham, die de beroemde durham weald produceerde. Edward had gehoopt dat zijn neus weer in vorm zou komen na even de reukzin te zijn verloren, maar hij besefte nu dat dit niet zou gebeuren – hij kon niets ruiken. Beroofd van zijn smaakzin, stopte hij het stukje kaas in zijn mond en kauwde erop; hij drukte het plat met zijn tong. Daarna pakte hij zijn blocnote en schreef hij met een opzettelijk vertoon van zelfvertrouwen één woord op naast vakje nummer twee.

En zo ging het verder totdat elk van de kazen geconsumeerd was. Maître d'Autun lachte heimelijk, want hij was *convaincu* dat hij elke kaas goed had, ondanks de touloumotyri. De andere deelnemers waren minder zelfverzekerd. Lady Anshelm was niet zeker geweest van de vierde en de vijfde kaas, en Paul Austin (van de Dorset Cheese Company) verklaarde dat hij mocht hangen als hij wist wat de laatste kaas was.

'En,' zei Henri-Roland tegen Edward, ''oe 'ebben we 'et erafgebracht? Eitje?'

'Kaasje,' grapte Edward, die zijn blocnote dichtsloeg en zijn armen over elkaar sloeg. 'Het was dit jaar wel erg gemakkelijk, vindt u ook niet? Zelfs Elizabeth had ze nog kunnen raden.'

Gregory Wareham verklaarde dat de wedstrijd beëindigd was en vroeg de vijf deelnemers hun blocnote in te leveren. 'Er komt nu een korte pauze,' kondigde hij aan, 'terwijl wij de resultaten bekijken. Heb dus nog even geduld alstublieft.'

Terwijl de drie juryleden nakeken wat er was ingevuld, stond Elizabeth aan de andere kant van de zaal naar Edward te gebaren en te mimen: 'Hoe – ging – het?'

Edward glimlachte en mimede terug: 'Best – best.'

Elizabeth slaakte een enorme zucht van opluchting. Gode zij dank, dacht ze. Het is hem toch gelukt. Nu hoop ik maar dat hij ze goed heeft.

Het duurde langer dan verwacht voordat de jury de antwoorden had uitgezocht. Op een gegeven moment haalden ze Gregory erbij en de mensen in de zaal kregen de indruk dat ze hem om raad vroegen. De verzamelde menigte werd stil toen het duidelijk werd dat de juryleden in hun maag zaten met iets wat op een van de blocnotes geschreven was.

Er werd heen en weer gefluisterd in de jury en toen zei Gregory iets waardoor ze allemaal in de lach schoten. Hoewel twee juryleden hem vragend aankeken, alsof ze wilden weten of hij echt zeker was van zijn besluit, gingen ze ten slotte allemaal akkoord met de gekozen handelwijze.

'Stilte... stilte,' riep Gregory Wareham na ruim vijf minuten discussie tegen de zaal. 'Stilte alstublieft. We gaan nu de uitslag bekendmaken.'

Het werd langzaam stil in de zaal, totdat zelfs het lawaaiige groepje in de hoek door kreeg dat het tijd werd hun mond te houden.

'Dank u. Zoals u zich zult kunnen voorstellen, was dit een heel moeilijke wedstrijd. Alle geselecteerde kazen waren van geitenmelk gemaakt en allemaal kwamen ze uit het Loiredal. Ja, geen gemakkelijke wedstrijd. Ik zal u nu vertellen welke kazen het waren, in de volgorde waarin ze werden getest. Eén, pouligny-saint-pierre; twee, chavignol; drie, sainte-maure de touraine; vier, chabichou; vijf, selles-sur-cher, en ten slotte een bijzonder fraaie valençay.'

Terwijl hij de kazen opnoemde, balde Henri-Roland zijn hand in zijn zak tot een vuist. *'Oui – oui – oui,'* zei hij zachtjes, in gedachten iedere kaas afvinkend. 'Allemaal juist. Vele kleintjes maken één grote.' Hij wierp een blik op de andere deelnemers. Lady Anshelm en Charles Storeford schudden hun hoofd. Paul Austin ook. En Edward?

Henri-Roland keerde zich naar zijn rivaal en zag hem tot zijn teleurstelling grijnzen. ''Ebt u ze goed?' vroeg hij. 'Allemaal?'

'In zekere zin wel, ja,' zei Edward, die zich niet kon inhouden en zachtjes begon te grinniken.

'Welnu,' zei Gregory Wareham. 'We bevinden ons dit jaar in een zeer ongebruikelijke situatie.' Hij zweeg even en grijnsde. 'Een situatie die onze juryleden enigszins in de problemen heeft gebracht. Als we een prijs zouden moeten geven voor júíste antwoorden en een voor gríllige, tja, dan zouden we geen enkel probleem hebben. Maar helaas is dat niet het geval. Dus hebben we, dames en heren, na ampel beraad van de juryleden, besloten dat de prijs dit jaar zal worden gedeeld door monsieur Henri-Roland d'Autun, die alle zes kazen juist geïdentificeerd heeft, en meneer Edward Trencom van Trencoms die – hoe zal ik het zeggen? – ons heel wat pret heeft bezorgd.'

Honderd of meer verwachtingsvolle gezichten keken eerst naar Gregory Wareham en toen naar Edward Trencom.

'Ja… ja. Want als we meneer Trencom moeten geloven, kunnen alle kazen uit het Loiredal, die elk hun eigen individuele smaak en kenmerken hebben, stuk voor stuk doorgaan voor… touloumotyri.'

Terwijl hij dat zei, barstte het verzamelde gezelschap in lachen uit.

'Schitterend… briljant,' zei Sir George tegen Elizabeth. 'Ik ben blij te zien dat je man zijn gevoel voor humor niet heeft verloren.'

'Ach, we hebben altijd al geweten dat hij een grappenmaker is,' zei Charles Storeford tegen Lady Anshelm. 'Hij zal ze allemaal wel meteen hebben herkend.'

Edward keek naar de zee van gezichten in de zaal en begon ook te lachen. En terwijl zijn gezicht een en al rimpels werd van de lach begon iedereen te applaudisseren.

'Naar míjn idee,' zei Gregory Wareham terwijl hij aangaf dat het publiek stil moest zijn, 'is dit een van de meest schaamteloze pogingen om een nieuwe kaas te promoten. Maar ik moet meneer Trencom wel nageven dat hij vanavond zeker indruk op ons kleine gezelschap heeft gemaakt. Ik denk dat niemand van ons de touloumotyri zo gauw zal vergeten. Als ik nu aan hem en monsieur – sorry, *maître* – d'Autun mag vragen naar voren te komen, dan zal ik hun gezamenlijk de prijs uitreiken, en de prijs is…'

'Een kaasmes,' riep iemand uit de zaal.

'Inderdaad, een kaasmes,' herhaalde Gregory Wareham, waarna hij eraan toevoegde: 'Ik begin te denken dat sommigen van jullie deze bijeenkomst iets te goed beginnen te kennen.'

Terwijl Edward en Henri-Roland naar voren kwamen, fluisterde de Fransman in het oor van zijn rivaal: 'Naar mijn bescheiden mening,' zei hij, 'kende u die kazen niet. Ik vraag me af of u er één van zou 'erkennen.'

Edward legde zijn vinger tegen zijn neus en tikte zachtjes tegen de bolling op de brug. 'Een koningsneus,' zei hij rustig. 'Ja, werkelijk een koning onder de neuzen.'

II

25 februari 1824

Het regent al bijna een etmaal – zo hard dat de twee gedaanten op de boeg van het schip tot op het bot doorweekt zijn. Hun capes hangen zwaar en doorweekt neer, het water valt drup-drup-drup van de vilten rand van hun hoge hoed. Toch maakt geen van beide mannen zich in het minst druk om het barre weer, want beiden turen intens naar de mistige, ondoorzichtig grijze horizon. Ze speuren naar land, in de hoop dat ze spoedig hun bestemming zullen bereiken.

De langste van de twee buigt zich naar voren, leunt op de railing van het schip en blaast de zwakke lantaarn uit. 'Ja, ja… bij de genadige God, ik denk dat ik het dierbare land zie. O, Grie-kenland!' declameert hij uiterst theatraal. 'O, land der goden! Onze missie, onze lotsbestemming wacht op ons. We moeten onze plichten vervullen met de moed, met de heldhaftigheid van de Ouden!'

De man die deze woorden heeft gesproken is niemand minder dan George Gordon Noel, de zesde Lord Byron, die nog maar twee dagen daarvoor heeft verklaard dat hij graag op Griekse bodem wil sterven. Hij is van plan zich op te offeren voor de Griekse zaak en zijn besluit lijkt zijn bestaan een nieuw doel ge-geven te hebben.

De persoon tegen wie hij dit zegt, is een minder imposante fi-guur, maar wel een die niettemin een zeer treffend en typerend gelaatskenmerk heeft. Charles Trencom (van het Londense Trencoms) heeft een neus waarvan zelfs Lord Byron moet toegeven dat hij bijzonder nobel is – lang en recht en met een wonderlijk gevormde bobbel op de brug.

Charles kan nauwelijks geloven dat hij op het dek van de Hercules staat, naast dé Lord Byron, de dilettant, de losbol, de beroemdste dichter van zijn tijd. Nou, nou! denkt hij. Wat een vreemde speling van het lot!

Nog maar een paar maanden daarvoor had Charles achter de marmeren toonbank van Trencoms kaas staan verkopen aan de herbergiers en kruideniers van het Georgiaanse Londen. De precieze datum, de datum die hij nooit zou vergeten, was 7 november. Hij had net een uitzonderlijk mooie ronde laguiolekaas verkocht, toen twee mannen met onbekende gezichten de winkel binnenkwamen en vroegen of ze, als het niet al te lastig was, even met hem konden praten. Een verbaasde Charles had erin toegestemd en enige minuten later bleek zijn leven op zeer onverwachte wijze getransformeerd te zijn. De mannen stelden zich voor als Sir Francis Burdett en John Hobhouse, leden van het Griekse Comité dat een paar weken daarvoor was opgericht teneinde de zaak van de Griekse onafhankelijkheid te promoten. Ze hielpen Byrons militaire expeditie naar de Peleponnesos te financieren en hadden al munitie gestuurd ter ondersteuning van dit doel.

'Maar,' zeiden ze tegen Charles, 'we hebben zo onze zorgen met betrekking tot onze nobele gast. Hij is zo…' De twee mannen keken elkaar even aan, niet goed wetend hoe ver ze konden gaan. Hobhouse staarde strak naar zijn wandelstok (alsof die antwoord zou geven) en Sir Francis vervolgde de onafgemaakte zin.

'Eigenlijk,' zei hij, zijn stem dempend tot een gefluister, ondanks het feit dat er verder niemand in de winkel was, 'eigenlijk weten we niet of we hem wel kunnen vertrouwen. Hij is zo… onvoorspelbaar. En soms zo… irrationeel. Hij heeft ons verteld dat hij de Turkse forten van Lepanto en Patras wil aanvallen, wat de volledige steun van het comité heeft, maar daarna? Kortom,

179

we willen weten wie hij als heerser over Griekenland wil aanstellen – vooropgesteld dat het hem lukt de Turken te overwinnen.'

Charles had geen flauwe notie waarom deze twee onbekenden hem dit allemaal toevertrouwden. Hij haalde zijn schouders op, niet wetende of hij hun vraag moest beantwoorden of die moest opvatten als een van die retorische manieren van uitdrukken die de laatste tijd zo in de mode waren geraakt. Hij voelde zich eerlijk gezegd nogal overvallen door de openhartigheid van deze twee bezoekers, die hij beiden niet kende, ook al hadden ze zich aan hem voorgesteld. Waarom, zo vroeg hij zich af, bekenden ze dergelijke zaken aan hem? Natuurlijk had hij zo zijn vermoedens – o ja, hij had zo zijn ideeën over het waarom. Maar hoe waren ze in hemelsnaam iets over hem te weten gekomen? Hoe hadden ze de weg naar zíjn deur gevonden?

Terwijl hij dit dacht, merkte hij dat Boy Cowper, de lantaarnopsteker, bezig was de gaslampen buiten aan te steken. Lieve hemel, dacht hij, is het echt al zo laat? Ik zou ermee moeten kappen en de winkel moeten sluiten.

'De kwestie is deze,' zei de tweede man, John Hobhouse, de gedachtegang van Charles onderbrekend. 'Zal Lord Byron zichzelf tot heerser over Griekenland willen uitroepen? Dat willen we graag weten. Ziet u, meneer Trencom, er zijn drie personen die aanspraak maken op de Griekse troon – misschien hebt u iets over hen gelezen in *The Times*. Er is ene prins Alexander Mavrocordato – ja, een vriend van de Lord, die momenteel het westen van de Peloponnesos beheerst. Dan is er de despoot, Koloktronis – een ware wellusteling – die over Morea heerst. En dan is er nog de hoogst onbetrouwbare Odysseus, die een groot deel van Oost-Griekenland bestiert. Maar zijn deze mannen wel geschikt om een onafhankelijk Griekenland te leiden?'

Charles haalde ten tweeden male zijn schouders op. Hij was niet geabonneerd op *The Times* en wist absoluut niets van de drie mannen over wie ze spraken.

'Nee, beste kerel, ze zijn helemaal niet geschikt om te regeren,' donderde Hobhouse. 'Ze zijn beslist geen waardige erfgenamen van het land dat ons de vrijheid en democratie heeft gebracht.' Hij zweeg even om op adem te komen en de gewichtige zaken waarover hij zojuist had gesproken te overpeinzen. In de stilte die volgde, bood Charles de man een dunne plak melkachtige tarentais aan, die zijn gesprekspartner welwillend aannam en in zijn mond stopte.

'Dan blijft dus alleen Lord Byron over,' vervolgde Sir Francis, 'die, naar we vrezen, ook niet waardig is. Zie je, beste kerel, hij is *op dit moment* heel geschikt voor ons doel. Hij vestigt de aandacht op onze zaak – ja, je hoeft alleen maar de nieuwsbladen te bekijken om dat te zien. Maar Lord Byron als heerser over Griekenland? Nee, beste man!'

Op dit punt in het gesprek begonnen de twee mannen zachter te spreken. 'Bent u geïnteresseerd in de wetenschap der genealogie?' vroeg een van hen op inquisitieachtige toon. 'Hebt u enige belangstelling voor stambomen en dergelijke?'

'Ik moet toegeven,' reageerde een steeds verwarder wordende Charles Trencom, 'dat het nu niet iets is waar ik van wakker lig. Wij Trencoms komen uit het westen van het land. Ja, meneer. Pure Dorsetters.'

'De wetenschap van de genealogie,' deed Hobhouse, die nauwelijks naar Trencom had geluisterd, een duit in het zakje, 'staat erom bekend dat zij de mensen belangrijke en grote verrassingen kan brengen. Denk maar eens aan uw oudmoeder, Zoë Trencom...'

'Waarom... wat... hoe?' Charles was zo ontdaan vanwege het feit dat deze twee onbekenden de naam van zijn oudmoeder kenden – iemand over wie hij absoluut niets wist – dat hij onwillekeurig begon te brabbelen tegen de kazen die voor hem stonden.

'Ik moet toegeven,' zei hij toen hij zijn gedachten weer op een rijtje had, 'dat ik nooit aan haar heb gedacht.'

'Dan zou u dat wel moeten doen,' was het antwoord van Hobhouse en Burdett. 'En dan zou u met name aan haar neus moe-

181

ten denken. Inderdaad, ja. Want ze had een neus die even buitengewoon was als de uwe.'

Beide mannen kwamen dichter bij Charles staan en spraken zo zacht dat het hem enige moeite kostte hen te verstaan. Maar hij luisterde aandachtig en oplettend – en nam ieder woord goed in zich op. En terwijl hij luisterde ging zijn hand onwillekeurig naar zijn neus. Ja, hij begon er met zijn duim en wijsvinger over te wrijven, alsof hij hem glanzend wilde poetsen. Na een gedempt gesprek dat ruim twintig minuten duurde, misschien langer, ging Charles rechtop staan; hij keek de twee mannen recht in de ogen en zei met zoveel gezag in zijn stem als hij kon opbrengen: 'Ja, beste lieden, ja! Bij god, het antwoord is ja!' En nog geen week nadat hij deze woorden had gesproken, was Charles Trencom van het Londense Trencoms per schip op weg naar Livorno en Argostoli, teneinde zich bij de licht ontvlambare en onbetrouwbare Lord Byron te voegen.

Terwijl een zwakke dageraad door de motregen probeert heen te breken, wordt het langzaam duidelijk dat de vage vlek aan de horizon inderdaad de kustlijn van Griekenland is. Charles ziet met enige verwondering hoe Lord Byron zijn armen wijd uiteenspreidt, alsof hij de wind en de regen wil omarmen, en tegen de elementen declameert:

> Het zwaard, de vlag en het veld,
> glorie en Griekenland, zie ik om me heen!
> Niet vrijer was de Spartaan,
> op zijn schild gedragen.

Hij wacht even. 'Hebt u die regels?' vraagt hij aan Charles. 'Hebt u ze genoteerd?'

'Nee, Lord, mijn oprechte verontschuldigingen. Zou u ze voor me kunnen herhalen?'

'Schrijf, dwaas, schrijf. Het is mijn gedicht ter ere van dit nobele, dit illustere land:

Ontwaak (niet Griekenland – zij is wakker!)
Ontwaak, mijn geest! Weet door wie
uw levensbloed terugvoert naar de ouderbron,
en keer huiswaarts!'

'Heel mooi gesproken,' zegt Charles. 'Heel mooi. Hebt u een titel voor uw gedicht?'

'Ik geef het de volgende titel,' brult Byron, terwijl hij zich weer tot de elementen richt. 'De volgende titel: "Op deze dag eindig ik mijn zesendertigste jaar".'

'O, bent u vandaag jarig, mijnheer?' vraagt Charles.

'Nog niet – nog niet. Maar vandaag voel ik me als herboren. Ah, Griekenland! Hoe vervult gij onze ziel met jeugdige dromen! ὦ παιδεξ ιστωμεσθα. Τώυδε γαρ χαριυ και δευρ εβημευ ώυ οδ εξαγγεται.'

'Neemt u me niet kwalijk, maar wat betekent dat precies?'

Lord Byron kijkt plotseling schaapachtig. 'Nou, eh, dat is Sofokles. *Oedipus Rex*. Of is het nou *Medea*?'

Hij rimpelt zijn voorhoofd terwijl hij probeert het zich te herinneren. Nee, het is hem finaal ontschoten. Hij vraagt zich zelfs af of de werkwoorden wel in de juiste vorm staan.

'Vergeef me,' mijmert Charles, 'maar ik dacht dat u een van de grootste kenners der klassieken van Engeland was. Ik dacht dat u de klassieke talen opmerkelijk goed beheerste. Zei u niet dat u een vertaling had gemaakt...'

Byron kucht en er komt uit zijn mond iets wat alleen maar omschreven kan worden als een zenuwachtig adellijk gegiechel. 'Nou ja, ik heb natuurlijk wel wat hulp gehad. Een beetje maar, hoor. Met een gouden guinje kun je een half leven aan kennis kopen. Maar weet u, ik vergeet tegenwoordig zo snel. Dat komt door de laudanum. Maar het zal me gauw wel weer te binnen schieten.'

Hij zwijgt even en realiseert zich dan dat de kust dichterbij komt. 'Snel – snel! We moeten ons verkleden. Weg met deze mantel. Weg met deze nanking broek. Weg met mijn met galon bestikte jas! De massa moet ons zien als helden die de goede zaak en onze afkomst waardig zijn. Kom, ga met me mee! Ik heb voor ons beiden kostuums laten maken.'

De mannen dalen af naar de hut voor in het schip, waar twee uniforms, ontworpen door de Lord zelf, uitgespreid liggen op het valies. Nadat Charles er één blik op geworpen heeft, verbleekt hij: 'Verwacht u... verwacht u écht van ons dat we die dragen?'

'O, ja,' zegt Byron. 'Er is niets belangrijker dan de indruk die je maakt. We mogen niet vergeten dat de Soulioten die ons zullen verwelkomen, uiterst onwetende en onbezonnen lieden zijn. Sterker nog: het zijn leugenaars, Trencom, ja, verdomde leugenaars. Sinds Eva in het paradijs vertoefde is er niet meer zo'n aanleg voor onwaarachtigheid geweest.'

'Ja,' onderbreekt Charles hem,' maar dat verklaart nog niet de kostuums, beste man.'

'Ah,' zegt Byron, 'de Soulioten, dit volk van inbrekers en dieven, raken onder de indruk van de kleinste onbenulligheid. Ja, pracht en praal boezemen hun ontzag in. Dus moeten we een beetje praal verzinnen voor wanneer we aan land komen, zodat we... eh... hun kunnen laten zien dat we hun toewijding waardig zijn.'

De kostuums waarop de Lord doelt, zijn extravagant van model, snit en prijs. Byron zelf zal een scharlakenrode huzarenjas dragen die is afgezet met goudgalon en edelstenen. Charles heeft een overjas met een cape van kamelot en een kraag van vossenbont – hij ziet eruit als een echte dandy. Beide mannend zullen een helm van gehamerd brons met een pluim dragen. Die van Byron draagt zijn familiewapen, terwijl op die van Charles een traditioneel Grieks kruis is aangebracht.

'Ze zullen zich voor ons in het stof werpen,' zei Byron. 'Ze zullen ons volgen naar de verste uithoeken van Griekenland.'

Het is bijna middag wanneer de Hercules in de vervallen haven van Missolonghi voor anker gaat. Het regent nog, hoewel de regen inmiddels in motregen is overgegaan, en uit de omringende moerassen stijgt een vuile mist op. Deze halfverlaten haven, gebouwd op verrotte palen en modderbanken, doet denken aan een gore sloppenwijk.

Lieve help, denk Charles, terwijl hij de lucht opsnuift. 'Deze plek stinkt naar de dood.' De geuren die zijn neus heeft bespeurd, zijn hoogst onaangenaam: moerasgas, stinkend water en rottende lijken. Nog maar kort geleden is er een pestepidemie over Missolonghi heen getrokken en nu moeten er nog tientallen doden begraven worden.

Heb ik hiervoor Trencoms verlaten? denkt Charles. Heb ik hiervoor mijn lieftallige Caroline en mijn oudste zoon Henry achtergelaten?'

Langs het havenfront staan Souliotische partizanen opgesteld die hun geweer afvuren als saluut voor de twee mannen die aan land gaan. Deze afschrikwekkende groep heeft veel gehoord over 'generaal Vieron' die hen komt redden, maar de figuur die hem vergezelt, kennen ze niet. Charles Trencoms rol in Byrons plannen – of liever gezegd; in de plannen van het Griekse Comité in Londen – moet nog aan de Grieken zelf onthuld worden.

De enthousiaste menigte voert Byron en Trencom mee naar de enige imposante villa in de stad, de residentie van prins Alexander Mavrocordato. Deze omhelst Byron warm en vol genegenheid en moedigt de Soulioten aan nog een salvo af te geven. Hij lijkt iets minder enthousiast over de ontvangst van Charles Trencom, die Byron (zij het niet van harte) voorstelt als 'de vriend van Griekenland'.

'Laten we hopen,' zegt Mavrocordato, 'dat de "vrienden" van Griekenland het land deze keer niet zullen verraden.'

Er gaat een week voorbij. En nog een. En Byron begint te beseffen dat het helemaal de verkeerde kant op gaat met zijn prachtige campagne. Zijn Souliotische huursoldaten storen zich niet aan de wet en zijn ruziezoekers – 'een onbetrouwbare troep hebzuchtige schurken', zo beschrijft onze Lord hen. Hun eigen zorg is hoe ze hem zoveel mogelijk gouden munten afhandig kunnen maken.

Byron ontdekt dat zijn Europese huursoldaten hem niet minder problemen geven. Van de zestig man die met hem mee aan land is gegaan, heeft slechts een handjevol niet geweigerd mee te doen aan de artillerieaanval op de haven van Lepanto, die in Turkse handen is. Ook de Griekse marine is niet bereid mee te doen aan de strijd; ze beweren dat hun vaartuigen niet zeewaardig meer zijn. Tot overmaat van ramp lijden zowel Byron als Charles aan een slopende ziekte.

Het is begonnen met hevige rillingen en pijn in hun lendenen en rug. Vervolgens zijn beide mannen erg misselijk geworden en hebben ze een mengsel van gal en bloed opgegeven. Byrons arts, de schaamteloze dokter Millingen, heeft beide mannen vijftien korrels antimoonpoeder gegeven en bloedzuigers op hun slapen gezet. Maar dit heeft hen alleen maar zwakker gemaakt.

En nu, op de avond van de 16^e april, is de toestand van Charles erg verslechterd. Zijn lichaam lijkt te zijn gekrompen, zijn gezicht is lijkbleek, zijn ogen staan mat en staren strak naar het plafond. Zelfs zijn neus lijkt in omvang te zijn afgenomen. Hij is bleek en klam en vertoont al ruim een uur zenuwtrekkingen. Hij kreunt en schreeuwt wanneer hij overvallen wordt door hevige krampen in maag en lever. Zijn geest is zo onrustig dat hij wilde smeekbeden tot de arts en Byron zelf richt: 'Laat me gaan! Weg van hier! Vrienden, verlos me van deze hel! Help me – ik word vergiftigd. Help me! Red me!'

De achteruitgang van Charles lijkt Byron juist weer wat kracht te geven. Hij beweert aardig hersteld te zijn en komt zelfs van zijn demonteerbare veldbed af en loopt moeizaam naar buiten, de omheinde binnenplaats op. Hij roept om een deerne en wanneer er eindelijk een meisje uit het dorp verschijnt dat een kniebuiging voor hem maakt, charmeert hij haar met lieve melodietjes, allemaal in zijn abominabele Grieks. Hij wenst bij haar in het gevlij te komen door haar 'mijn kikkertje' te noemen, maar hij weet het woord daarvoor niet meer en noemt haar in plaats daarvan 'mijn wratje'.

'Mijn wrat, mijn allerliefste wratje,' spreekt hij haar sussend toe. 'Bezing de liefde voor je eigen George Gordon.'

Zijn wratje weet duidelijk niet goed hoe ze op dit zonderlinge gedrag moet reageren, maar ze is al op hoogte gebracht van wat er van haar verwacht wordt. Ze kirt van verrukking (wat haar een gouden munt oplevert), veegt het zweet van het voorhoofd van haar Lord (nog een gouden munt) en verdient dan de rest van de zak met gouden munten door een Griekse specialiteit van haar uit te voeren die zelfs de Lord verrast.

Hemeltje, denkt hij. Zelfs mijn zuster zou zoiets niet in haar hoofd halen.

Twintig minuten van wratachtig genoegen worden gevolgd door een hoestbui. Al die inspanning heeft een terugval veroorzaakt en leidt tot een nieuwe aanval van braakneigingen en krampen. Ook Charles voelt zich nog slechter en ligt te weg te kwijnen in zijn eigen privéhel. Dokter Millingen zet bij beide mannen voor de tweede maal bloedzuigers, maar dit lijkt hen nog verder te verzwakken.

Niemand in hun omgeving, Byron wel het allerminst, is op de hoogte van dit geheime feit: Millingen wordt betaald door de Turken. Niemand weet dat zijn orders rechtstreeks afkomstig zijn van sultan Mahmut II. Niemand heeft door dat hij de strengste instructies heeft beide mannen te doden. Met een houding van klinische efficiency doet Millingen rustig maar meedogenloos zijn werk; hij dient giftige cocktails toe en tapt bij beide mannen bloed af terwijl hij weet dat dit zeer schadelijk voor hen zal zijn.

'Hij vermoordt me!' gilt Trencom verward en gedesoriënteerd. 'Hij is de bron van mijn tegenspoed.' Maar voordat hij meer kan zeggen, of zich zelfs maar iets overeind kan komen, valt hij half-bewusteloos achterover. Ook Byron is met de dag zwakker geworden en dokter Millingen weet dat het einde zeer nabij is.

Op Paaszondag, iets na twaalven, voelt Millingen beide mannen de pols. 'Goddank,' mompelt hij. 'Vandaag – vandaag gaat het gebeuren.'

Hij zet bloedzuigers op hun slapen en merkt tot zijn vreugde dat wanneer hij ze eindelijk weghaalt, hun bloed niet meer stolt. Eindelijk werkt het, denkt hij. Het gif doet zijn werk.

Iets na zessen in de vroege avond krijgen zowel Byron als Trencom heftige, folterende krampen.

'O, had ik mijn wratje maar!' schreeuwt Byron met zijn laatste adem.

'O, had ik mijn kaas maar!' roept Charles.

Wat een poëzie, denkt Millingen. Mooier dan al die gedichten die hij heeft geschreven. Dit zijn mijn mooiste sterfgevallen tot nu toe.

Even later gaat de borstkas van beide mannen niet meer op en neer.

'Onze Griekse helden zijn dood,' verklaart Millingen tegen prins Mavrocordato. 'De nobele Griekse zaak ervaart zijn grootste tegenslag.'

Mavrocordato knikt langzaam terwijl zijn ogen naar dokter Millingen gaan. 'Het is bijzonder vreemd,' zegt hij. 'Zou het mogelijk zijn, dokter, dat ze zijn vergiftigd?'

III

21 februari 1969

Op de derde vrijdag in februari om tien voor twaalf 's morgens pakte Richard Barcley zijn jas en gooide hem om zijn schouders. Daarna keerde hij zich naar de spiegel in de hal van zijn kantoor, hij zette zijn bolhoed stevig op zijn kalende hoofd en verzette ietsjes totdat hij recht stond. Een bolhoed dragen was enorm plezierig, dacht hij. Het gaf je het gevoel dat je... geklééd was.

'Mevrouw Clarke,' zei hij, terwijl hij langs de receptie liep, 'ik ga even weg. Ben zo weer terug.'

'Hebt u enig idee hoe laat?' vroeg mevrouw Clarke, die bezig leek paperclips te tellen. 'Voor het geval er voor u wordt gebeld.'

'Eerlijk gezegd,' antwoordde Richard nonchalant, 'heb ik geen idee. Ik heb een afspraak met iemand in de City en ik weet niet precies hoe lang dat gaat duren.'

'Oké, ik blijf achter mijn bureau,' zei mevrouw Clarke. 'Ik ga nergens heen. Tenzij ik natuurlijk nodig moet...'

'Dank u, mevrouw Clarke,' onderbrak Barcley haar.

Het was even stil toen mevrouw Clarke zich de laatste paar zinnen die Richard Barcley had gezegd, nog even voor de geest haalde. 'U doet ongewoon geheimzinnig,' zei ze met een veelbetekenend lachje. Toen ze dit had gezegd, besefte ze tot haar grote schrik dat haar linkeroog zomaar ineens een knipoog had gegeven. Om haar verlegenheid te maskeren plaagde ze hem met moederlijke goedmoedigheid.

'Een geheime opdracht dus. Dat zal ik zeggen tegen de mensen die bellen.'

'Dank u, mevrouw Clarke,' reageerde Barcley voor de tweede keer in even zoveel minuten. Hij had het gevoel dat haar toon en manier van doen de grens tussen professionaliteit en vriendschap had overschreden. 'Ik ben terug wanneer ik terug ben,' zei hij. 'Blijft u nu maar paperclips tellen.'

En daarop liep hij de deur uit.

Hij huiverde toen hij Queen Street in liep en sloeg de kraag van zijn jas op. Terwijl hij dat deed, keek hij even naar nummer 14 aan de overkant van de straat en toen zag hij dat de gordijnen nog steeds dicht waren. Hij had een groot deel van de ochtend het gebouw in de gaten gehouden om te kijken of er tekenen van activiteit waren. Voorzover hij wist was niemand het gebouw in of uit gegaan sinds hij om negen uur op zijn werk was gekomen.

Hij keek op zijn horloge. Het was bijna twaalf uur. Omdat hij bang was dat hij te laat zou komen, versnelde hij zijn pas toen hij de hoek om ging en Cheapside op liep, waarna hij met stevige tred Royal Exchange passeerde en vervolgens Threadneedle Street in liep. Toen hij bij Old Broad Street kwam, stond hij even stil. Ik ben er zo, dacht hij. Ik vraag me af of hij al staat te wachten.

Het was bijna lunchtijd: de secretaresses en bankiers kwamen uit hun kantoren. Maar hoewel de straat vol mensen was, zag Barcley heel duidelijk zo'n dertig meter verderop een lange gestalte staan die een pak papieren in zijn hand hield.

Dat is hem, dacht hij. Dat is hem beslist. Hij was gekleed in een pak met stropdas en droeg een elegante deukhoed die zwierig een tikje scheef stond.

De man draaide zich om zodra hij in zijn buurt kwam. 'Ah, meneer Barcley,' zei hij met een zeer verzorgd Engels accent. 'Het doet me genoegen u eindelijk te ontmoeten. Het spijt me dat ik niet eerder kon. Ik ben meneer Makarezos – we werken in dezelfde straat.'

Barcley kon een glimlach niet onderdrukken toen hij dit hoorde. 'Inderdaad, ja,' zei hij. 'Je zou kunnen zeggen dat we buren zijn.'

Meneer Makarezos glimlachte nu ook en nam aandachtig de drukke straat in zich op. 'Ik heb een tafel in de Hand in Glove gereserveerd,' zei hij. 'Er is boven een privékamer. Schikt u dat?'

'Dat is prima,' antwoordde Barcley. Daarna voegde hij er goedmoedig aan toe: 'Zo lang u niet van plan bent me te ontvoeren.'

Makarezos fronste zijn wenkbrauwen. 'Er wordt niemand ontvoerd,' zei hij, zijn stem dempend. 'Maar er loopt wel iemand het risico gedood te worden – en daar moeten we nodig over praten. In het geheim.'

Bij een lunch van paling in gelei en *steak and kidney pudding* onthulde meneer Makarezos heel veel over wie hij was en waarom hij Edward had gevolgd.

'Wat ik u ga vertellen moet met de grootste discretie behandeld worden,' begon hij. 'Ik hoop dat u als advocaat kunt inzien hoe belangrijk het is dit geheim te bewaren. Als men erachterkomt dat wij elkaar ontmoet hebben – ja, dan lopen we allemaal gevaar.'

'Mijn lippen zijn verzegeld,' zei Barcley nog voordat hij besefte dat zijn lunchpartner deze uitdrukking niet begreep. 'Wees maar niet bang,' zei hij. 'Ik zeg niets.'

Meneer Makarezos vertelde Barcley eerst dat hij inderdaad de persoon was die Edward had gevolgd. 'Ik moest erachter zien te komen hoeveel hij wist,' zei hij, 'en hoeveel gevaar ík liep.'

'Hoeveel gevaar ú liep?' herhaalde Barcley ongelovig.

'Ja, inderdaad – meneer Trencom is een pion in een zeer gevaarlijk spel geworden,' zei Makarezos. 'En hij zou ons best wel eens allemaal te gronde kunnen richten. Er zijn veel mensen die hem als hun heiland beschouwen – en er zijn veel mensen die hem, en mij, en u ook misschien, dolgraag dood zouden willen zien.'

'U praat in raadselen,' zei een gefrustreerde Barcley. 'En ik kan u helaas helemaal niet meer volgen. Kunnen we opnieuw beginnen – bij het begin? Vertelt u mij nu eens tot welk kamp u precies behoort.'

Makarezos lachte zachtjes. 'Om u de waarheid te zeggen: tot geen van beide kampen,' zei hij. 'Of preciezer geformuleerd: ik wens tot geen kamp te behoren. Ik bevind me namelijk in een uiterst kwetsbare positie.'

Hij boog zich over de tafel heen en legde Barcley uit dat hij ingehuurd was door krachten in Griekenland die Edward Trencom uit de weg wilden ruimen. 'Ik kan u niet vertellen waarom, althans, nu nog niet,' zei hij. 'U zult gewoon op goed vertrouwen van me moeten aannemen dat veel mensen hem dood wensen.'

Makarezos legde uit dat hij instructies had om Edward te schaduwen, erachter te komen hoeveel hij over zichzelf en zijn familiegeschiedenis wist, en hem vervolgens te lozen.

'Te lozen?' zei Barcley.

'Hem te doden,' fluisterde Makarezos. 'Hem uit de weg te ruimen.'

Barcley hapte naar adem toen hij dat hoorde. 'Ja, en?'

'Ik ben tot de ontdekking gekomen dat ik mijn orders niet kan uitvoeren,' vervolgde Makarezos. 'Ten eerste heb ik ontdekt dat meneer Trencom heel weinig van zijn familiegeschiedenis afweet. Ik denk dat hij vaag op de hoogte is van het feit dat zijn familie door de helft van de koningshuizen van Europa werd gezocht voordat die ten slotte in Piddletrenthide belandde. En ik weet ook dat hij zonder hulp van buitenaf waarschijnlijk niet veel verder zal komen.

Ten tweede, tja...' Makarezos zuchtte lang en zacht. 'Ik weet niet goed hoe ik dit uit moet leggen,' zei hij, 'want u zult me misschien niet geloven.'

'Probeer het maar eens,' zei Barcley. 'Ik ben advocaat. Je kunt me alles laten geloven.'

'Hebt u wel eens dat u naar muziek luistert en dat u dan merkt dat die tot in het diepst van uw ziel doordringt? Leest u wel eens een boek dat u vanbinnen raakt? U doet huiveren? Is het niet zo dat u dan degene die het heeft gecreëerd wilt ontmoeten? U voelt dan intuïtief dat die iets bijzonders moet hebben, iets wat hem anders maakt dan anderen. Iets wat... de ziel raakt.'

Barcley knikte instemmend, hoewel hij moest bekennen dat hij in zijn leven nog nooit iets dergelijks gevoeld had. De thriller die hij momenteel las irriteerde hem zelfs mateloos omdat hij vanaf bladzijde tweeëndertig al wist dat dokter McLachlan het gedaan had.

'Nou... dit klinkt misschien belachelijk,' vervolgde meneer Makarezos, 'maar zo is het ook met Edward Trencom. Zo'n twee weken geleden nam iemand – zijn identiteit doet er niet toe – een touloumotyri van meneer Trencom voor me mee. En zal ik u eens wat vertellen? Het was de beste, fijnste, uitzonderlijkste touloumotyri die ik ooit had geproefd. Hij bracht me in één keer terug naar mijn jeugd, naar mijn dorp in Griekenland, waar mijn oom altijd diezelfde kaas maakte. En zodra ik hem had geproefd, en had ontdekt dat meneer Trencom zelf die kaas had geselecteerd, besefte ik dat ik mijn orders niet meer kon uitvoeren. Weet u, meneer Barcley, er zijn vele honderden lokaal geproduceerde touloumotyrikazen. Toch had hij de allerbeste van heel Griekenland uitgekozen: een kaas die zo ongeveer volmaakt was. En op dat moment wist ik dat ik iemand die zo'n goddelijk geïnspireerde neus bezat, niet kon doden. Het zou... tegen de natuur indruisen. En tegen God.'

Barcley veegde de jus die over zijn kin droop weg en probeerde zich de precieze woorden in te prenten die Makarezos had gebruikt. Edward zal alles willen weten, dacht hij. Tot in de kleinste details.

'Juist ja,' zei Barcley, toen het duidelijk was dat Makarezos uitgesproken was. 'En werd u daarom misschien onlangs in de bovenste kamer van uw kantoor bedreigd? Dat was op de vijfde om ongeveer half zes, als ik me niet vergis. Ik heb het allemaal gadegeslagen.'

'Ze beginnen vermoedens te krijgen,' zei Makarezos. 'Ze vermoeden dat ik ben overgelopen. En daarom moest ik bij de winkel inbreken. Ik moest zoeken naar datgene wat ze het liefst wilden hebben.'

'En dat is?'

'Dat is iets waarover ik u niets kan vertellen,' zei meneer Makarezos, terwijl hij met zijn vingers op de tafel trommelde. 'En wel omdat het leven van meneer Trencom dan nog meer in gevaar komt. Bovendien speelt het geen rol meer. Hij had er geluk aan dat het document niet meer in handen van de familie Trencom is. Het bevindt zich bijna zeker in Griekenland.'

Richard Barcley nam een grote teug bier en leunde tegen de rugleuning van zijn stoel.

'Wie bent u eigenlijk?' zei hij ten slotte. 'Excuseer me dat ik het vraag, maar bent u toevallig verwant aan Nikolaos Makarezos?'

Het was lang stil terwijl Barcleys tafelgenoot de voors en tegens van het vertellen van de waarheid afwoog.

'Ja,' zei hij heel weloverwogen. 'Dat ben ik. Hij is mijn neef. Maar dat is iets wat u beslist voor u moet houden. Ik herhaal: beslist voor u moet houden.'

'Mmm...' zei een steeds ongeduldiger wordende Barcley. 'En wat gaat er nu gebeuren? Wat is de volgende stap?'

'We moeten tijd zien te rekken,' zei Makarezos. 'In Griekenland verandert alles snel. Binnenkort zal alles het crisispunt bereiken en dan zal de winnaar het lot van meneer Trencom beslechten. Tot die tijd moeten we met de grootste voorzichtigheid te werk gaan. Uw vriend moet zo normaal mogelijk doorleven. Ik zal hem blijven volgen, want dat zijn mijn orders, maar hij moet nooit proberen met me in contact te komen. En hij moet nooit naar ons kantoor in Queen Street komen. Zolang hij niets doms doet, zal hij geen gevaar lopen – althans, voorlopig.

En dan nog iets, meneer Barcley. Zou u hem eraan willen herinneren dat het van het allergrootste belang is dat hij afziet van verder onderzoek naar de herkomst van zijn familie? Want dat is de zekerste en snelste manier om de dood te vinden.'

'Tjongejonge,' zei Edward later die avond. 'Ik weet niet wat ik ervan moet denken. Echt niet. Enerzijds zijn er mensen die me blijkbaar willen vermoorden. Dat is verontrustend. En anderzijds zijn er mensen die me als hun heiland zien. Maar wat mijzelf betreft, ach, weet je, Richard, ik wil alleen maar mijn stamboom uitzoeken en, nou ja, gewoon mijn rustige leventje weer oppakken.'

Barcley nam een slokje wijn en schudde meelevend zijn hoofd. Hij was na zijn werk even bij Edward langsgegaan om hem alles over zijn lunch met meneer Makarezos te vertellen. Maar hij had nog niet alles verteld, of hij besefte al dat hij maar heel weinig te weten was gekomen.

'Het enige wat wel duidelijk lijkt,' zei hij, 'is dat je met je familieonderzoek moet ophouden. Vandaag nog. Nu. Vanavond. Ze letten op alles wat je doet, Edward. Werkelijk álles. Je zult het niet voor hen verborgen kunnen houden. En hoewel we weten dat meneer Makarezos momenteel aan onze kant staat – of moet ik zeggen: aan jouw kant? – kunnen we niet weten of hij niet weer van gedachten zal veranderen. Hij is tenslotte verwant aan de mannen die nu over Griekenland heersen. Het is een en dezelfde familie.'

Edward keek Barcley aan alsof hij gek was. 'Uitgesloten,' zei hij botweg. 'Dat is absoluut uitgesloten. Als iets me ervan heeft overtuigd dat ik méér over mijn familie te weten moet komen, dan is het wel wat je me zojuist verteld hebt. Je hebt het bij het verkeerde eind, Richard. Ik moet dit mysterie tot de bodem uitzoeken, en wel heel snel, en het is me heel duidelijk dat ik daarbij door niemand geholpen zal worden. Ga maar na: ik heb contact gehad met allebei de mannen die bij dit... dit complot betrokken zijn. En toch ben ik daardoor vrijwel niets wijzer geworden.'

Richard krabde op zijn hoofd, nam nog een slok wijn en zag vanuit zijn linkerooghoek dat er een hooiwagen op zijn schouder was geland, hoewel het daar helemaal de tijd niet voor was. Langzaam en met zo weinig mogelijk beweging tilde hij zijn rechterhand op... hoger... nog hoger, ter voorbereiding op de verplettering van het ongelukkige dier. Maar iets deed hem stokken. De hooiwagen hield twee van zijn langste poten schuin, wreef ze met duidelijk plezier tegen elkaar, en vloog toen de kazige lucht in, en in diezelfde fractie van een seconde liet Richard zijn hand neerkomen, die met kracht in aanraking kwam met zijn inmiddels lege schouder. 'Au!' riep hij uit, terwijl hij het dier zag wegvliegen. 'Rotbeesten.' Hij schudde zijn hoofd, alsof hij door een nieuwe gedachtegang werd afgeleid. 'Tussen twee haakjes,' zei hij, 'wat heb je eigenlijk wél over die ouwe Charles Trencom ontdekt? Dat heb je me nooit verteld.'

'Het gaat niet zozeer om wat ik heb ontdekt,' zei Edward, 'als wel om wat ik niet heb ontdekt. En wat me het meest van alles intrigeert, is de vraag waarom dit Griekse Comité uitgerekend Charles Trencom uitkoos om naar Griekenland te gaan – dat is vreemd. En nog verwonderlijker is het feit dat hij ja zei.'

Richard pakte een map met documenten en dacht na over de vraag waarom Charles Trencom naar Griekenland kon zijn gegaan. 'Er is altijd een logische manier om zulke dingen aan te pakken,' adviseerde hij. 'Onderschat de logica nooit, Edward – die voorziet me al ruim tien jaar van klanten. Oké, laten we nog eens naar al het bewijs kijken.'

Barcley nam de kleine stapel papieren door die Edward op het altaar had neergelegd. 'Eens kijken. Twee, nee, dríe brieven. Diverse verwijzingen naar dat Griekse Comité en – zo, zo, ouwe kerel – deze brief is door Byron zelf ondertekend. Die zal wel een lieve duit waard zijn. Let wel, ik heb Byrons gedichten nooit kunnen pruimen:

De bergen kijken op Marathon –
en Marathon kijkt op de zee,
ik zit er een uur te peinzen, dromend
dat Griekenland toch nog vrij zal zijn.

Is dat niet uit *Don Juan*? Ik weet nog dat ik dat op school bestudeerd heb. Vreselijk. Ik hou meer van Betjeman.'

Edward schraapte zijn keel. 'Dit, Richard,' zei hij, het pakje brieven van Byron in zijn hand houdend, 'is een van de opwindendste dingen die ik tot dusver heb gevonden. Stel je voor: een voorvader van mij, iemand aan wie ik rechtstreeks verwant ben, was bevriend met Lord Byron. Is dat niet opwindend?'

'Tamelijk, ja,' antwoordde Barcley met zijn voorspelbare gebrek aan hartstocht.

'Támelijk?' riep Edward uit. 'De brief die je daar vasthoudt is door Byron zelf geschreven. Hij ging op een dag zitten met dát vel papier voor zich. Hij pakte zijn ganzenveer. Hij schreef die woorden. Dat is echt zíjn handschrift. Ik kan je wel vertellen, Richard, dat dit mooier is dan munten verzamelen.'

'Hmm – ik weet niet of we het wel met elkaar eens zijn,' zei Richard. 'Ik weet niet eens of ik zou willen dat mijn familie iets te maken had met Byron. Qua zwarte schaap en zo.'

'Nou, ik ben maar al te blij dat ik iets te maken heb met Byron,' zei Edward. 'En ik ben nog blijer dat een van de brieven Charles bij naam noemt. Moet je horen, Richard, moet je horen wat Byron aan Sir Frances Burdett schrijft. Wacht even, waar staat het nou? Ah, hier heb ik het. "Ik beschouw de heer Charles Trencom niet helemaal als de Griekse held die ik momenteel nodig heb, noch komt hij mij voor als de held die u hem acht. Mijn Griekenland, mijnheer, is het Griekenland van de klassieken! Het nobele Griekenland van Sofokles! Het wijze Griekenland van Plato! O Socrates, waar zijt gij? O Aristofanes, waar is uw scherpzinnigheid? Een onafhankelijk Griekenland, mijnheer, heeft behoefte aan de meest hoogstaande geesten, niet aan de meest ontaarde."'

Barcley floot zacht. 'Dat is onnodig onaangenaam,' zei hij met een gesmoord lachje. 'Helemaal niet vriendelijk. Nou, één ding is wel zeker, Edward. Die familie van jou wist Lord Byron wel goed kwaad te maken.'

'Zeker,' gaf Edward toe. 'Maar waar slaat het op? En wat dacht je hiervan?' Hij pakte een andere opgevouwen brief. 'Dit,' zei hij, 'is even onbegrijpelijk. Het is een brief van Charles aan zijn vrouw Caroline. Kijk maar eens goed – lees hem zorgvuldig door. Dan zul je zien dat er iets niet klopt, iets sinisters.'

Richard vouwde de brief open en las hem van begin tot eind. Hij was geschreven in een ragfijn, lopend schrift, dat netjes over de bladzijde verdeeld was. 'Siníster?' zei hij op verbaasde toon. 'Of het siníster is weet ik zo net nog niet. Je hebt me al verteld dat Charles ziek was... een soort koorts? En je zei ook dat Misso...'

'... longhi...'

'Ja, longhi, berucht was om zijn koortsen.'

'Ja, Richard, dat was het ook. Maar je hebt toch gelezen wat Charles zei: hij beweert dat hij is vergiftigd. Vergiftigd door de arts die hem had moeten genezen.'

'De wanen van een krankzinnige geest,' zei Barcley. 'Ik heb het ook bij een van mijn cliënten gezien. Kan niet zeggen welke – beroepsgeheim en zo. Maar stervenden denken zich vaak een complete waantoestand in. Dat is een welbekend feit. Er is zelfs een naam voor.'

'Het wil er bij mij niet in dat Charles aan wanen leed.' Edward was steeds geanimeerder geworden. Hij greep de brief om er hardop de desbetreffende zin uit voor te lezen. 'Kom op, Richard. Logica, logica. Dat heb je zelf gezegd. Vind je het niet vreemd dat beide mannen, zowel Byron als Charles, op dezelfde dag op hetzelfde tijdstip aan dezelfde symptomen stierven?'

Edward zweeg even en bladerde door de andere stapel. 'En we moeten ook niet vergeten dat mijn váder onder vreemde omstandigheden om het leven kwam, hmm? Evenals mijn gróótvader. En nu, Richard, blijkt ook mijn overgrootvader vermoord te zijn. En wat mijn betovergrootvader, Henry, betreft – die werd doodgeschoten door de lijfwachten van de Turkse sultan. Het zou bijna een boerenklucht kunnen zijn, als het niet zo sinister was geweest. Naar mijn mening zou het dan ook helemaal niet zo onlogisch zijn te veronderstellen dat misschien ook Charles Trencom uit de weg werd geruimd. Naar de andere wereld werd geholpen.'

'Daar zit wat in,' moest Barcley toegeven, terwijl hij nadacht over wat meneer Makarezos hem tijdens de lunch had verteld. Hij nam nog een glas wijn en draaide de wijn rond in het glas. 'Mmmm... lekker. En als je het niet erg vindt, wil ik nog wel een stukje van die tou...'

'... loumoutyri.'

'Ja. In één ding had die Makarezos gelijk. Hij is inderdaad heerlijk. Weet je, Edward? Je kunt de geit bijna próéven.'

Hij hield een stukje bij zijn neusgaten en Edward volgde zijn voorbeeld. Maar toen hij dat deed...

'Richard,' zei hij langzaam, 'er is nog iets, en dat is nog wel het vreemdste van alles. Er is me vandaag iets overkomen – iets hoogst eigenaardigs. De hele dag hou ik nu al kaas bij mijn neus, enne... dan gebeurt er niets. Ik kan niets ruiken.'

Richard liet een zacht, langgerekt gefluit horen. 'Zooo... Niet eens deze stinkende ouwe geit? Hoe lang is dat al zo? Is het vandaag begonnen?'

'Nee,' antwoordde Edward. 'Als ik het me goed herinner, begon het een paar dagen nadat ik die papieren had gevonden. En, ja, sindsdien gebeurt het steeds.' Zijn stem stierf even weg toen hij zich afvroeg of hij door zou gaan of niet. 'Weet je – het mag misschien belachelijk klinken, maar het lijkt wel of er een verband tussen die twee dingen bestaat. Die documenten en mijn reukzin. Ik heb maar steeds het gevoel dat mijn neus me ergens voor probeert te waarschuwen, alleen waarvóór is me helemaal niet duidelijk.'

'Hè?' snoof Richard verontwaardigd. 'O, Edward, nu is je fantasie wel erg op hol geslagen.'

'Nee, Richard. Geen grapjes. Ik meen het. Het lijkt wel of die figuren uit het verleden – mijn eigen voorouders – op de een of andere manier spelletjes met mijn neus spelen. Neem nou deze touloumotyri. Ik weet dat hij naar geit ruikt, zelfs stinkt, en toch kan ik op dit moment niets ruiken.'

Richard stond op het punt verontwaardigd te snuiven, maar de opkomende lach werd – of hij wilde of niet – gesmoord door een brokje touloumotyri dat bij zijn luchtpijp bleef kleven. Toen hij zich verslikte bracht de schrik hem terug in de werkelijkheid. 'Tja, tja,' zei hij ernstig. 'Ik geef het niet graag toe, maar er zit toch wel iets in. Weet je nog wat je me over je opa – heette hij niet George? – vertelde? Dat ook hij klaagde dat hij zijn reukzin kwijt was?'

'Ja, inderdaad,' bevestigde Edward. 'En Emmanuel, mijn overgrootvader, ook.'

Richard nam nog een paar slokken wijn om het laatste restje touloumotyri weg te spoelen en trommelde toen met zijn vingers op het altaar. 'Misschien is dit het verkeerde moment om dit aan te snijden,' zei hij, 'maar misschien ook niet. Ik weet niet goed hoe ik dit moet zeggen, ouwe jongen, maarre… er is iets wat ik je al een paar weken wil zeggen. Alleen wist ik niet hoe.'

Edward keek zijn vriend vragend aan.

'Kijk, het zit zo. Als ik helemaal eerlijk ben, moet ik zeggen dat je momenteel niet helemaal jezelf lijkt. Ik hoop dat je me niet kwalijk neemt dat ik het je, als een goede vriend natuurlijk, zeg, maar je gedraagt je de laatste tijd, hoe zal ik het zeggen, een beetje vreemd.'

Precies op dit moment, toen Barcley deze woorden net had gesproken, kwam er ergens uit de diepten van het gebouw een schokkend gekreun. Het was een heel spookachtig geluid – het kwam op Edward over als een kruising tussen een diepe zucht en een geeuw – dat zo laag was dat de stenen vloer er enigszins door leek te gaan trillen.

'Jezus, Edward!' riep Barcley uit. 'Wat was dat in godesnaam?'

Edward schudde zijn hoofd. Hij was plotseling bleek geworden en hij zag dat zijn handen onbeheersbaar trilden. 'Ik heb geen idee,' zei hij. 'Geen flauw idee. Maar ik ben blij dat jij er bent. Je bent mijn getuige. Het lijkt wel of… of er ergens onder het gebouw iets uit een slaap ontwaakt.'

De twee mannen stonden in totale stilte te wachten, half hopend dat ze het geluid nog eens zouden horen. Maar dat gebeurde niet. Alles was schijnbaar weer bij het oude in de Middeleeuwse keldergewelven van Trencoms.

Toen er een paar minuten voorbij waren gegaan zonder dat het geluid zich had herhaald, begonnen beide mannen zich te ontspannen.

'Ik weet het niet,' zei Barcley met een langgerekte zucht. 'Soms denk ik dat ik degene ben die niet helemaal meer spoort. Logica,

logica. Misschien heb ik me te lang met logica beziggehouden. Het probleem is, Edward, dat het ingebakken zit. We zijn al zo lang ik me kan heugen advocaten. En de logica zit al generaties lang in mijn familie. Voor ons is één plus één altijd twee geweest, terwijl het in jouw familie naar ik vermoed vaak drie is geweest, en ook vier of vijf?'

Hij ging op een doos met kazen zitten en probeerde de logica uit zijn gedachten te bannen. 'Oké – laten we nu eens lang en goed hierover nadenken. Zou het kunnen dat een deel van jouw brein je neus op het verkeerde spoor brengt? Of is het je neus die je brein de weg doet kwijtraken? Of beide? Of geen van beide? We moeten het vanuit verschillende gezichtspunten bekijken alvorens tot een soort conclusie te komen.'

'Weet je wat het is,' zei Edward. 'Ik ben op dit moment helemaal mezelf niet. Sinds die ontdekking, sinds ik aan dat familieonderzoek ben begonnen, heb ik… ben ik helemaal mezelf niet meer.'

Edward kwam veel later dan anders thuis. Zijn wangen waren rood van de wijn die hij met Richard Barcley had gedronken en hij had iets opgewekts in zijn stap. De voorgaande dagen was zijn wandeling van het station naar huis vervuld van angst geweest. Hij wist nooit of hij werd gevolgd, of iemand hem gadesloeg. Nu was hij om de een of andere reden plotseling in een opperbeste stemming. Toen hij van de Streatham Hill richting huis liep, had hij steeds meer het gevoel gekregen dat zijn leven al met al veel opwindender was geworden de laatste tijd. Weliswaar was hem een aantal bijzonder vervelende dingen overkomen en verkeerde hij ook duidelijk in groot gevaar. En toch was het leven oneindig veel spannender wanneer het vol verrassingen was.

''Navond, meneer Trencom. Hé, wat ziet u er vrolijk uit vanavond.'

Dat was mevrouw Salmon van nummer 36. 'U ook goeienavond, mevrouw Salmon. Ja, inderdaad, ik voel me ook vrolijk.'

Edward zwaaide opgewekt naar haar en liep door. Hij was bijna thuis en kon al de rechthoek van licht van zijn huiskamerraam zien. Bijna thuis, bijna thuis. Eens denken – zal ik tegen Elizabeth zeggen dat ik weet dat ze met Richard heeft gepraat? Nee, misschien beter van niet. Geen slapende honden wakker maken, althans, nog even niet.

Edward stak zijn sleutel in het slot en draaide hem kwiek om.

'Dag!' riep Elizabeth. 'Ben jij het?' Ze kwam de keuken uit en gaf Edward een kus op zijn linkerwang en toen nog een op zijn lippen. 'Alles goed? Je ziet er blij uit. Zo blij heb ik je lang niet gezien.'

'Alles is tiptop in orde,' zei Edward. 'Sorry dat ik een beetje laat ben, maar...' Hij nam zijn vrouw van top tot teen op en toen hij dat deed voelde hij plotseling een onbeheersbare tinteling in zijn aderen.

'Ik weet niet goed hoe ik het moet zeggen, schat, maar... ik stel voor... tenzij je goede redenen hebt om iets anders te willen... dat we binnen de komende drie minuten... zo om en nabij... naar boven gaan... naar bed. Of beter nog: ach, waarom niet? Hier en nu... kan ook heel goed.'

Elizabeth liet een lachje horen dat op niet weinig medeplichtigheid duidde. 'Jeetje – ik weet niet goed wat ik met zo'n voorstel aan moet,' zei ze gespeeld ernstig. De nieuwe Edward had een kant die ze beslist opwindend vond. 'Maarre... als u aandringt, meneer Kaas... dan sta ik zo tot uw beschikking.'

'Geen sprake van,' antwoordde hij. 'Ik heb slechts een paar minuten. Weet u wat het is, mevrouw Trencom? Dit is een zeer dringend geval – er is geen tijd om naar boven te gaan.'

Hierop ging Edward over tot het uittrekken van de blouse en rok die zijn vrouw droeg – de eerste keer in zijn hele leven dat hij ook maar geprobeerd had zijn vrouw te ontkleden. Hij zou overgestapt zijn op haar ondergoed, als hij daarvoor de tijd had gehad. Maar Elizabeth was hem te snel af. Ze maakte haar beha los, liet haar broekje zakken en keerde zich helemaal naakt naar hem toe.

'Zo. Vrolijk kerstfeest!' zei ze.

Edward slikte even en trok toen ook zijn kleren uit. Noch hij, noch Elizabeth stond erbij stil dat de gordijnen nog open waren. Noch leek het hun te deren dat alle lichten nog aan waren. Voordat je 'alsjeblieft' of 'dank je wel' had kunnen zeggen, zaten een geanimeerde meneer Trencom en een opgewonden mevrouw Trencom al midden in een reeks van twaalf calorieverslindende liefdesronden.

'Goeie genade,' riep mevrouw Hanson van nummer 47 aan de overkant uit, toen ze op dat moment vanuit haar slaapkamer op de bovenverdieping hun woonkamer in keek. 'Wat zijn díé aan het doen?'

'Bofferd,' mompelde meneer Clarkson van nummer 43, die van achter de gordijnen naar hen gluurde. 'Ik zou me wel in zijn positie willen bevinden.'

'En ik ook,' voegde meneer Waller, van nummer 39, eraan toe. 'Hij boft maar, die meneer Trencom.'

En dat was zeker waar.

IV

24 februari 1969

Drie dagen na dit uiterst genoeglijke samenzijn nam mevrouw Trencom de trein naar de stad. Tegen lunchtijd bevond ze zich in de buurt van Trencoms en besloot ze Edward met een bezoekje te verrassen.

Ik ben al in geen weken in de winkel geweest, dacht ze. Ik wip even langs om gedag te zeggen. Ze liep Trump Street uit en sloeg toen rechts af Lawrence Lane in, het smalle straatje waaraan Trencoms lag. Het was zo'n heerlijke lenteochtend die Elizabeth deed denken aan haar jeugd. Ze zag dat de voorgevel van de winkel in het zonlicht baadde, zodat alle onregelmatigheden in de ruiten – de belletjes, bobbels en rimpels – opvielen. De kazen die in de etalage stonden, raakten vertekend door het glas en zagen eruit alsof ze zo verhit waren dat het oppervlak was gesmolten en uitliep. Elizabeth draalde nog wat en staarde door een van de onregelmatige ruiten naar binnen. Ze kon het hoofd van haar man heel duidelijk zien en het was wonderlijk hoe opvallend zijn neus werd door de onregelmatigheden in het glas en hoe hij tot een vreemde vorm werd verwrongen. Ze deed haar hoofd iets naar opzij en toen was de neus weer normaal. Maar nu was zijn achterhoofd verwrongen. Het was door de werking van de ruit langer geworden.

Nu heb ik wel genoeg spelletjes gedaan, dacht ze; ze deed de winkeldeur open en hoorde de bel zijn vertrouwde ringe-dinge-dinggeluid maken.

'Goedemiddag, goedemiddag,' zei meneer Trencom terwijl hij

nerveus opkeek van zijn blocnote. 'Hé, dag schat! Wat een leuke verrassing. Ik was helemaal vergeten dat je naar de stad ging.'

'O, Edward,' zei Elizabeth quasibestraffend. 'Wat ben je toch ook een sufferd. Onthoud je dan nooit iets? Ik heb je vanmorgen nog gezegd dat ik de gordijnen moest ophalen, weet je nog?'

'O ja,' antwoordde Edward. 'Nou, het is heel leuk dat je even gedag komt zeggen. Kom, laten we naar beneden gaan.'

Hij riep naar meneer George, die beneden in de kelder bestelformulieren zat in te vullen, en vroeg hem of hij de klanten kon bedienen terwijl hij er even tussenuit ging.

Elizabeth keek om zich heen in de winkel en schrok een beetje van wat ze daar zag. Een terloopse blik op de uitgestalde kazen was al voldoende om haar ervan te overtuigen dat er bij Trencoms iets mis was. Het was in de winkel altijd de gewoonte geweest de populairste kazen op de marmeren toonbanken uit te stallen. Maar ze merkte dat er minder dan de helft van het normale aantal stond uitgestald en dat een groot aantal favorieten ontbrak. Er was geen epoisses en ook geen emmentaler. En waar stond de goudse? Het drong ook tot Elizabeth door dat er van sommige kazen die er wel stonden, niet veel voorraad was. Er lagen maar drie Belgische remoudous op de toonbank en de Californische monterey jack was bijna op.

'Edward, schat,' zei ze toen haar man weer verscheen, 'waarom zijn zoveel kazen op? Ik krijg duidelijk de indruk dat monsieur d'Autun toch gelijk had – er ontbreken veel kazen die er anders wel zijn.'

'Eh – nee, nee, nee,' reageerde Edward. 'Ik moet alleen nog maar wat kaas uit de kelder halen. Ik was juist van plan dat later op de middag te doen.'

Hij stopte een havermoutkoekje in zijn mond en begon er krachtig op te kauwen, waarbij hij het soort krakend geluid maakte dat nog meer lastige vragen moest voorkomen. 'Wees maar niet bang. Het is waar dat we problemen hebben met een paar bestellingen – maar wie heeft dat niet? Die rottige bonden ook. Maar ach, we doen het al driehonderdzeven jaar goed en'

– krak, krak – 'ik heb er het volste vertrouwen in dat de zaak nog wel een paar jaar zal meegaan.'

Hij sloeg zijn arm om Elizabeths middel en voerde haar zo mee naar de houten trap. 'Kom, laten we uit de winkel ontsnappen en de kelder in gaan. Er zijn daar een paar familiepapieren die ik je graag wil laten zien – en een paar kazen die ik je wil laten proeven.'

Terwijl Edward op zoek ging naar een Pyrenese moulis, nam Elizabeth de gelegenheid te baat om door de keldergewelven te dwalen, iets wat ze al vele maanden niet meer had gedaan. Toen ze door Bourgondië en de Jura waarde en in de almen van het Zwitserse Valais terechtkwam, voelde ze een toenemende onrust. Er klopte iets niet – er klopte iets helemaal niet.

'Edward?' zei ze, toen ze het hoofd van haar man boven twee stapels Slovaakse oschtjepek zag uitkomen. 'Het voelt hier vochtig – heel vochtig.'

'Onzin,' zei hij, terwijl hij een paar kratten doorzocht om de Servische katschkawalj te vinden. 'Niet vochtiger dan anders. Bovendien houdt kaas van vocht, schat.' Zijn stem klonk gesmoord toen hij zich bukte om een Transsylvanische monostorer te vinden. 'O ja... vijfentachtig procent luchtvochtigheid. Daar houdt kaas van.'

'Hmmm,' zei Elizabeth, die verre van overtuigd was. 'Waar is die luchtvochtigheidsmeter gebleven? Hij zat altijd bij de trap. Ik weet zeker dat het vochtiger is dan het zou moeten zijn.'

'De luchtvochtigheidsmeter – de luchtvochtigheidsmeter,' herhaalde Edward, die zich halverwege de Dolomieten en de Apennijnen bevond. 'O ja, die is een paar weken geleden stukgegaan. Verdorie – goed dat je me eraan herinnert. Ik neem me steeds voor hem te laten maken.'

Elizabeth liep verder de kelder in, langs de piora uit Ticino en de saanen uit het Berner Oberland. Toen ze merkte dat het in de zijkapellen veel minder vochtig was, liep ze terug naar Oost-Frankrijk, waar ze een bleu du haut-jura oppakte die op een halfgeopend krat was blijven liggen. Ze rook eraan en wreef met haar vinger over het gladde oppervlak. Wat gek. Toen ze er beter keek, zag ze dat zowel haar vinger als de kaas bedekt was met een stoffige laagje schimmel.

'Edward,' riep ze, en ze vertelde hem haar bevindingen. 'Weet je zeker dat dat klopt? Hoort het zo te zijn?'

'O, hou toch op met dat getob, schat,' antwoordde Edward, die een paar papieren doorbladerde die op het altaar lagen. 'Er is niets aan de hand. Een bleu du haut-jura zei je? Ja, natuurlijk moet die schimmelig zijn – penicillium glaucum, om precies te zijn.'

'Dat weet ik, Edward, maar deze schimmel zit óp de korst, en niet erin. En ik mag dan geen deskundige zijn, maar ik weet zeker dat het niet klopt.'

Edward luisterde nauwelijks. 'Als er problemen met onze kazen waren, liefje, dan zou ik de eerste zijn die het wist. Herinner je je mevrouw Burrows nog? Die klaagt altijd als er iets niet goed is aan een kaas.'

Hij wachtte even en keerde zich toen met een gretige glimlach om naar Elizabeth. 'En als je nu zo vriendelijk zou willen zijn om met me mee te gaan naar Noord-Spanje – ja, hier, tussen de kazen van Asturias – dan is er nog iets wat ik even met u zou willen afhandelen, mevrouw Trencom.'

'O, Edward! Niet hier!' zei Elizabeth. 'We kunnen het echt niet hier doen!'

'En waarom niet?' antwoordde haar man. 'Het zal je toch niet iedere dag overkomen dat je in de bergen van Noord-Spanje kunt vrijen.'

'Ik had nooit gedacht,' fluisterde Elizabeth zo'n vijf à zes minuten later, 'in geen miljoen jaar, dat ik in zoiets zou toestemmen. Maar, meneer Trencom,' zei ze, terwijl ze haar rok rechttrok en de kreukels gladstreek, 'u hebt werk te doen, en ik moet gordijnen ophalen. Ik zie u vanavond.'

Ze wierp Edward een kushand toe en liep de houten trap weer op. 'En niet vergeten,' zei ze, 'om dat vochtigheidsding te laten maken.'

V

16 augustus 1774

Joshua Trencom is in een uiterst opvliegende bui. Zijn pruik jeukt de hele ochtend al (hij vermoedt dat het ding vol vlooien zit) en zijn spit heeft zich uitgebreid naar zijn dijen. En nu is tot overmaat van ramp Dorothea, zijn vrouw, als een viswijf tegen hem aan het krijsen.

'Nee, nee, nee, Josh Trencom – je mag je van alles in je hoofd halen, maar je hebt me niet naar het altaar geleid om me in Londen als weduwe achter te laten. Dorothea zegt nee – jij gaat niet naar het buitenland.'

Joshua laat zijn hand onder zijn pruik glijden en krabt krachtig. Er zit een dun stoppellaagje dat de schrammen en korstjes op zijn hoofd verergert. Mijten of vlooien? Hij weet het niet, maar het verontrust hem hevig dat zijn vingers onder het bloed zitten.

'Die smerige dingen ook,' zegt hij, 'en verd… dame, ik tolereer niet dat je mij zo toespreekt.'

Nadat hij zich weer op het hoofd heeft gekrabd, stormt hij de winkel door en gaat via de oude houten trap de kelder in.

Joshua Trencom slaat een komisch, welhaast belachelijk figuur. Dat komt deels door de bolling bij zijn middenrif die zo rond en strak is als een suffolk rumple. De omvang van zijn buik wordt geaccentueerd door zijn gewoonte te waggelen wanneer hij loopt, want dan wordt zijn buik naar buiten gedrongen, in plaats van naar beneden, wat ogenschijnlijk de zwaartekracht tart. Na een stevige lunch (die hij altijd in de Fox and Grapes gebruikt) staan de knopen op zijn vest onder zoveel spanning dat ze het bijna niet meer houden. Je kunt ze bijna van pijn horen piepen in hun dappere poging weerstand te bieden aan de zacht zwaaiende pens van hun volumineuze eigenaar.

Een lopende Joshua is als een schip in een beukende wind. Zijn onderstel houdt hem op koers, zijn buik deint zachtjes en zijn kaken wapperen vrijelijk in de stevige wind hogerop. 'Hij loopt,' zo zegt meneer Swithen, de nachtwaker, 'alsof hij een kurk in zijn achterste heeft.' En hoewel dit een venijnige opmerking is – en ook de bron van veel vermaak bij de cliëntèle van de Fox and Grapes – is het onmiskenbaar waar. Joshua Trencom komt over als iemand wiens binnenste met een stop is afgesloten.

Toch heeft deze persoon één kenmerk dat hem een zekere nobelheid en charme geeft. Zijn neus! Ja! Zijn neus! Die is lang en recht en er zit een opvallende bobbel op de brug. 'Ah, mijn neus!' zegt hij tegen de klanten die in zijn winkel komen. 'Die is mijn erfdeel en mijn fortuin.'

Joshua's kleren zijn bijna even komisch als zijn omvang. Ze zijn qua snit verouderd en door het dragen gladgesleten en horen eerder bij de tijd van de vorige George, de Tweede, dan bij de George die op dat moment op de troon zit. Op de dag die wij nu beschrijven draagt Joshua in weerwil van de zomerse hitte een geborduurd vest en een tafzijden strikdas, een kniebroek en laarzen met sporen. Maar het meest exotische, ja, beslist het meest zwierige aan hem is zijn driekantige steek, die eruitziet alsof hij herhaalde aanvallen van een bataljon hongerige motten heeft moeten doorstaan.

Joshua Trencom laat zich niet zo gemakkelijk naar de achtergrond dringen, maar er is één persoon in zijn onmiddellijke nabijheid die dat lukt. Dorothea Trencom, meisjesnaam Roudle, is nog veel forser dan haar gemaal Joshua. Ze is ook (vanwege het feit dat ze zichzelf slechts één bad per maand toestaat) iets onwelriekender dan haar ranzige echtgenoot. Ondanks deze tekortkomingen – want zelfs de tijdgenoten die haar sympathiek vinden, beschouwen haar omvang en onaangename geur als buitenproportioneel – heeft Dorothea niet minder dan dertien kleine Trencoms weten groot te brengen, van wie de eerstgeborene, de veertienjarige Charles, haar lieveling is.

Gezette mensen zijn niet noodzakelijkerwijs luidruchtige mensen, maar bij Dorothea Trencom zijn omvang en volume onderling even sterk verbonden als een stuk cheddar en een glas warme gekruide wijn. Zelden gaat er een dag voorbij waarop ze niet kwaad op Joshua wordt en haar stem verheft tot een hoogte en volume waarvoor de koninklijke trompetblazers hun milt te barsten zouden moeten blazen.

We hoeven hieruit niet per se te concluderen dat Joshua en Dorothea Trencom derhalve ongelukkig in de echt zijn. Helemaal niet. Dorothea maakt gewoon graag goed duidelijk (en dan liever met branie dan met brein) dat zij zonder meer de lakens uitdeelt. En dit nu vormt de basis voor een tragikomedie die op 16 augustus 1774 zijn vijfde en laatste akte zal bereiken.

Joshua Trencom heeft naar het schijnt gecorrespondeerd met Vasilios Hypsilantis, een opstandige Griekse hoofdman wiens troepen spectaculaire aanvallen op Turkse troepen in Morea hebben uitgevoerd. De brieven die Joshua heeft ontvangen, hebben hem ervan overtuigd dat Vasilios inderdaad een machtsfactor van belang is en hij verkondigt tegen Dorothea Trencom dat hij van plan is 'een reisje' naar het land der Grieken te maken.

Dorothea's eerste reactie is te spotten met het idee dat haar man zichzelf van zo hoge komaf acht dat hij een grand tour kan ondernemen van het soort dat zo in de mode is bij de hogere klassen in Chelsea en Kensington. Maar wanneer hij zich nader verklaart, wordt ze pas echt ongerust. Had niet ooit iemand gezegd dat er een plaag en een vloek op de familie rustten?

'Nee, Josh, nee,' zegt ze. 'Het was de dood van je vader en het zal ook jouw dood zijn. Nooit, nooit zul je Trencoms verlaten.'

Bovenstaande woordenwisseling vormt slechts het voorspel tot een echtelijke veldslag waarvan het programma al vaststaat, en wel op een schaal die sinds de eerste hertog van Marlborough koning Lodewijk XIV bij Blenheim versloeg, niet meer is waargenomen.

De scène verloopt aldus: in de rechterachterhoek van Trencoms staat de heer Joshua Trencom, die zijn vrouw er beleefd van op de hoogte brengt dat wat ze er ook tegenin moge brengen, hij van plan is naar het Griekse land te varen. In de linkervoorhoek staat (zwaaiend met haar huwelijksvlaggen en -vaandels) de dikke Dorothea, die ernstig van plan is haar gewicht, spieren en diepe boezemspleet in de strijd te gooien om te voorkomen dat haar man dit waanzinnige plan doorzet.

De gemoederen raken verhit. Het volume zwelt aan. Joshua is even rood geworden als een glas bordeaux en wiebelt van woede. Dorothea dampt en begint tegen haar man uit te varen: 'Je bent een zelfzuchtige stomkop, Josh Trencom. Een rotte krab – een waardeloze knolraap.'

Hij zegt dat ze haar waffel moet houden – haar tong moet bedwingen. 'Ik zal mijn tong bedwingen,' krijst ze, 'als jij je voeten bedwingt. Ik word nog weduwe, heus, jaja, met dertien kleintjes, jaja, precies zoals pa Alexander bij jouw ma deed.'

Wanneer Joshua niet in het aas hapt, knapt er ten slotte iets in Dorothea. In een springtij van woede pakt ze de dichtstbijzijnde kaas – een loodzware wilstermarschkäse uit Sleeswijk-Holstein – en smijt die de winkel door. Hij raakt Joshua op de neus – vlak boven de brug – en brengt hem uit zijn evenwicht. Hij wankelt achteruit; zijn adem stokt. En dan komt er ineens een vreemde verandering over zijn gelaat. Zijn blozende wangen worden diep-paars. Hij hapt naar lucht. Onderuitgehaald door de wilstermarschkäse smakt zijn gigantische lijf tegen de grond.

'O, god!' gilt Dorothea. 'O, god!' Ze rent naar haar Josh, maar ze kan niets meer doen om het goed te maken.

'Ik moet naar Griekenland,' roept hij met een wanhopige, schorre stem. Zijn polsslag is zwakker geworden en zijn hart raakt uit zijn ritme.

'Ja, schat,' zegt Dorothea, die plotseling helemaal huilerig is geworden. 'Je gaat erheen, dat beloof ik je, je gaat erheen.'

VI

2 maart 1969, 11 uur 's avonds

Elizabeth Trencoms bezorgdheid over het vocht in kaaswinkel Trencoms zou getuigen van een vooruitziende blik. Al meer dan een week lekte er uit de leidingen die de Lawrence Lane en Trump Street van water voorzagen, water in de ondergrond van klei waarin de kalkstenen muren van de kelder van Trencoms gebed waren. En nu, op de avond van 2 maart, barstte de Victoriaanse buis op spectaculaire wijze open, waardoor duizenden liters water per minuut de omringende klei in spoten. De druk was zo hoog dat het water spoedig spleten en breuklijnen in de ondergrond vond en zich door luchtzakken heen perste en nieuwe geulen vormde. Binnen een paar minuten hadden de eerste stralen en stroompjes zich een weg naar de kelder van Trencoms gezocht, waar ze ongehinderd langs de kalkstenen muren naar beneden liepen en een kleine plas op de vloerplavuizen vormden.

De directe oorzaak van de ramp zou de bron van veel onenigheid vormen in de weken die volgden. Maar het zal niet al te vergezocht zijn om te veronderstellen dat het zware gekreun dat Edward en Richard in de kelder hadden gehoord op de een of andere manier verband hield met het stukgaan van de buis.

Het was bijzonder onfortuinlijk dat het water zich zo snel een weg naar beneden, de keldergewelven van Trencoms in, wist te zoeken. Nauwelijks had het de gemakkelijkste ontsnappingsroute vanuit de gebarsten pijp gevonden, of het stopte al zijn energie in het wijder maken van de geulen en het scheppen van zijn eigen ondergrondse stroomstelsel. Het duurde niet lang of bij de enkele stroom die over de kelderwand liep, voegden zich nog vele andere beekjes en bronnen. Er vormde zich een tweede plas op de keldervloer. En toen een derde. Luttele minuten later voegde de eerste plas zich bij de andere twee en vormden ze samen een veel grotere poel.

De manier waarop het water zich over de vloer van de kelder verspreidde had iets fascinerends. Het spoedde zich met grote snelheid door de kieren en groeven in de plavuizen en zocht dorstig die plaatsen op die al vochtig waren. Door de voegen tussen de plavuizen te volgen, stroomde het in patronen waarin water doorgaans niet stroomt: het sloeg abrupt links of rechts af, kronkelde zich om rechte hoeken heen en vormde kleine plasjes in de deuken en holten van het oude steen.

Het water was eerst de verste hoek van de kleine kapel binnengedrongen, waar de zoute geitenkazen van de westelijke Sahara lagen. De vloer was hier een stukje lager dan elders in de kelder, een gelukkig toeval, want het kwam erop neer dat het water een poos tot één klein gebied beperkt bleef. Het kabbelde vrolijk door de kieren en geulen, totdat het tot staan werd gebracht door het lage opstapje – een omgekeerde waterval – dat de zijkapel scheidde van de hoofdcrypte, waar weer vijf andere zijkapellen in uitmondden.

Nog geen tien minuten nadat de buis was gesprongen, spurtten er al ruim dertig stroompjes over de muren van de kapel. Daar voegden zich algauw fijn verstoven water bij dat uit spleten en breuklijnen in het oude steen siste. Het duurde niet lang of de plassen die zich in de holten hadden verzameld, werden met elkaar verbonden en samengevoegd door middel van de barsten en geulen. De vloer van de kapel stond algauw zo'n drie centimeter onder water.

De opbouw van water uit de buizen was zodanig dat er een enorme druk achter de keldermuren ontstond. Het was net of vijf of zes sterke mannen uit alle macht tegen de in elkaar grijpende steenblokken duwden. De Middeleeuwse metselaars die deze muren hadden gebouwd, waren bedreven vaklieden geweest. Het gewelfde plafond rustte met zijn schouders op het stevige lichaam van de muren en oefende voldoende neerwaartse kracht uit om het bouwsel ruim acht eeuwen lang op zijn plaats te houden. Maar nu werden die muren voor het eerst sinds de bouw door de hoge druk van het water geconfronteerd met een uitdaging die met deze druk wedijverde. Het water begon te borrelen en te bruisen, te wervelen en te woelen; de natte klei werd weggesleten en veranderd in een vloeibare soep, en die werd vervolgens door de kieren tussen de stenen weer uitgebraakt. Langzaam maar zeker ontstonden er achter de keldermuren grote waterreservoirs.

Muren die van gehouwen steenblokken zijn gemaakt, storten anders in dan een muur van gestapelde stenen. Als je daar een steen uit weghaalt, stort er waarschijnlijk – kadoenk – meteen een gedeelte in. Maar de metselaars van het Middeleeuwse Engeland bouwden hun muren met veel meer aandacht voor detail. Men heeft berekend dat bij de meeste kathedraalmuren één op de vijf stenen kan worden weggehaald, en dat het gebouw dan nog gewoon blijft staan. In het geval van Trencoms oefende het plafondgewelf zo'n krachtige neerwaartse druk uit dat het heel goed denkbaar is dat één op de vier stenen weggehaald zou kunnen worden zonder dat de muur instortte.

Water is echter een veel boosaardiger vernieler dan de mens. Deze vloed wilde niet de constructie van de kelder aantasten, noch wenste het de fundering te ondermijnen. Het enige wat het wilde en moest, was een uitlaatklep vinden voor zijn steeds groter wordende frustratie omdat het gevangen zat achter steenblokken.

Het hoefde niet lang te wachten. Het begon te kolken tot het een schuimende massa was geworden die de steeds losser wordende klei wegschuurde en -schraapte. Algauw waren diverse muurstenen van hun steun beroofd. En precies op dat moment raasde er een plotselinge watervloed door de klei heen die met zo grote kracht tegen de muur aan kwam, dat twee gehouwen steenblokken spontaan stukspleten. Aansluitend op deze ramp stortte zich dan ook op datzelfde moment een dikke straal geelbruin water in de ooit zo droge woestijn van de westelijke Sahara.

De eerste kazen die schade leden waren die uit Mauritanië met okrasmaak. Het water sloeg met de kracht van een brandspuit-straal tegen de houten kratten; de hele stapel viel op de grond en belandde met een onheilspellende plons in het water. Tijdens de val stootte een van de kratten tegen een stapel Egyptische domi-ati, die begon te wiebelen. Hij was misschien nog blijven staan als het onderste krat, dat gemaakt was van flinterdun hout, niet door het water verzwakt was. Dat ene stootje was voldoende om er-voor te zorgen dat de stapel zich bij de Mauritaanse kaas in de steeds dieper wordende zondvloed voegde.

De vloed zwol alarmerend snel aan. Binnen enkele minuten kwam het water over de drempel heen en sijpelde het door de rest van de kelder; het zocht zich een weg door de hoofdcrypte en vandaar naar de rest van de zijaltaren. Het liep in watervallen en beekjes door Poitou-Charentes en Languedoc-Roussilon en stroomde vervolgens terug naar de vruchtbare grasgronden van Bourgondië. Hier verzamelde het zich tot een kleine lagune in een holte in het steen, alvorens zich met veel vaart naar de wei-den van het Rhônedal te begeven. Het laagland van Lombardije was nu aan de beurt om natgeplensd te worden en niet veel later kwam heel Oost-Europa zo'n vijf centimeter onder water te staan.

De overstroming in de hoofdcrypte volgde eenzelfde patroon als in de zijkapel. Er vormden zich plassen. Daarna fjorden. Even later verenigden de afzonderlijke zeeboezems en zeearmen zich tot één grote watervlakte. Op het Iberische Schiereiland stond al zo'n zeven à acht centimeter water. Oost-Europa was inmiddels een waterig moerasgebied. En toen kwamen deze twee drassige kustgebieden op spectaculaire wijze ergens in de buurt van de kazen uit Ticino samen en ontstond er een ware oceaan.

Boing! De klok boven sloeg één uur. Het water stroomde al bijna twee uur Trencoms in, dat een uiterst desolate aanblik bood. In de kapel waar het water was binnengekomen, waren stapels en kratten allemaal omgevallen en in het smerige water terechtgekomen. Een paar torens stonden nog hoog en droog. De geitenkazen uit het Hoggargebergte in de Sahara hielden nog stand tegen de woelige baren. Evenals de van ooienmelk gemaakte kazen uit Qasr Bint Bayyah in de Libische Wadi Bashir. Maar dit waren eenzame overlevenden in deze badwoestenij – versterkte kaaskastelen die ontembaar weerstand boden aan het oprukkende tij.

Er school geen logica in de manier waarop de kaasstapels instortten of bleven staan. Je zou misschien hebben verwacht dat de Deense samsøkazen langer op hun zeebenen waren blijven staan dan de chevrotins van de Loirestreek. Toch hoorden ze bij de eersten die in het water vielen. Toen het water hoger dan een halve meter kwam te staan, nam de schade exponentieel toe. Tot dan toe waren hier en daar stapels omgevallen, maar dat was niet gevolgd door een totale instorting. Nu de onderste kisten doorweekt waren en de stroomversnellingen steeds feller voortraasden, begonnen hele afdelingen het te begeven.

Een van de spectaculairste voorbeelden hiervan vormden de kazen uit Aquitanië, die werden aangevallen door water dat uit twee richtingen kwam aangeklotst. Bij een woeste stroming die vanuit de Pyreneeën kwam aangesneld, voegde zich een tweede waterstroom die van het Massif Central afkomstig was. Plotseling bezweken de hele westelijke Pyreneeën onder de druk en stortten ze in. Ruim vierhonderd kazen rolden uit de kratten en plonsden in het water.

Elders voltrok zich overal in Europa en Azië een gelijksoortige verwoesting. Heel Scandinavië stond bijna een meter onder water. Midden-Europa was volledig overstroomd. Het tij in Australazië steeg. Noord-Amerika wist nog het langst stand te houden, want het werd door een hoge drempel van West-Europa gescheiden. Het duurde echter niet lang of de kazen van de Mississippi stonden onder water, evenals de cornhusker uit Nebraska en de poona uit New York.

Zo'n vijftien kilometer ten zuiden van Trencoms, in de Londense gemeente Streatham, beleefde Edward Trencom een uiterst on-rustige nacht. Hij was in slaap gevallen zodra hij in bed was gaan liggen en na een normale nacht zou hij pas om half zeven weer wakker zijn geworden. Deze nacht werd hij echter na twee of drie uur wakker en kon met geen mogelijkheid meer in slaap komen. Wat héb ik toch? vroeg hij zich af. Waarom kan ik niet slapen? Toen hij eindelijk weer in een sluimertoestand raakte, kreeg hij zulke levendige en verontrustende dromen dat zijn py-jama toen hij ten tweeden male wakker werd, drijfnat was van het zweet.

Nog maar twee dagen daarvoor had Edward alle familiepapie-ren mee naar huis genomen en ze uitgespreid op de grote tafel in de huiskamer. Nu hij die nacht voor de tweede keer lag te draaien en te woelen, besloot hij tegen zijn gewoonte in uit bed te stap-pen en naar beneden te gaan. Het heeft geen zin hier te liggen zweten, dacht hij. Ik kan mijn tijd net zo goed nuttig besteden. Hij nam de paar papieren door die betrekking hadden op Joshua Trencom en zocht naar aanwijzingen die antwoord konden geven op de vraag waarom hij naar het buitenland had willen gaan. Weer naar Griekenland. En weer had het iets te maken met tegen de Turken vechten. Maar waarom?

Hij had tot zijn grote verbazing ook een hoogst intrigerende verwijzing naar een van Joshua's zussen, Anne Trencom, ontdekt. In het jaar 1769 was ze in Londen bezocht door een gezant van niemand minder dan Catherina de Grote van Rusland, die ken-nelijk op zoek was naar een vrouw voor haar oudste zoon, tsare-vitsj Paul. Waarom de keuze van de Russische tsarina uitgerekend op Anne Trencom was gevallen, was een volslagen raadsel. Ze was nog maar vijftien jaar oud, had een zwakke gezondheid en werk-te sinds haar zesde in kaaswinkel Trencoms. Edward achtte het niet waarschijnlijk dat ze kon lezen of schrijven, laat staan con-verseren met een van Europa's grootste vorsten. Dus: waarom, waarom, waarom?

Hij kon slechts veronderstellen dat Anne Catharina's aanbod

had afgeslagen, want ze overleed slechts een paar jaar later in Londen. Toch nam het raadsel hier een zeer ongewone wending, een die niet minder bedrieglijk was dan alle andere. Griekenland, Turkije, en nu Rusland. Er was geen touw aan vast te knopen.

Edward liep de keuken in en zette een kop thee. Gek. Nog steeds rook hij niets. Hij krabde op zijn hoofd en vroeg zich af of hij niet naar de dokter moest. Maar nee – wat zou de dokter zeggen? Hij zou er wel gauw achterkomen wat er aan de hand was.

Hij gaapte hartgrondig en voelde zich plotseling ongewoon moe. Goddank is het morgen... Hij krabde vermoeid aan zijn neus. Wat voor dag is het ook alweer? vroeg hij zich slaperig af terwijl er nog een geeuw aan hem ontsnapte. Bijna maandag. O, jee. Ik weet niet of ik wel genoeg energie heb om naar mijn werk te gaan. Misschien moet ik meneer George opbellen...

Met die gedachte in zijn achterhoofd ging Edward weer naar boven en naar bed, waar hij bijna onmiddellijk in slaap viel. Even later kwam hij weer in hetzelfde onrustige dromenland terecht.

VII

3 maart 1969

Kort na het ochtendgloren ging meneer Cooper, de eigenaar van de Fox and Grapes op de hoek van de Trump Street en de Lawrence Lane, naar de badkamer en draaide daar de kraan open. Niets. Er kwam geen water uit. Wat vreemd, dacht hij, en hij liep naar beneden om de kranen in de keuken te proberen. Ook die stonden droog, op een zwak oranjebruin stroompje na. 'Verdorie,' zei Cooper. 'Hoe kunnen we een bedrijf runnen als er geen water is?' En hij pakte de telefoon en belde het waterleidingbedrijf.

Tot zijn verbazing werd er meteen opgenomen. Hij was zelfs nog verbaasder toen hij hoorde dat ze al van het probleem op de hoogte waren. Ja, de watertoevoer was afgesloten. Nee, het zou nog enkele uren duren voordat ze weer werden aangesloten. Misschien pas de volgende ochtend. Maar hij hoefde zich geen zorgen te maken, want het waterleidingbedrijf zou op straat een standpijp aanbrengen.

Nou, geweldig, dacht Cooper met zijn gebruikelijke sarcasme. Zijn dag had nog voordat het goed en wel licht was al een negatieve wending genomen.

Hij staarde naar buiten, naar het gebouw aan de overkant. Zijn blik werd onwillekeurig naar de deur van Trencoms getrokken. Hè? dacht hij. Wat is daar aan de hand?

Hij merkte dat er door de kleine kier onder de winkeldeur vrijelijk water stroomde.

'Schat,' riep hij. 'Schat – gauw – kom eens kijken.' Mevrouw

219

Cooper geeuwde en vroeg wat er aan de hand was. 'Nee kom nou naar beneden – nu. Kom eens kijken.'

Mevrouw Cooper sloeg snel een peignoir om en haalde haar vingers door haar haar, waarna ze naar beneden ging. 'Mijn god!' zei ze. 'Dat is water! Gauw, Albert, bel de brandweer.' Albert draaide het nummer en na een minuut of acht, negen hield er een brandweerauto stil voor de deur.

Inmiddels hadden Albert en Samantha Cooper zich aangekleed en stonden ze door het etalageraam van Trencoms naar binnen te turen. Wat ze toen zagen, deed hen hevig schrikken, hoewel ze de omvang van de ramp nog niet ten volle beseften. Ze zagen water door de winkel stromen, maar geen van beiden had nog aan het onontkoombare feit gedacht dat om zo'n vloed te creëren de oude kelder van Trencoms volledig ondergelopen moest zijn.

'Hebt u hun privénummer?' vroeg een van de brandweerlieden, die voorbereidingen trof om de winkeldeur te forceren. 'Zeg maar tegen – meneer Trencom, zei u? – dat hij meteen hierheen moet komen. Dit heeft alles weg van' – hij schraapte met een schorre kuch zijn keel – 'een ramp.'

Hij en zijn collega forceerden de deur van Trencoms en waadden de winkel in. Toen ze beseften dat het water uit de kelder opwelde, floten ze allebei zacht. 'Jezus! Staat de kaas daar opgeslagen?' vroeg de een.

Meneer Cooper knikte. 'Poeh! Ik zou niet in zijn schoenen willen staan. We kunnen wel pompen aanbrengen, maar daar beneden valt niets meer te redden. De eigenaar moet hierheen komen.'

Er verstreek bijna een uur voordat Edward en Elizabeth Trencom in de Lawrence Lane aankwamen. Meneer Cooper had hen al voorbereid op de omvang van de ramp, maar pas toen ze de brandweerauto zagen, en het water dat door de straat stroomde, begon de enormiteit van wat er eigenlijk gebeurd was tot hen door te dringen.

'O, Edward,' zei mevrouw Trencom terwijl ze zijn arm omklemde. De tranen stroomden over haar wangen en ze depte haar
ogen met een zakdoekje droog. 'We zijn geruïneerd, schat, we
zijn alles kwijt.'

Hij keerde zich met een triest gezicht naar haar toe, legde zijn
arm om haar middel en zei: 'Ja, ik ben bang van wel. Ons levens-
werk – weg is het. Tien generaties ervaring. Het is net of...' In de
dromerige stilte die hierop volgde, staarde hij naar het water dat
nog uit de winkel stroomde. 'Het is net of... ja, het is precies zoals
oom Harry zei. Er is inderdaad een vloek... ja. En die rust op
mij.'

'Neem me niet kwalijk, meneer Trencom,' zei de brandweer-
commandant, Edward onderbrekend, 'maar het is geen vloek, dat
kan ik u wel vertellen. Het is een gebarsten waterleiding, zo sim-
pel is dat. En u kunt dat klotewaterleidingbedrijf – vergeef me de
uitdrukking, mevrouw Trencom – u kunt ze laten dokken tot ze
scheel zien.'

En daarop begon hij met zijn mannen in de kelder van Trencoms pompen te installeren.

VIII

12 april 1769

Het is al ver voorbij de dageraad wanneer de zon eindelijk de binnenste binnenhof van de Topkapi Sarayi binnendringt. De slanke toren van de diwan trekt een diagonale schaduwstreep over de plavuizen, en de muren van de keizerlijke schatkamer zorgen ervoor dat één kant van de binnenhof in bleekgrijze schaduw gehuld blijft. Nog een uur, dan zal de zon recht boven het paleis en deze omsloten lusthof hangen, die met zijn bedden bloeiende tulpen vol door de zon zal worden beschenen.

In een hoek van de binnenhof, dicht bij de Gelukspoort, is een kleine groep werklieden drie grote kruisen aan het maken: de dwarshouten worden aan de rechtopstaande balken geschroefd en er worden gaten gegraven in de droge aarde. Sultan Mustafa III heeft opdracht gegeven voor een executie door middel van kruisiging en verheugt zich erop het schouwspel vanuit de comfortabele omgeving van de diwan gade te slaan. 'Ik heb het bevel gegeven,' zegt hij tegen de vizier, 'de gevangenen te laten lijden. Hen te laten kruisigen. Dat verdienen die honden.'

Het middaguur is bijna aangebroken wanneer de drie veroordeelden door de hoofdbeul de binnenhof op worden geleid. Een select gezelschap hovelingen is uitgenodigd om alles gade te slaan; zij nemen plaats onder de sierluifel van de diwan. De sultan is buiten zichzelf van opwinding. Een terechtstelling als deze zou hij voor geen goud willen missen. Hij neemt af en toe een slokje van zijn ijsdrank en gluurt door het vergulde rasterwerk. 'Ah, daar komen ze, daar komen ze.' Hij klapt met kinderlijk enthousiasme in zijn handen en er komt een eigenaardig, hoog lachje uit zijn mond. 'Eens zien hoe ze hun dood tegemoetgaan.'

Twee van de mannen zijn gewone dieven, christenen uit de stadswijk Fener, die zijn veroordeeld voor het stelen van een roeiboot. De derde is een buitenlander, hoewel ook hij duidelijk een christen is. Met zijn opvallende neus en ronde buik ziet hij er bijna vertrouwd uit. Maar is dat niet Samuel Trencom, van het Londense Trencoms? Is dat niet die Samuel die de crypten en keldergewelven ontdekte die zich onder de vloer van de winkel bevinden? Hoe is hij in hemelsnaam de gevangene van sultan Mustafa III geworden? Een paar maanden geleden was hij toch nog de drukste kaaswinkel van Londen aan het vergroten en renoveren?

'Dat is een goeie vraag,' zegt hij, 'een vraag waarop...'

Hij kijkt naar de kruisen die op de grond gerangschikt zijn en valt bijna flauw. 'Ik... ik had nooit van huis moeten gaan. Maar ik werd hierheen getrokken – hierheen getrokken door een...' Zijn stem sterft weg en hij valt stil wanneer de beulen hem naar het kruis manoeuvreren.

'Ga liggen,' gromt de hoofdbeul, 'want anders zal ik jullie hiermee kennis laten maken.' Hij laat de drie mannen zijn kniptang zien en wijst vervolgens naar een reeks andere instrumenten die om zijn middel hangen. Ze gaan alle drie op hun kruis liggen en wachten op hun ondergang.

De aanblik die een kruisiging biedt, is niet geschikt voor mensen met een zwakke maag, maar de sultan en zijn hovelingen kijken en luisteren ingespannen terwijl het gruwelijke drama zich ontrolt. Er wordt gespijkerd. De mannen krijsen. De kruisen worden omhooggehesen en glijden dan met een misselijkmakende plof in de gaten in de grond. De drie mannen kreunen allemaal van de folterende pijn. Ze zijn veroordeeld tot een langzaam en pijnlijk einde. Het zal vijf uur duren voordat Samuel Trencom uiteindelijk dood wordt verklaard.

IX

5 maart 1969

'Ha, meneer Trencom,' zei een grimmige meneer Cooper, de caféhouder van de overkant. 'Hoe is het er nu mee? Ik benijd u niet – de pompen hebben twee volle dagen gedraaid, de motoren hebben non-stop gewerkt. Er was genoeg water om... om een heel zwembad te vullen.'

Edward keek hem verslagen aan. Hij was bijna in tranen. 'O,' zei hij, 'ik ben u toch zo dankbaar, meneer Cooper, voor alles wat u hebt gedaan. Ik vind het heel vervelend als de motoren u wakker hebben gehouden.'

'O, u hoeft me niet te bedanken,' zei de kroegbaas. 'Ik heb gedaan wat iedereen zou doen – het spijt me alleen dat ik de brandweer niet een paar uur eerder heb kunnen bellen.'

Terwijl de twee mannen op straat stonden te kletsen, liep mevrouw Tolworth voorbij.

'Goedemorgen, meneer Trencom,' zei ze. 'Ik vind het heel erg wat er is gebeurd. Hoe is mevrouw Trencom eronder?'

'O, ze houdt zich kranig, mevrouw Tolworth,' antwoordde Edward. 'We proberen allemaal de moed erin te houden.'

'Nou, als ik iets voor u kan doen,' zei mevrouw Tolworth. 'U kunt altijd bij me aankloppen voor een lekkere kop thee. En als u een schouder nodig hebt om op uit te huilen...' Ze hield midden in de zin op en bloosde. Plotseling besefte ze dat ze te familiair deed tegen iemand die ze nauwelijks kende.

'Dank u, mevrouw Tolworth,' zei Edward. 'Het kan zijn dat ik u aan die kop thee hou – die zou ik hierna wel eens nodig kunnen hebben.' Hij wees naar de winkel en maakte aanstalten te vertrekken.

'Nou, ik kan het niet langer uitstellen.' En daarop verdween hij in de winkel. Deze keer was er geen – snuf, snuf – aangename geur van kaas toen Edward afdaalde naar de kelder. De zondvloed had een verschrikkelijke verwoesting aangericht – de grootste en zwaarste ramp die Trencoms in zijn driehonderdzevenjarige bestaan had gekend.

'En?' vroeg Elizabeth later die avond.

'Tja,' antwoordde Edward. 'Ik weet niet waar ik moet beginnen. Het is vreselijk, vreselijk.'

De vernieling die door het water was aangericht, was inderdaad niet in getallen uit te drukken. De gehele voorraad van Trencoms – ruim drieduizend soorten kaas – was bedorven door het vuile water dat uit de buis was gekomen. Veel kazen kwamen uit verre en onherbergzame oorden en het zou weken, zo niet maanden duren om die te vervangen.

'En sommige,' zei Edward, 'zijn misschien wel onvervangbaar.' Hij dacht aan de geurige geitenkazen uit Al Bint, waarvan hij de drassige overblijfselen nog maar een paar uur daarvoor in zijn hand had gehouden. Ze werden alleen maar gemaakt in het Zuid-Arabische heuveldorp Bi'r Ibn Sarrar. Ze werden per kameel naar Bani Thawr vervoerd en vervolgens per auto naar de havenstad Jeddah aan de Rode Zee gebracht. Vandaaruit werden ze naar vliegveld Heathrow in Londen gevlogen en ten slotte, na een reis van zestien, maar vaak veel meer dagen (inshallah) bij kaaswinkel Trencoms afgeleverd.

Voor alle andere kazen gold hetzelfde verhaal, of ze nu uit Transsylvanië, de gebieden langs de Douro in Portugal of uit de bergboerderijen van Midden-Sardinië kwamen. 'Maar wat ik nog het ergst vind,' zei Edward, 'is dat ik alle touloumotyri kwijt ben. Ik ben drie maanden bezig geweest om aan mijn voorraad te komen.'

Het was voor hem onmogelijk precies te berekenen hoeveel

kazen er verloren waren gegaan, maar hij schatte dat het er om en nabij de twintigduizend moesten zijn. 'Ik heb geprobeerd een optelsom te maken,' zei hij tegen Elizabeth. 'We leverden aan meer dan vijftig restaurants in Londen en dan nog eens honderdtwintig elders in het land. We hebben minstens achthonderd particulieren als klant die ruim de helft afnemen. Weet je, schat, het zouden er net zo goed veertigduizend kunnen zijn.'

'En wat gaat er nu gebeuren?' vroeg Elizabeth.

Het duurde lang voordat Edward antwoord gaf.

'De winkel,' zei hij, 'of liever gezegd: wat daarvan over is, zal ik overlaten aan meneer George, althans, voorlopig. Hij is op dit moment beter dan ik in staat met de gevolgen van deze ramp om te gaan. Ik heb hem nog nooit zo energiek bezig gezien. Hij was vanmorgen al vóór mij in de winkel en hij was al aan het werk in de kelder.'

'Maar Edward...'

'Ik heb besloten – ik heb geen andere keus dan al mijn tijd aan hén te wijden.' Hij wees naar zijn familiepapieren. 'Uit te zoeken wat er nu werkelijk aan de hand is.'

'O, nee hè,' zei Elizabeth radeloos. 'Nee, Edward, niet juist nu. Ben je gek geworden? Wat is er met je aan de hand?'

'Je kunt het niet begrijpen, schat. Ik móét meer over hen te weten komen – uitzoeken wat er allemaal achter zit. Snap je het niet? Het ligt zo voor de hand. Al die dingen, al die vreemde dingen die er zijn gebeurd, zijn met elkaar verbonden. Ja, op de een of andere manier maken ze allemaal deel uit van een groter geheel. Al mijn voorvaderen werden er stuk voor stuk in meegesleept... ja... en het zal niet lang duren of ik word er ook in meegesleept. Ik kan het niet tegenhouden – het leidt een eigen leven en ik heb er totaal geen greep op. Maar ik moet het tot de bodem uitzoeken, Elizabeth. Dat moet, al is het het laatste wat ik doe.

X

Er waren ruim twee weken verstreken sinds Edwards vluchtige conversatie met meneer Papadrianos tijdens het kaasdiner, maar toch had hij er nog nauwelijks iets over gezegd tegen Elizabeth. Hij had lang nagedacht over de vraag of hij haar nu wel of niet moest vertellen wat er sindsdien allemaal was gebeurd, maar hij kwam tot de slotsom dat dat niet de juiste koers was. Ze zal hevig aan het tobben slaan, dacht hij, en ik los er niets mee op.

Maar na nog een angstige week begonnen de spanningen Edward te veel te worden. Hij werd nog steeds op straat gevolgd, althans, dat meende hij, en hij wist ook zeker dat zijn huis werd geobserveerd. Wat hem vooral verontrustte, was dat hij niet langer alleen maar door meneer Makarezos gevolgd werd. Diverse malen had hij gemerkt dat ook een tweede man zijn bewegingen gadesloeg, iemand die gemakkelijk te herkennen was aan het feit dat hij eau de cologne van Laughtons uit Jermyn Street op had. De beste eau de cologne van heel Londen, dacht Edward, maar wel een heel domme keuze als je anoniem wilt blijven.

Op een avond, na een bijzonder energieke vrijpartij, besloot Edward alles op te biechten. 'Schat,' zei hij, 'er is iets wat ik je een tijd geleden al had moeten vertellen.'

Elizabeth voelde een golf van paniek door haar lichaam slaan. Het was niets voor Edward om zo te spreken. Maar, ach, hij deed de laatste tijd wel vaker vreemd. Ze vroeg zich af of ze nog verbaasd kon zijn over iets wat hij haar zou vertellen. Laat hem nou maar praten, hield ze zichzelf voor, en onderbreek hem alsjeblieft niet.

Edward vertelde haar hoe hij op straat door meneer Makarezos werd gevolgd. Hij informeerde haar over meneer Papadrianos en bekende dat Richard Barcley al op de hoogte was van alles wat hem was overkomen. Hij vertelde haar zelfs van de ontmoeting tussen Richard en Makarezos in een café een paar weken daarvoor, en dat Makarezos had gezegd dat ze gevaar liepen. Het enige detail dat hij wegliet was dat hij nog steeds werd gevolgd.

Elizabeth eerste reactie was vreemd. Ze leek zich minder zorgen te maken om het feit dat haar man in de gaten werd gehouden dan om het feit dat zij, uitgerekend zij, het als laatste te horen kreeg. Zelfs Barcley had het eerder geweten.

'Waarom heb je het me niet eerder verteld?' vroeg ze aan Edward. 'Waarom had je het gevoel dat je me niet in vertrouwen kon nemen? Het is niet goed voor een mens alles op te kroppen.'

Ze hield abrupt op, geërgerd vanwege het feit dat ze Edward in de rede was gevallen. Dat was nu precies wat ze niet had willen doen.

'Het kwam niet doordat ik het gevoel had dat ik je niet in vertrouwen kon nemen,' reageerde Edward. 'Ik zweer het je. Ik was bezorgd. Ik wilde niet dat je ging tobben – ik wilde je niet aan het schrikken maken. Ik zou namelijk wel eens in heel groot gevaar kunnen verkeren, en het laatste wat ik wil is jou daarbij betrekken.'

'Maar hém kon je het wel vertellen,' zei Elizabeth, nadrukkelijk vermijdend Barcleys naam te noemen. 'Waarom wel aan hem en niet aan mij?'

'Het spijt me, het spijt me,' antwoorde Edward, terwijl hij als troost zijn arm om Elizabeths schouder sloeg. 'Echt waar. Ik weet niet wat ik verder nog moet zeggen.'

'Wat ben je toch Engels,' merkte Elizabeth op nadat ze even stil was geweest. Ze keek Edward aan en er verscheen een flauwe, maar goedbedoelde glimlach op haar gezicht. 'Alleen een Engelsman neemt een vriend in vertrouwen voordat hij zijn vrouw in vertrouwen neemt.'

Edward knikte — dat was gemakkelijker dan spreken — en wachtte of Elizabeth nog meer ging zeggen.

'Maar wat moet we nu?' vroeg ze ten slotte. 'Ikzelf denk dat we de politie erbij moeten halen. Dat is zelfs het eerste wat we moeten doen.'

'Nee!' riep Edward ontzet uit. 'Dat is wel het láátste wat we moeten doen. Snap je dat dan niet, Elizabeth? Dat is de aangewezen manier om in de problemen te komen. Ik mag van Makarezos niets doen — ik moet me onopvallend gedragen — en dat ben ik dan ook van plan. Ondertussen moet ik mijn familieonderzoek voortzetten. Het is nu wel overduidelijk dat mijn stamboom de sleutel tot alles is.'

'Nee hè,' kreunde Elizabeth. 'Nee toch, hè? Dat zal je helemaal geen goed doen. Kijk naar jezelf, Edward. Moet je zien wat je allemaal is overkomen. Je verandert voor mijn ogen. Je bent doodmoe. Je kunt bijna niet verder. Dit alles moet ophouden. En gauw ook. Anders, Edward, loop je het gevaar voorgoed de kluts kwijt te raken.'

XI

Dinsdag 12 juli 1728

The London Chronicle

Gisteren om ongeveer 8.20 uur des avonds werd de heer Alexander Trencom, de eigenaar en tevens uitbater van Trencoms Kaaswinkel in de Lawrence Lane, met een klap op het hoofd om het leven gebracht.

Er waren geen getuigen van dit voorval, dat zich voordeed ter hoogte van de Fox and Grapes, daar waar de Trump Street en de King Street elkaar kruisen.

De heer Trencom werd gevonden door de heer Josiah Glasse, die lid is van de wacht in de St.-Paul's Ward. Het is nog niet duidelijk wat de reden voor de aanval was: de moordenaar heeft onopgemerkt kunnen ontsnappen.

De dood van de heer Trencom zal waarschijnlijk in het parlement besproken worden, met name omdat de minister van Binnenlandse Zaken, de heer Isaac Cummins, voornemens is het aantal parochieagenten in de hoofdstad te vermeerderen.

De heer Trencom wordt opgevolgd door zijn zoon, Samuel, die als eigenaar van de kaaswinkel van de familie Trencom de zaak zal voortzetten. De winkel zal tot maandag 18 juli gesloten blijven.

XII

April 1969

In de driehonderdzeven jaar sinds Trencoms openging, was de winkel nooit langer dan een week gesloten geweest. Het langst was hij dicht geweest in 1728, na de verdachte dood van de oude Alexander Trencom. Maar ook toen was hij na slechts zes dagen heropend. Nu, na de zondvloedramp, was hij voor onbepaalde tijd gesloten. Edward Trencom leek niet geïnteresseerd in het herstellen van de schade. Hij zat het grootste deel van zijn tijd in de bibliotheek van Southwark en ging slechts zelden naar de Lawrence Lane om de druipnatte resten van zijn ooit zo winstgevende levensonderhoud te bekijken.

Meneer George had nadat hij van de ramp op de hoogte was gesteld, vrijwel meteen het heft in handen genomen. Nauwelijks was het overstromingswater weggepompt of hij waagde zich weer in de kelder en begon met zijn blote handen de duizenden doorweekte kisten en dozen op te ruimen. Het kostte hem ruim een week om de stinkende kazen uit de reusachtige ruimten te verwijderen. De exemplaren die niet al te smerig waren, nam hij mee naar huis, waar ze enthousiast werden opgepeuzeld door Dubonnet, die in feite het enige levende wezen was dat profijt trok van de overstroming. Meneer George was daarna nog eens tien dagen bezig met het opruimen van de klei en het slib dat door het water was achtergelaten. Menig employé zou geweigerd hebben zulk werk te doen, maar meneer George haalde zelfs een zekere mate van voldoening uit het scheppen van orde in de

231

chaos. Het was alsof je je door een enorme berg afwas heen werkte, maar dan op een veel grotere schaal.

'De toestand wordt langzaam weer normaal,' zei hij in zichzelf toen de eerste zijkapel was vrijgemaakt. 'Nog een week of wat en het is voor elkaar.'

Hij was eraan gewend alleen te zijn, maar toch voelde hij zich wel eens eenzaam in de vochtige, druipende kelder. Een paar maal nam hij Dubonnet mee naar Trencoms – een traktatie voor hen allebei – en er waren ook dagen waarop hij gezelschap werd gehouden door de ingenieurs die de kapotte muren van de kapel herstelden.

'Bent u meneer Trencom?' vroeg een van hen.

'Nee, nee, gelukkig niet,' zei meneer George. 'Ik zou niet in zijn schoenen willen staan.'

'Dus het is niet uw winkel?' vroeg een ander.

Meneer George lachte en maakte tegelijk meewarige geluidjes met zijn tong. 'Ik zou de verantwoordelijkheid niet aankunnen,' zei hij. 'Nee, niks voor mij. Ik wil het 's avonds achter me kunnen laten.'

De ingenieurs onderzochten alle muren en plafonds zorgvuldig en vertelden hem dat er geen blijvende bouwkundige schade was. 'Maar het zal minstens drie maanden duren voordat alles voldoende is opgedroogd,' zeiden ze. 'Vooral als u hier weer kaas gaat opslaan.'

Meneer George bracht al deze informatie over aan Edward en stelde voor een begin te maken met het opnieuw bestellen van kazen, vooral de soorten die pas maanden later bezorgd zouden worden.

'Zou u daarmee willen beginnen?' vroeg Edward. 'Dat zou een hele zorg minder zijn.'

'Komt voor elkaar,' zei meneer George. 'O, trouwens – ik heb een aantal orderboeken weten te redden. Ze liggen te drogen op de radiatoren. Maar ik heb zo het vermoeden dat vier of vijf daarvan onherstelbaar beschadigd zijn. Het Spaanse en het Portugese orderboek zijn haast niet meer te lezen...'

'Nou, bel me maar op als u hulp nodig hebt,' zei Edward. 'U weet me te vinden.'

'Dat is zo,' mompelde meneer George zachtjes. 'Waarschijnlijk in de openbare bibliotheek van Southwark.'

Het was een opmerking die evengoed uit de mond van Elizabeth Trencom had kunnen komen.

'Jouw probleem is niet meer je neus,' zei ze op een avond tegen Edward, 'maar het feit dat je alle gevoel voor de werkelijkheid kwijt bent geraakt. Dat gedoe met je familie – het spijt me, maar dat vind ik doodeng. Je moet even afstand nemen en kijken naar wat er met je gebeurt. Je wordt gevolgd. Je wordt bedreigd. Er is je gezegd dat je onder geen beding door moet gaan met in je verleden spitten. En wat doe je? Precies het tegenovergestelde.'

Ze sloeg beslist haar armen over elkaar, alsof ze wilde onderstrepen wat ze zojuist had gezegd. Maar ze was nog niet klaar.

'Ik raad je ten sterkste aan je familie een poosje te vergeten – laat de zaak rusten. En ik raad je ook aan naar de dokter te gaan om eens naar je neus te laten kijken, uit te zoeken wat er nu écht aan de hand is. Laten we gewoon weer eens ouderwets ons gezonde verstand gebruiken. Daar heeft het hier de laatste tijd nogal aan ontbroken. Je hebt zelf gezegd dat je vader hetzelfde is overkomen. Het is waarschijnlijk erfelijk – iets wat te genezen is.'

'Zo zit het!' zei Edward, voor het eerst sinds dagen tot leven komend. 'Je hebt gelijk, schat: het ís erfelijk. Dat heb ik altijd al geweten. Alles wat er is gebeurd, maar dan ook echt alles, houdt op de een of andere manier verband met mijn neus.'

Richard Barcley keek rond in zijn kantoor en toen weer naar Edward. Zijn vriend gedroeg zich werkelijk heel eigenaardig. Hij zag dat de spanningen hun tol begonnen te eisen.

'Ik moet bekennen dat ik je niet meer kan volgen,' zei Barcley na een lange stilte. 'Ik weet niet goed wat je bedoelt. Wil je me vertellen dat deze ramp, die overstroming, op de een of andere manier verband houdt met je neus?'

'Niet alles kan met logica worden verklaard,' zei een getergde

Edward. 'Neem een pan melk, voeg er microben aan toe en je krijgt kaas. Is dat logisch? En wat dacht je van roquefort? Die zit vol met groenblauwe schimmel en toch smaakt hij heerlijk. Dat heb je zelf gezegd. Zit daar enige logica in? Je moet helemaal niet op je logica vertrouwen, Richard. Helemaal niet. Logica kan niet alles verklaren.'

'Tja, het enige wat ik kan zeggen,' antwoordde Barcley, 'is dat ik heel blij ben dat niet al mijn cliënten op jou lijken. Ik zou binnen de kortste tijd geen werk meer hebben.'

'Ik dacht dat jij, juist jij, het zou begrijpen,' zei Edward droefgeestig.

'Nee, helaas kan ik je in dit geval niet volgen,' antwoordde Richard. 'En ik heb de indruk dat je jezelf binnenkort misschien ook niet meer kunt volgen.'

Edward ving een weerspiegeling van zichzelf in het raam van Barcleys kantoor op. Wat raar, dacht hij, de zon schijnt recht op mijn neus.

'Alles werkt naar een apotheose toe,' zei hij. 'Ik hoef niet lang meer te wachten. Er is nog maar één Trencom te onderzoeken: die ouwe Humphrey, de stichter van Trencoms. En ik weet zeker dat hij de sleutel tot ons allemaal is.'

Deel vier

I

10 september 1666

Drie dagen nadat de laatste vlammen eindelijk waren gedoofd, keerde Humphrey Trencom terug naar de plek waar kaaswinkel Trencoms had gestaan. Hij deed er ruim een uur over om van de rivier naar Cheapside te komen en hij keek verwonderd om zich heen naar de verwoesting die door het vuur was aangericht. Geen enkel gebouw stond nog overeind. Waar ooit taveernes, winkels en drukke markten waren geweest, restte nu nog slechts een massa verkoolde brokstukken.

Foster Lane bestond niet meer. De Olde Bear was een smeulende hoop steen. De Olde Supply Store was ingestort. En Trencoms... 'O, Heer,' zei Humphrey zachtjes terwijl hij zich een weg zocht door de korst smeulend puin die zijn middel van bestaan was geweest. Hij klauterde over de hoop kapotte bakstenen, steen, cement en dakpannen, af en toe stilstaand om de lucht op te snuiven. Hier en daar stegen nog rooksliertjes op uit het puin en de bakstenen voelden warm aan. Humphrey snoof weer. Wat gek, dacht hij. Tussen de overweldigende geur van verkoold hout en verbrande steen bespeurde hij beslist een meer vertrouwde geur. 'Ach... ja,' zei hij in zichzelf. 'Ik geloof dat het dat is.' En terwijl hij lang en diep ademhaalde, vergunde hij zichzelf een vage glimlach van herkenning. 'Mmm... ja... zelfs hier, in deze woestenij, kan de nobele charworth zich doen gelden.'

Hij viel op zijn knieën en hield zijn neus vlak bij de resten. Terwijl hij ten tweeden male diep inademde, kreeg hij ook nog een paar andere vertrouwde geuren in zijn neus. 'O, caerphilly, schoonheid van me... En mijn geurige neufchatel. Mijn dierbare kazen! Papa Humphrey zal jullie allemaal missen.' En terwijl hij dit zei, welden er twee grote tranen op in zijn ogen, die vervolgens over zijn bolle wangen rolden.

In de dagen na de verwoesting van zijn winkel had Humphrey Trencom een zeer gewichtige beslissing genomen. Hij had niet de moed de winkel opnieuw op te bouwen – niet na al het harde werk dat hij er al had ingestopt. De nieuwe winkel kon worden geopend onder de auspiciën van broer John, die een pientere knaap was en een belofte voor de toekomst inhield. Het zou een uitdaging voor hem zijn, dacht Humphrey, iets wat hem zou prikkelen om vooruit te komen in het leven.

Er was nog een reden waarom Humphrey de volgende paar jaar niet wilde besteden aan de wederopbouw van zijn winkel, een die moeilijker was te doorgronden. Hij was gaan geloven dat de brand een voorteken van hogerhand was. De hemel, ja, de hemel zelf riep Humphrey op zijn lotsbestemming te vervullen. Had zijn moeder niet iets dergelijks tegen hem gezegd? Wat waren haar precieze woorden ook alweer geweest? Een 'teken van de hemel... een chaos van vuur en vlammen.'

Nou, als dit geen chaos van vuur en vlammen was, dan wist hij het niet meer. En daarom was dit het moment dat hij moest aangrijpen. Het was nu, echt nu, of nooit.

En daarom keerde Humphrey Trencom terug naar het dorpje in Dorset waar hij vier jaar eerder vandaan was gekomen. Het was de eerste pleisterplaats op een reis naar verraderlijke en valse wateren.

De boerderij van de Trencoms stond in het dorp Piddletrenthide in het graafschap Dorset – een vakwerkgebouw dat al minstens acht generaties lang in bezit van de familie was. Vóór Humphrey hadden zijn ouders in de boerderij gewoond, en daarvoor hun ouders en grootouders. Ja, sinds het huis werd gebouwd, in de turbulente regeringsperiode van koning Hendrik IV, was het altijd door een lid van de familie Trencom bewoond geweest.

De boerderij was omgeven door bloemenweiden langs de oevers van de rivier de Piddle. Het was een vredige plek, vooral hartje zomer, wanneer het gras in de weiden tot het middel reikte en er wilde bloemen in bloeiden, zoals het gele boerenwormkruid, de wilde kamille en de zeldzame paarse ridderspoor. Op herfstochtenden, wanneer de mist laag boven de rivier hing, was Humphrey gewoon zijn neus uit het raam te steken en de geurige lucht op te snuiven. 'Ah,' zei hij dan met een zucht, 'de zoete geur van de Piddle – is er een heerlijker geur?'

Het enige opmerkelijke aan Humphreys voorouders was hun gewoonheid geweest – ze boerden, ze melkten koeien, ze maakten kaas. Maar hij verschilde in bijna alle opzichten van hen: qua temperament, qua intellect en qua lichaamsomvang. 'Ik ben,' zo bekende hij zichzelf iedere ochtend, 'fors van omvang, ruim van buik – en dik.' En terwijl hij dat zei, wreef hij met zijn zachte witte handen over zijn witte buik en vroeg hij zich met wazige blik af wanneer hij voor het laatst zijn vlezige onderstel had gezien.

De omvang van zijn rondheid was nooit zo duidelijk als wanneer hij lekker in zijn favoriete eikenhouten leunstoel zat. Er was een afstand van wel vijfenzeventig centimeter tussen de armleuningen van de stoel – wat hem aanzienlijk ruimer dan de gemiddelde leunstoel maakte – maar dan nog kon Humphrey zich er slechts met veel moeite tussen persen. Er klonk een onheilspellend gekraak wanneer de houten leuningen de zijwaartse druk te verduren kregen. De zwaluwstaartverbindingen kreunden. De pen-en-gatverbindingen hijgden. Wanneer Humphreys achterwerk met volle kracht de zitting van de stoel naderde, zetten de nagels en pinnen die de stoel bijeenhielden, zich schrap voor een krachtige aanval.

De slinger van de klok tikte zes keer voordat Humphrey lekker in zijn stoel zat en dan tikte hij nog eens drie keer voordat de plooien van zijn lichaamsvet door de zwaartekracht op hun plaats waren gegleden. Het leek wel of ieder wiebelig uitpuilsel – iedere rol en kwab pinguïnvet – een paar tellen nodig had om op adem te komen alvorens zich te voegen naar de strakke omtrek van de stoel.

Humphrey was in alle opzichten een man des vlezes. Hij kon de dag niet beginnen, althans niet goedgehumeurd, als hij zijn zaad niet in mevrouw Trencom, zijn vrouw, had gestort. En zo kwam het dat iedere ochtend na het kraaien van de haan Humphreys tedere delen zich roerden. Hij hees zich dan op de reeds lang lijdende Agnes Trencom, die nog maar net wakker was, en begon zich dan met veel animo bij haar naar binnen te werken. Agnes genoot niet echt van deze ervaring en merkte ooit op dat het was alsof er een grote linnenkast boven op haar viel. Tijdens de coïtus wendde ze zelfs vaak haar blik naar de grote eikenhouten kist in de hoek van haar kamer en vroeg zich mijmerend af wat zwaarder was: dat ding of haar man. Waarschijnlijk mijn man, concludeerde ze, maar die heeft in ieder geval geen stompe randen.

Agnes was dit ochtendritueel gaan accepteren als een van de zwakheden van haar man. Ze wist uit vermoeide ervaring dat ze weinig aan hem kon veranderen, want de Trencoms misten het vermogen hun hartstochten meester te worden. Ze hadden de verontrustende eigenschap hun persoonlijkheid door hun obsessies te laten beheersen.

Humphrey had al op zeer jonge leeftijd een talent voor studie aan de dag gelegd. Of hij zijn vroegrijpe vaardigheden van zijn moeder, die niet uit het Piddledal afkomstig was, had, is nooit duidelijk geworden. Maar ze koesterde zijn genie in ieder geval wel en schreef hem op zijn zevende in bij het gymnasium in Briantspuddle. Humphrey beheerste spoedig het Latijn en blonk uit in Grieks. Hij legde zelfs zo'n aanleg voor de laatstgenoemde taal aan de dag dat het leek alsof die al in zijn hoofd had gezeten toen hij werd geboren. Toen hij vijftien was kon hij reeds de drie boeken lezen die hij van zijn oma aan moederszijde had geërfd: de *Chronicon Maius* van Georgios Phrantzes, de *Cosmographia* van Michaël Eugenikos en de *Ekthesis Chronike* van Johannes Doukas.

Humphrey was bijna zeker de eerste Trencom die kon lezen en schrijven. Hij was ook de eerste die belangstelling voor het Midden-Oosten en voor het steeds groter wordende rijk van de

Ottomanen aan de dag legde. Toen hij zevenentwintig werd, had hij al een aanzienlijke bibliotheek over de geschiedenis van Constantinopel bijeengebracht. Zijn aankopen waren vergemakkelijkt door het feit dat hij in het voorjaar van 1662 naar Londen was verhuisd. Zodra hij in zijn levensonderhoud kon voorzien met de verkoop van kaas, begon hij zijn geld aan boeken uit te geven, en die gingen bijna allemaal over de geschiedenis en topografie van de stad Constantinopel. Zijn fascinatie voor de Ottomaanse hoofdstad sloeg al snel om in een obsessie en hij ontwikkelde een wanhopige drang om de stad te bezoeken. Hij verkondigde zelfs aan zijn vrouw Agnes dat hij scheep wilde gaan en dat een reis naar het oosten voor hem een bekroning zou zijn.

'Jawel,' zei ze op vermoeide toon. 'Maar ik ken je, Humphrey Trencom. Je zult daar de Spaanse pokken krijgen van de een of andere oriëntaalse hoer.'

Humphrey zou zijn verlangen naar Constantinopel te reizen nooit hebben omgezet in daden als er niet een uiterst gunstige samenhang van omstandigheden was geweest. Om te beginnen was er de grote brand in Londen, die hem dwong tijdelijk naar het dorp terug te keren dat hij nog maar vier jaar daarvoor verlaten had. Dan was er de onverwachte toename van de vraag naar de ronde Trencom, de harde kaas van koeienmelk die al eeuwenlang in het Piddledal werd gemaakt. De belangstelling voor de kaas was in de voorgaande maanden zo sterk toegenomen dat Humphrey was genoopt melk van naburige boerderijen te kopen, waarvan er een op het landgoed van de hertog van Athelhampton stond.

Toen de twee mannen met elkaar kennismaakten, interesseerde het de hertog zeer dat Humphrey er hevig naar verlangde Constantinopel te bezoeken. Slechts een paar weken daarvoor was het de graaf ter ore gekomen dat er in de soeks van de stad voor een appel en een ei Byzantijnse antiquiteiten te koop waren. En aangezien hij veel belangstelling voor het exotische had (hij had onlangs een gemummificeerde pygmee uit het hoogland van Borneo verworven), besloot hij Humphrey naar de moeder der steden te sturen met de opdracht te kopen wat hem maar geschikt leek.

Mevrouw Trencom was zeer ongelukkig met de reis van haar man, hoewel ze zich erop verheugde uit haar sluimer te ontwaken zonder dat de huwelijkskast op haar viel. Ze wist dat Humphrey het geen maanden uit zou houden zonder 'zijn penis in een vrouw te steken' (haar woorden) en gaf hem toestemming alle geneugten die de Oriënt te bieden had, ook te benutten. 'Zoek maar een Turkse hoer,' zei ze, 'en neem niet de Spaanse pokken mee terug.' Met deze woorden nog in zijn oren, en na een laatste beurt in de slaapkamer, nam Humphrey in tranen afscheid van zijn lankmoedige Agnes.

Zo kwam het dat een ietwat bevreesde heer H.T. op een onstuimige oktobermiddag in Lyme Regis op de kademuur stond, klaar om aan boord van de Hector te stappen, een kolos van 800 ton die eigendom was van de kooplieden van de Levant Company.

'Ic dronc seer veel,' schreef hij over de dag voor zijn vertrek, 'en was seer miserabel, siec en braaclustig.' Toch wist hij zijn zeekist, boeken, beddengoed en een virginaal aan boord te krijgen, waarna hij zich in de piepkleine hut die hij van kapitein John Davys had gehuurd, op bed liet vallen.

Het is moeilijk het afgrijzen van Humphrey te bevatten toen hij wakker werd met de weerzinwekkende stank van het trouwe schip Hector in zijn neus. Hij was gezegend met een bijzonder gevoelige neus – de eerste van de familie Trencom die met deze weldadige vloek was gezegend – en liet die nu kennismaken met een vreemde nieuwe wereld waar geur de krachtigste gewaarwording was. De eerste en meest overweldigende geur op die bewuste ochtend was die van zijn eigen braaksel. Die was ziek zoet – de overrijpe geur van malvezijwijn, vermengd met de zure inhoud van zijn ingewanden. Maar daarbuiten en opstijgend uit het binnenste van het schip was er een stank die nog veel indringender was. Het was moeilijk, zelfs voor Humphrey, de afzonderlijke componenten ervan te bepalen. Er was de stank van vlees, waarvan diverse vaten al aan het rotten waren. Er was de azijnachtige geur van zuur bier, de geur van teer en zweet, ranzig varkensvlees en muffe kaas. Zelfs de geur van het water, dat pas drie dagen daarvoor in vaten was gedaan, had iets zorgwekkend prikkelends. Voor Humphreys neus was het alsof hij de stilstaande molenvijvers van Piddletrenthide rook.

Wel foei, dacht hij, en dan te bedenken dat we nog niet eens de haven uit zijn. Hier kan niets goeds uit voortkomen.

Humphrey had altijd een flinke eetlust gehad, maar tijdens de zeereis naar Constantinopel nam zijn omvang met de week af. Zijn buik, die ooit zo rond was als een opgeblazen varkensblaas, slonk tot luchtloze plooien. Zijn spekkige onderkin – in het verleden zo groot als een pompoen – hing leeg en verlept neer. Zelfs zijn wangen, die zich zes weken lang goed hadden gehouden, vielen uiteindelijk ten prooi aan de honger en vervolgens aan de zwaartekracht. Ze hingen langs zijn gezicht als een stel zware vleesgordijnen, en alleen aan de gebarsten haarvaatjes kon je zien hoe magertjes Humphrey was geworden. Alleen zijn neus, met de bijzondere bobbel, bleef onveranderd onder al die honger. Terwijl Humphrey langzaam inzakte, leek zijn vorstelijke neus vastbesloten even fraai als anders te blijven – een fier baken op een door stormen geteisterde en snel afbrokkelende kaap.

Het was niet alleen het bedorven eten dat tot Humphreys achteruitgang leidde. Ook zeeziekte eiste zijn vreselijke tol. 'Ic ruymde alle sappen die wechloopen wilden,' schreef hij, 'niettemin most ic bracen.' Pas toen de Hector de Straat van Gibraltar bereikte, en de korentorren inmiddels tot in de halstalie zaten, accepteerden Humphreys ingewanden het deinen en slingeren van het schip.

Op dinsdag 15 januari 1667, toen de tweede wacht een paar uur oud was, ging Humphrey aan dek. Hij snoof de lucht op, zoals hij gewoon was, en dronk diep de zoute zeebries in. Bijna onmiddellijk bespeurde hij in de wind een geur die hem onuitsprekelijk gelukkig maakte.

'Land,' riep hij. 'Ik ruik land.'

En ja hoor, zo'n zeseneenhalf uur later kwam de grillige kustlijn van Azië in zicht. De Hector met zijn contingent hongerige zeelieden, kooplieden en een kaasboer die antiquair was geworden aan boord naderde de zee-engte die naar Constantinopel voerde.

'Toen ic mijn boecen aen lant wilde brengen,' schreef Humphrey, 'ructen de douaniers mijn coffers en cysten open en doorsochten alles.' Ze confisceerden zijn *The present state of the Ottoman Empire* van Rycaut en ze drukten zijn editie van *The Negotiations of Sir T.L. in his Embassy to the Sublime Porte* van Lane achterover. Maar de rest van zijn reisbibliotheek lieten ze ongemoeid en Humphrey was zo verstandig geen officiële klacht in te dienen.

Men had hem een kamer aangeboden in de factorij van de Levant Company, die aan de kade van de wijk Galata stond. Hij begaf zich erheen in het gezelschap van de andere kooplieden en installeerde zich in zijn comfortabele maar bescheiden onderkomen. Zijn eerste en dringendste taak was zichzelf een Turkse hoer te verschaffen. Dat was gemakkelijker gezegd dan gedaan, want hij ontdekte dat sultan Mehmet IV onlangs een decreet had uitgevaardigd waarin seksueel verkeer tussen moslims en christenen werd verboden. Maar Humphrey vond uiteindelijk een jonge lichtekooi die Hafise heette en die aanbood voor slechts één shilling en twee pence per keer in zijn behoeften te voorzien.

Ze rook naar de Oost – een fris, pasgewassen aroma van rozenolie en bergamot, Florentijnse iris en eau de cologne. Ik wilde dat mijn Agnes… mijmerde Humphrey melancholiek, maar toen bedwong hij zich. Humphrey Trencom, voegde hij er in gedachten aan toe, je bent een ondankbare hond.

Hafise beoefende al vele jaren haar vleselijke vak. Ze had pasja's, kooplieden, een gevallen derwisj en drie Europese handelaren vermaakt. Toch werd ook zij van haar stuk gebracht door de animo waarmee de onstuimige Humphrey zijn daad verrichtte. Zacht grommend ontdeed hij zich van zijn kousen en kniebroek, knoopte zijn hemd los en trapte zijn laarzen uit. Toen hij geheel naakt was (en 'met mijn lid op twaalf uuren', zoals hij in zijn dagboek schreef), belaagde hij vervolgens Hafise. 'Kom dan, mijn kleine Turkenmeisje,' paaide hij, 'kom eens bij Humphrey.'

In de daaropvolgende weken verkende Humphrey alle hoekjes en gaatjes van zijn kleine Turkenmeisje; hij stopte zijn vingers in holten waar geen vingers thuishoorden. Hij aaide en streelde haar, likte en zoog. 'Ik zal me vol drinken aan deze bron van geneugten,' hield hij zichzelf gretig knorrend voor.

Humphreys Engelse landgenoten sloegen zijn gedrag licht verbijsterd en niet weinig nieuwsgierig gade. Hij zat overdag in zijn kamer te turen op handgetekende kaarten en verliet de factorij op vreemde nachtelijke tijdstippen. Hij regelde clandestiene afspraken met Griekse kooplieden die in de christelijke wijk Fener woonden, en men had hem zelfs zien rondhangen in de straten rondom de Selim I-moskee. De factoren van de Levant Company ondervroegen hem over zijn activiteiten, maar hij hield zijn lippen stijf op elkaar. 'Ik ben op zoek naar oudheden,' was zijn enige antwoord. 'Op zoek naar oudheden.'

Toen hij een keer van een van zijn vreemde nachtelijke uitstapjes terugkwam, overkwam Humphrey Trencom iets tamelijk eigenaardigs. Hij had met Hafise afgesproken in de Engelse factorij, in het uur voor de dageraad, zodat hij zich aan zijn vroegeochtendsport kon wijden. 'Mijn ochtendwandelingetje in de natuur,' schertste hij. 'De jongeheer vroeg uit wandelen nemen.'

Hafise kwam zoals afgesproken naar de Engelse factorij en volgde Humphrey naar zijn kamer. Ze legde haar saffraankleurige jubbah af, trok haar onderkleding uit en ging – geheel naakt – languit op Humphreys divan liggen. Humphrey trok eveneens met de hem kenmerkende snelheid al zijn kleren uit, en legde zijn sterk afgeslankte lijf naast het hare.

Een van zijn grootste genoegens was naast haar liggen en zijn neus de geheime plekjes van haar lichaam laten verkennen. Ze had haar geheel eigen geur, die totaal anders was dan die van Agnes. De rouge op haar wangen rook naar saffloer, de poeder in haar haar naar civet. Er waren andere, nog meer verleidelijke geuren, geuren die Humphreys lendenen prikkelden. Haar oksels, o, die verrukkelijke oksels van haar! Gewassen maar nooit geparfumeerd waren ze, en ze bevatten een merkbare zweem van inspanning – de eerste opwelling van geur, veroorzaakt door haar stevige wandeling op de vroege ochtend. Humphrey ademde die geur altijd twee- of driemaal diep in voordat hij naar graziger weiden ging.

Hij liet zijn dan neus zuidwaarts reizen, naar beneden, naar beneden, totdat hij zijn genotscentrum bereikt had. 'Mijn soek van genot,' kwijlde hij. 'Mijn Oriënt van het vlees.'

Hij rustte dan even terwijl hij zijn neusgaten de miniatuurheuvels en -geulen van haar vlees liet verkennen. Behekst en betoverd als zijn neus was, vertoonde die altijd onbeheersbare zenuwtrekkingen.

Maar op deze bewuste ochtend ging er voor het eerst iets vreemd mis. Humphrey kneep even in zijn neus, zoals hij gewoon was, en duwde zich dicht tegen Hafises armen aan. Hij haalde diep adem, snoof de lucht door zijn neusgaten op en liet hem diep zijn longen in gaan. Daarna pauzeerde hij even. Hij wachtte en krabde zich nerveus. 'Wat gek,' zei hij, 'wat raar.' De explosie van geuren die hij verwachtte, tja... die kwam niet. Humphrey Trencom rook absoluut niets.

Zijn neus ging langs de holte tussen haar borsten naar beneden en bleef hangen boven haar heerlijke navel. Op iedere andere dag was dit een ware werveling van geuren. Maar wederom niets. Humphrey begon nu echt verontrust te raken. Hij bleef neerwaarts gaan, totdat hij de soek van genot had bereikt. Hij liet met veel lawaai alle lucht uit zijn longen ontsnappen en haalde toen lang en diep adem. Maar waar o waar was de vertrouwde liefdesgeur?

'Ach, mijn schoonheid, ben je je geuren kwijt?' Maar diep in zijn hart wist Humphrey dat Hafise niet haar geuren kwijt was. Zijn neus functioneerde niet goed. Er zat iets helemaal fout. Zonder aanwijsbare oorzaak en zonder één enkele waarschuwing vooraf hadden zijn geurcellen hem in de steek gelaten.

Met een zware zucht en een luide kreun hees Humphrey zich op zijn lieftallige Hafise en maakte hij zich op voor de strijd. De zon kwam op. De haan kraaide. En opnieuw kreeg de met zijde beklede divan in Humphreys kleine kamertje ervan langs.

Humphrey wist voor de hertog van Athelhampton veel curiosa op te sporen; algauw had hij een fraaie verzameling evangelies en manuscripten aangekocht. Zijn kostbaarste voorwerp was een keizerlijke gouden bul met het zegel van Ioannes Palaiologos, die hij van plan was zelf te houden. Hij had hem van de monniken op het eiland Heybeli gekocht voor slechts twee pond, drie shilling en twaalf pence, een redelijk bedrag, maar voor de hertog van Athelhampton was het slechts een korenbloem in de weide. 'Een voordelighe aencoop,' schreef Humphrey in zijn dagboek. En dat was het ook.

Waar Humphrey vooral zijn aandacht op richtte, afgezien van de geslachtsdelen van Hafise, was de Porta Aurea. Sinds hij in de stad was aangekomen, was hij bijna iedere dag naar deze stadspoort gegaan en had hij urenlang de voorgevel zitten schetsen en het gebouw staan opmeten. Hij wist meer dan de meeste andere mensen van de Porta Aurea, want hij had hem vrijwel zijn hele volwassen leven bestudeerd. 'De grootste triomfen van het Byzantijnse Rijk hebben zich daar afgespeeld,' zei hij tegen de Engelse kooplieden met wie hij zijn onderkomen deelde. 'Basilius I vierde er zijn overwinning op de Bulgaren. Michaël III vierde er feest toen hij de Arabieren een verpletterende nederlaag toebracht.' Wanneer hij dit had verteld, zweeg hij altijd even om de glorie uit het verleden te overpeinzen. 'En door deze poort reed keizer Michaël VIII Palaiologos in de zomer van 1261 op een wit strijdros de stad binnen nadat hij deze had heroverd op de kruisridders. En daarna' – hij zuchtte zacht – 'kwam het einde.' Het was bij deze poort dat er ten slotte een einde kwam aan het ooit zo machtige Byzantijnse Rijk. En van dat onderwerp wist de heer Humphrey Trencom heel wat af.

Er heeft zich in de schaduw van de poort een grote menigte verzameld. Er zijn marskramers en bedelaars, waarzeggers en fakirs. Een apotheek verkoopt ijsdrankjes met muskusaroma, een imam zegt zijn gebeden. Let op de schoenmaker, met zijn ovale schaal met slippers. Kijk goed uit! Let op wat er achter je rug gebeurt! *'Allah, yanssur es-sultan,'* roept een waterverkoper. 'Moge God de sultan de overwinning schenken.' En de menigte antwoordt: *'Allah, Allah.'*

In de verste hoek van de geïmproviseerde soek, naast de beroemde poort, is Humphrey Trencom aan het rondsnuffelen. Hij schijnt iets te hebben gevonden dat zijn aandacht heeft getrokken.

Iets na middernacht, wanneer de Porta Aurea alleen nog maar bezoek krijgt van broodmagere katten en volgevreten ratten, kan men Humphrey Trencom door de schaduwen zien sluipen. Hij draagt een zwarte tulband, een donkere kamgaren mantel en zachte slippers. Het is duidelijk dat hij de Gouden Poort onopgemerkt probeert te bereiken.

Er staat slechts een smalle maansikkel in de lucht en de straten zijn in duister gehuld. De imposante muren aan de landzijde zijn zichtbaar als een zwart blok tegen een gesluierde achtergrond. De andere gebouwen zijn niet meer dan sombere silhouetten.

Vlak voordat Humphrey de poort bereikt, loopt hij snel een zijsteegje in. Ongeveer twintig meter verder, iets voorbij de Osman Camii, is een smalle doorgang die naar een kleine binnenhof leidt. Humphrey schiet de doorgang in en zoekt zich tastend een weg naar de binnenhof. Er is helemaal geen licht, dus hij moet op zijn andere zintuigen vertrouwen – zijn neus en zijn handen. Hij vindt op de tast een deur. Die zit op slot. Hij vindt er op de tast nog een. Die zit ook op slot. Maar de derde deur staat op een kier. En zijn neus, die weer volledig is hersteld, heeft een ongewone geur ontdekt die door de opening komt.

Hij duwt tegen de deur en die kraakt. Er miauwt een kat. Er kleppert een luik. 'T-t-t,' fluistert Humphrey zacht. 'Hou je stil, Humph, hou je stil.'

Achter de deur bevindt zich een stel treden – lage treden die uitgesleten zijn van ouderdom. 'Voorzichtig, ouwe jongen,' zegt hij zacht. 'Op deze plek mag je niet struikelen.'

De geur wordt bij iedere trede sterker – de geur van specerijen en balsem. 'Wierook, wierook, wierook,' fluistert Humphrey, terwijl hij de lucht opsnuift. 'Uit het hoogland van Arabië.'

Hij bereikt de onderkant van de trap en zoekt tastend naar de muren. De vloer is zanderig en de steen is vochtig. De doorgang is nauw, ruim een halve meter, en Humphrey kan zich er maar net doorheen persen. Als hij hier een halfjaar eerder was geweest, vóór zijn lange zeereis, zou hij er niet doorheen zijn gekomen. Gode zij dank voor verrot voedsel, denkt hij.

Hij kan onder de wierook door korstmos ruiken. 'Je bent er bijna, Humphie,' zegt hij zacht voor zich heen. 'Nog twaalf stappen.'

Humphrey bevindt zich nu recht onder de Porta Aurea, in een laag, rond vertrek dat uit de steen is gehouwen. Hij ziet niets – zelfs de slippers aan zijn voeten niet. Maar hij weet iets over dit vertrek dat zo geheim, zo gevaarlijk is, dat het, als het ooit werd ontdekt, tot zijn onmiddellijke executie zou leiden. Hij neemt nog twee stappen, steekt zijn handen uit, en voelt of er ergens een bundeltje is.

'De patriarch had gelijk,' fluistert hij zacht. 'De patriarch had gelijk.'

Daar ligt het, precies zoals hij had verwacht. Een dikke laag jute omsluit een uiterst kostbaar voorwerp. Humphrey neemt het in zijn armen, houdt het kort onder zijn neus, en stopt het dan onder zijn mantel.

II

3 april 1969

'Politiebureau Streatham. Politiebureau Streatham. Politiebureau Streatham.' Elizabeth liet haar vinger langs een lange lijst politiebureaus in het telefoonboek glijden, op zoek naar het nummer voor niet-spoed. 'Ah — daar heb ik het. Politiebureau Streatham, algemene inlichtingen.'

Ze noteerde het nummer en liep ermee naar de telefoon. Maar toen ze de hoorn wilde oppakken, aarzelde ze en ging toen weer zitten. Ze vroeg zich af wat ze in godsnaam moest zeggen. Het zou belachelijk klinken. Het schoot haar weer te binnen dat ze Edward stellig had beloofd dat ze geen contact met de politie zou opnemen. Ze wilde hem niet bedriegen juist nu hij haar had verteld wat er allemaal was gebeurd.

Maar hoewel ze zich nog even inhield, was ze gek van de zorgen en bleef alles maar rondmalen in haar hoofd. De man op het kaasfestival, de man die Edward volgde, de overstroming. Er was geen touw aan vast te knopen.

Zelf had ze nog steeds niemand haar man ook echt zien volgen, hoewel ze voortdurend alert was, en dat vergrootte haar frustratie alleen maar. 'Je weet gewoon nooit wie er op je loert,' bekende ze Edward op een avond. 'Kon ik maar zien hoe hij eruitziet, dan zou alles veel werkelijker lijken.'

Edward had Elizabeth niet tot in de details verteld wat hem overkomen was, omdat hij haar niet onnodig wilde alarmeren. Maar hij had wel beschreven hoe hij de Griek naar Queen Street had teruggevolgd en hij had haar ook verslag gedaan van de diverse vreemde taferelen die hij en Richard door het raam op de eerste etage van Barcleys kantoor hadden gadegeslagen.

Op een ochtend, niet lang nadat Edward was weggegaan om een paar boodschappen te doen, zette Elizabeth plotseling haar mok met koffie neer. Ze sloeg haar armen over elkaar en zei tegen zichzelf dat het mooi was geweest. 'Ik kan niet meer tegen dat wachten,' zei ze met de haar kenmerkende vastberadenheid. 'Het wordt tijd dat we de situatie zelf in de hand nemen.' En op dat moment besloot ze meneer Makarezos in Queen Street op te gaan zoeken.

Als Edward op dat moment thuis was geweest, zou hij zijn uiterste best hebben gedaan zijn vrouw van dit plan af te brengen. Hij zou tegen Elizabeth gezegd hebben dat zo'n stap het gevaar waarin hij verkeerde, alleen maar groter zou maken. Hij zou haar gesmeekt hebben niet onbezonnen te werk te gaan. Maar aangezien er niemand was die haar verontwaardiging en woede kon temperen, was ze in staat haar plan te trekken.

Het was iets na elven toen ze de hoek van Queen Street om sloeg. Ze was niet in het minst zenuwachtig – het leek er zelfs in alle opzichten op dat ze zich op de ophanden zijnde confrontatie met meneer Makarezos verheugde. Ik zal luisteren naar wat hij heeft te zeggen, dacht ze. Maar ik zal hem ook zeggen waar het op staat. Echt waar. Hij heeft niet het minste recht om Edward zo te behandelen. En waarvoor?

Ze vertraagde enigszins haar pas toen ze nummer 14 naderde en keek op naar de geelkoperen plaat. 'Goed, daar gaat-ie dan.' Nadat ze eenmaal diep had ingeademd en weer langzaam door haar neus had uitgeademd, liet ze de klopper hard op de deur neerkomen.

Het duurde lang voordat ze in het gebouw voetstappen hoorde naderen. Er werd een ketting losgemaakt en een sleutel omgedraaid in het slot. En toen ging na wat een eeuwigheid leek de deur open en stond er een kleine, tengere en tamelijk bejaarde Griekse dame voor haar.

'Ja?' zei ze op vragende toon.

'Ik kom voor meneer Makarezos,' zei Elizabeth Trencom stoutmoedig. 'Ik wil hem graag spreken.'

'Zou je dat willen herhalen, kind?' zei de dame, terwijl ze zich naar Elizabeth toe boog. 'Ik ben een beetje doof.'

'Meneer Makarezos,' zei Elizabeth. 'Ik wil hem spreken.'

'Ah,' zei de vrouw. 'Hij zit helaas in een bespreking. Zou je over' – ze keek op haar horloge – 'ongeveer een uur terug willen komen?'

'Nee,' zei mevrouw Trencom ferm. 'Nee, ik wil hem nu spreken, als u het niet erg vindt. Zou u hem alstublieft even willen halen?'

'Je zult toch echt wat harder moeten praten, kind, iets luider praten.'

'Wilt u hem gaan halen? Alstublieft? Ik moet hem dringend spreken.'

'Tja, als je erop staat. Ik zal kijken of hij tijd heeft. Je naam?'

'Mevrouw Trencom.'

'Mevrouw Trondheim?' herhaalde de vrouw.

'Nee, Trencom.'

'Goed, kind,' zei de vrouw. En ze verdween de gang in en liep de trap op.

Elizabeth stond twee à drie minuten op de stoep te wachten en probeerde uit te denken wat ze precies tegen meneer Makarezos zou zeggen. De deur was op een kier blijven staan en ze gluurde de hal in. Er was een slecht verlichte gang die naar een trap leidde. Voorbij de trap was een deur die toegang bood tot de vertrekken op de benedenverdieping. Maar verder was de hal helemaal leeg. Er hing niets aan de muren, die op mevrouw Trencom overkwamen alsof ze al vele jaren geen verfkwast hadden gezien.

Terwijl ze daar zo op de stoep stond, hoorde ze plotseling haar naam roepen.

'Elizabeth... Elizabeth.'

Ze keek naar links en rechts de straat in om te zien waar de stem vandaan kwam.

'Elizabeth… Hierboven.'

Ze keerde zich om, keek op en zag Richard Barcley op de eerste verdieping van het gebouw ertegenover uit het raam hangen.

'Elizabeth! Nee! Nee! Gauw! Kom hierheen.'

Elizabeth wist niet of ze moest blijven waar ze was, zodat ze meneer Makarezos nu eens precies kon vertellen wat ze van hem vond, of moest doen wat de beste vriend van haar man haar opdroeg.

'Ik smeek het je,' riep Barcley. 'Niet doen.'

Met veel tegenzin stapte Elizabeth van de stoep af en liep naar de overkant. Nauwelijks was ze bij nummer 11 aangekomen, of de deur vloog open en Richard Barcley trok haar aan haar arm naar binnen.

'Wat dóé je nou?' zei hij, op een toon die hij nog nooit tegen Elizabeth had gebruikt. 'Ben je gek geworden? Snap je het dan niet? Edward, je man, loopt grote risico's. Verkeert in levensgevaar. Echt, bij Makarezos aankloppen om de confrontatie met hem aan te gaan is' – hij zocht naar het juiste woord – 'gekkenwerk.'

Toen Barcley dat zei, voelde Elizabeth haar zelfvertrouwen wegvloeien, maar ze bleef toch iets uitdagends houden. 'Nou, maar als die man' – ze wees naar nummer 14 – 'mijn huwelijk wil verpesten, dan zal ik hem eens even vertellen waar het op staat.'

En daarop werd de spanning van wat er zojuist was gebeurd haar te veel en begon ze te huilen.

'Mevrouw Clarke,' riep Richard naar zijn secretaresse, 'zou u voor mevrouw Trencom een lekkere kop thee willen zetten? En ik wil er ook wel een. Of weet u wat,' bedacht hij zich, 'maakt u er voor mij maar een koffie van.'

Aan de andere kant van de straat stond de bejaarde Griekse dame op de deur van de directiekamer te kloppen.

'Binnen,' zei een stem.

Toen ze de deur opendeed, keken vier mannen op.

'Er is iemand voor u, meneer Makarezos,' zei ze. 'Iemand die u heel graag wil spreken. Een dame.'

'Wie is het?' snauwde Makarezos. 'Hoe heet ze?'

'Mevrouw Trondheim. Volgens haar is het urgent.'

'Nooit van gehoord,' zei hij. 'Zeg maar dat ze een andere keer moet terugkomen.'

III

April 1969

Er waren ruim vier weken verstreken sinds de nacht van de overstroming, maar Edward vertoonde nog steeds geen tekenen naar Trencoms te willen terugkeren. Hij had meneer George de voorbereidingen laten treffen voor de heropening van de winkel en had hem af en toe gebeld om te informeren hoe het ging. Ondertussen had hij bijna al zijn tijd besteed aan het schrijven van de eerste hoofdstukken van *Dynastie*. Hij voelde zich geïnspireerd door Harry Barnsleys boek *Ten Chimes to Midnight* en overwoog zijn boek in dezelfde stijl te schrijven. In sommige opzichten is het een detectiveverhaal, dacht hij, en in andere is het een historisch verhaal vol duistere intriges.

Elizabeth was blij dat ze Edward om zich heen had, en deed wat ze kon om hem aan te moedigen. Ze was dolblij toen hij haar vertelde dat hij weer aan zijn *Geschiedenis van de kaas* aan het werken was en keek uit naar de dag waarop hij een vergelijkbaar enthousiasme voor Trencoms aan de dag zou leggen. Toch bleef ze uiterst ongerust over het feit dat ze haar man voor haar neus van karakter zag veranderen. Hij leek minder betrokken dan ooit – heel lusteloos en veranderlijk. Het ene moment was hij vol vuur... en het andere? Het andere leek hij niet eens te weten wie hij was. Hij at op steeds vreemdere tijdstippen en sliep 's nachts slecht. Vroeger verorberde hij 's avonds grote hoeveelheden kaas en had hij nooit last van onrustige dromen, maar nu at hij haast nooit meer tussendoor kaas en beweerde hij dat zijn dromen levendiger waren dan ooit. En wat zijn liefdesspel betreft – Elizabeth slikte. Dat werd met de dag extravaganter en ongeremder.

Ze glimlachte toen ze eraan dacht hoe ze twaalf jaar geleden nerveus in bed had liggen wachten op de komst van haar man. Niet zo lang geleden vrijden we maar één keer per week, op zondag, dacht ze, en nu – je weet niet wat je meemaakt. Ze telde op haar vingers: de afgelopen twee dagen hebben we het vijf keer gedaan. Het leek wel of Edward kracht kreeg van een innerlijke geest, een geest die tegelijkertijd als een bloedzuiger werkte en zijn levensenergieën aftapte.

Ongeveer een uur nadat Elizabeth dit allemaal had gedacht, was ze het schrijfbureau naast het raam aan het afstoffen. Daar zat Edward meestal te werken wanneer hij thuis was. Het bureaublad ging bijna helemaal schuil onder een lappendeken van aantekeningenboekjes, knipsels en papieren. Op de bovenste map stond HUMPHREY TRENCOM en Elizabeth zag dat hij uitpuilde van Edwards aantekeningen over de oorspronkelijke oprichter van de winkel. Geïntrigeerd sloeg ze de map open.

Zo... Edward heeft al een hoop onderzoek gedaan, was haar eerste gedachte. Alleen met dit materiaal al kun je over Humphrey Trencom een boek schrijven. De map bevatte met de hand overgeschreven fragmenten uit het dagboek van Pepys (allemaal over de stadsbrand in Londen), en een plattegrond van de stad in 1666. Er zaten twee pamfletten bij over Piddletrenthide, het dorpje in Dorset waar Humphrey en zijn voorgeslacht vandaan kwamen, en een korte monografie over sultan Mehmet IV. Die ziet er onguur uit, dacht Elizabeth toen ze een kopie van zijn portret oppakte. Die zou ik niet op een donkere avond tegen willen komen.

Toen ze de afbeelding in de map terugstopte, werd haar blik gevangen door een tamelijk groot vel papier dat in vieren was gevouwen. Het was oud – dat kon Elizabeth ook wel zien – en voelde prettig zwaar aan. Ervoor oppassend dat ze het niet scheurde, vouwde ze het open en spreidde het uit op het bureau. Het was overdekt met schrift – een keurig net schuin handschrift.

Elizabeth zag bovenaan een datum: 'Dag onzes Heeren, den 10en septembris 1666,' en toen zag ze dat het door Humphrey Trencom was geschreven. Het verbaast me dat Edward me dit niet heeft laten zien, dacht ze. Ik wist niet dat hij papieren van Humphrey in zijn bezit had.

De brief, geschreven tijdens de nasleep van de grote brand, beschreef dat Humphrey niet meer het enthousiasme kon opbrengen om Trencoms te heropenen. Hij legde uit dat hij de vier jaar daarvoor de allerfijnste kazen had verzameld die de stad Londen ooit had gekend, en dat alles – kazen, winkel en vliering – in rook was opgegaan. 'Mine dierbaere moeder heeft mi eens gesegt een teecen te verwachten,' schreef hij naar de onbekende ontvanger van de brief. 'Nu is het gecoomen. Dit is het teecen dat ic al dese jaeren verwacht heb. Dit is wat mi ter voyagie drijft – dit is wat mi naer de Orient drijft.'

Elizabeth las de brief met een steeds groter wordende ongerustheid. 'Tevens laet ic u weeten,' zo stond er, 'dat mine nase, het werktuygh offe instrument van al min vreuchde, eene vloec ende belemmering gheworden is. Somtijds can ic ruycen en somtijds niet.'

Toen ze dit las, hield Elizabeth haar adem in. 'Hè? Wat raar.'

Ze las het nog eens om er zeker van te zijn dat ze het zich niet had verbeeld. Maar nee, daar stond het, in heel duidelijke taal: 'Somtijds can ic ruycen en somtijds niet.' Ze vouwde het papier weer op en keek achterom, alsof ze zich ervan wilde vergewissen dat niemand haar had bespioneerd. Het was net of ze zojuist iets illegaals had gedaan – iets wat ze niet had moeten doen. 'Zo, zo,' zei ze ten slotte. 'Ik geloof dat hier een kop thee aan te pas moet komen.' En daarop verdween ze in de keuken.

Terwijl het water langzaam het kookpunt naderde, bleven de woorden uit de brief maar door Elizabeths hoofd malen. Ze was totaal in de war. Nee, dat was te zacht uitgedrukt. Ze was helemaal van haar stuk gebracht door haar ontdekking. Doet Edward op de een of andere manier Humphrey Trencom na? vroeg ze zich af. Of lijdt hij aan dezelfde vreemde kwaal als zijn voorouders? Zit het allemaal in zijn hoofd? Of is hij niet in staat er zelf iets aan te doen?

Terwijl Elizabeth een beetje melk in haar kopje goot, kreeg ze een gedachte die haar nog meer verontrustte. Was het mogelijk dat alle Trencommannen, vele generaties lang, dezelfde vreselijke aandoening hadden gehad? Ze had er nu spijt van dat ze niet beter had opgelet toen Edward het over zijn voorouders had. Maar met het verhaal over zijn vader en grootvader was ze wel degelijk vertrouwd, en ze herinnerde zich dat zij, net als Humphrey, Trencoms hadden verlaten om ergens overzee een vreemde obsessie na te jagen.

Ze haalde het thee-ei uit de theepot en sloeg het leeg in de afvalbak.

'In ieder geval is er nog niets wat erop wijst dat Edward Londen wil verlaten,' zei ze in zichzelf. 'Dat is een geluk bij een ongeluk.'

Edward had de ochtend doorgebracht aan tafel twaalf in de openbare bibliotheek in Southwark. Hij had de gewoonte *The Times* door te bladeren voordat hij aan zijn research begon, en dat deed hij deze bewuste ochtend ook. Er stond nieuws in over een documentaire over de koninklijke familie en een interessant artikel over een ophanden zijnde veiling van Napoleons memoires. Maar het was met name een artikeltje onder aan bladzijde zeventien – de bladzijde met hofberichten – die Edwards aandacht trok. Het was maar kort, een regel of vijf, zes, maar toen Edward het las, stond zijn hart even stil. KAASWINKEL D'AUTUN KRIJGT KONINKLIJK PREDICAAT luidde de kop, en daaronder stond dat d'Autun in de St. James's Street de op een na beste kaashandel in de hoofdstad was geworden en geëerd zou worden met het predicaat 'hofleverancier'. Het artikel stipte even de rivaliteit tussen de d'Autuns en de Trencoms aan en beweerde dat dit nieuws vast niet in de smaak zou vallen bij 'de heer Edward Trencom, eigenaar en uitbater van Trencoms, de oudste kaaswinkel van Londen, die onlangs zware waterschade opliep bij een overstroming. Trencoms blijft tot nader order gesloten.'

258

Edward las het artikel nog eens. 'Niet in de smaak zou vallen,' herhaalde hij. 'Hmmm.' Hij legde de krant neer en leunde naar achteren in zijn stoel. Hij vroeg zich af of hij er inderdaad moeite mee had. Kon het hem wel echt wat schelen? En toen besefte hij, enigszins tot zijn eigen verbazing, dat dat niet het geval was. Ik wens hem er veel geluk mee, dacht hij. Hij verdient het. En bovendien zijn er mensen die wel iets beters te doen hebben.

Edward stond op en liep door de bibliotheek om de krant terug te zetten op het rek. Hij keerde terug naar zijn plek en opende een antiquarisch boek waar hij al vaak in had gebladerd, en begon erin te lezen.

Het desbetreffende boek was van Humphrey Trencom en droeg de titel *Ad portam Constantinopolitis,* wat Edward zou hebben vertaald met 'Over de poorten van Constantinopel', als hij niet zijn vroegere leraar Latijn als een soort geest over zijn schouder had voelen meekijken.

Natuurlijk niet, dacht hij. Het is enkelvoud. En hij schreef: OVER DE POORT (ENKELVOUD) VAN CONSTANTINOPEL op zijn blocnote.

De titelpagina van Humphreys boek wekte de indruk dat de lezer een conventioneel reisverhaal moesten verwachten in de trant van Sir Japhet Brownes *Tales and Travailes* (in hetzelfde jaar uitgegeven) of Asheby's *Manners and Customs of Aethiope.* Maar Edward kwam er algauw achter dat Humphreys boek niet helemaal was wat het op het eerste gezicht leek. Vanaf de eerste zin op bladzijde 1 tot de laatste zin op bladzijde 243 stond het vol met gekkigheden en cryptische aanwijzingen, met uitweidingen en verbale wijdlopigheden. Het leek wel of de schrijver de lezer een ingewikkelde poets bakte en onbekommerd van het ene op het andere onderwerp oversprong. Het boek werd nog verwarrender doordat het de neiging vertoonde alles wat het verhaal zou kunnen helpen verduidelijken, achterwege te laten.

Edward ontdekte tot zijn verbazing dat Humphrey in tegenstelling tot zijn reizende tijdgenoten in zijn verslag van zijn lange zeereis weinig havens, getrotseerde gevaren en windrichtingen

259

noemde. In plaats daarvan weidde hij uit over de fantastische monsters die hij had gezien — hippogriefen en geleiachtige inktvissen, zeemeerminnen en tweekleppige schelpen zo groot als wagenwielen. Het was Edward duidelijk dat de meeste daarvan aan de fantasie van de schrijver waren ontsproten — of waren overgenomen uit Herodotus — maar toch verzekerde Humphrey zijn lezers dat hij alles met zijn eigen ogen had aanschouwd.

Zijn beschrijving van Constantinopel was zelfs nog cryptischer, hoewel voor Edward wel aangenamer. Humphrey nam zijn lezers mee op een neustocht door de stad en beschreef elke wijk aan de hand van de geur. Dit verslag was doorspekt met lofzangen in Byzantijns Grieks — beschrijvingen van Constantinopel zoals het was geweest voor het beleg van 1453.

'Hmmm,' mompelde Edward, terwijl hij voor de achttiende keer die ochtend op zijn hoofd krabde. 'Het is zeker het eigenaardigste boek dat ik ooit heb gelezen.' En hij vroeg zich af hoe hij zo'n relaas moest doorgronden.

De inhoud werd voorafgegaan door een gegraveerde titelplaat — een portret van de auteur die in opdracht van de heer H.T. zelf was vervaardigd. Het was een afbeelding van een smalle en ontegenzeggelijk knappe man met een Romaanse kaaklijn en fijnbesneden gelaatstrekken.

Een man die goed voor zichzelf zorgde, dacht Edward. Een man die de spiegel in de gaten hield.

Wat het meest in het oog sprong was de eigenaardige neus van de auteur: lang, dun en recht, met een opvallende maar volmaakt gevormde bobbel op de brug. Edward bracht onwillekeurig zijn hand naar zijn neus toen hij de gravure nog eens bestudeerde. Het is onmiskenbaar mijn neus. Hij merkte dit voldaan op. We zijn allebei Trencoms, dat is wel zeker.

De heer H.T. had in het voorwoord heel wat over zichzelf geschreven en hij kwam over als een leergierig en nogal serieus persoon. Hoewel de Engelse kooplieden in Constantinopel hun tijd besteedden aan drinken en hoerenlopen, leek Humphrey de voorkeur te hebben gegeven aan het bestuderen van Byzantijnse manuscripten. Hij had ook een aantal gevoelige verwijzingen naar Agnes erin opgenomen, van wie Edward al wist dat ze zijn vrouw was. Hij moet haar gemist hebben, dacht hij, maar ik mis Elizabeth ook wanneer ik van huis ben.

De inhoud van het boek was heel wat lastiger dan het voorwoord. De voornaamste moeilijkheid voor Edward was de neiging van de auteur om op Latijn of Grieks over te stappen wanneer hij iets belangrijks te melden had. Het was om gek van te worden. Telkens wanneer Humphrey van plan leek enig inzicht te geven in het mysterieuze doel waarvoor hij naar Constantinopel was gekomen, schakelde hij over op Byzantijns Grieks. Hoe meer Edward het boek bestudeerde, hoe meer hij besefte dat zijn voorvader geobsedeerd was door de Porta Aurea. Hij beschreef hem tot in de kleinste details en gaf zelfs een schetsmatige weergave van de westelijke en oostelijke gevel. Edward begon het zelfs goed mogelijk te achten dat Humphrey alleen maar naar Constantinopel was gegaan om deze historische poort te onderzoeken.

Ah, mooi, dacht hij toen hij opkeek. Daar heb je Herbert – precies de man die ik zoek.

Herbert Potinger wist niets van meneer Makarezos en de vreemde dingen die Edward de afgelopen twee maanden waren overkomen. Edward had hem niet verteld dat hij werd geschaduwd, want hij wilde dat zo weinig mogelijk mensen het wisten. Maar Herbert kende Edwards familiedocumenten door en door en had zijn vriend beloofd te helpen het raadsel rond Edwards voorvaderen op te lossen. Hij kreeg het boek van Humphrey Trencom in de gaten en fluisterde met een glimlach op zijn gezicht: 'Dat doet me ergens aan denken. Ik heb informatie voor je, en ik denk dat je er wel iets aan zult hebben.'

Hij duwde zijn vingers in de dikke bos rood haar op zijn hoofd (een nerveus trekje) en krabde krachtig op zijn hoofd. Terwijl hij dat deed dwarrelde er een wolk roos door de lucht die op zijn schouders en mouwen viel. Edward zag het vallen en herinnerde zich dat hij ooit gelezen had dat huishoudstof voor vijfenzeventig procent uit mensenhuid bestaat. In het huis van die goeie ouwe Herbert, mijmerde hij, zal dat eerder rond de negentig zijn.

Edward zag tot zijn genoegen dat Herbert een map met TREN-
COM erop vasthield. Een paar dagen daarvoor had hij een groot
aantal Griekse passages uit Humphrey Trencoms boek gekopieerd
en ze bij Herbert thuis afgeleverd. Nu zou hij erachter komen
waar het allemaal over ging.

'Waar zullen we beginnen?' fluisterde Herbert. 'O, ja... Oké.
Als je in hoofdstuk tweeëntwintig van het veertiende deel van de
Kroniek van Agallianos kijkt, tref je een belangrijke verwijzing
aan naar de derde paragraaf van de vierdelige *Toespraak* van Eugenikos.'

Edward deed precies wat hem werd verzocht en kwam tot de
ontdekking dat hij moest kijken in de veertiende jaargang van
The Patristic and Byzantine Review. Daarin stond een voetnoot die
op een interessante passage hintte in het tweede deel van de
Historiae van Ioannes Kantakouzenos. Opgewonden vanwege het
feit dat hij eindelijk een spoor naar Humphrey had, keerde Edward terug naar de kaartencatalogus, maar daar kwam hij erachter dat hij eigenlijk had moeten kijken in *Versuch einer Genealogie
der Palaiologen* van Papadopallos (München, 1938). Maar dit belangrijke naslagwerk was op de een of andere manier aan het aan-
koopbeleid van Herbert ontsnapt en was slechts te vinden in de
Londense bibliotheek. Bovendien was het een Duits boek en kon
noch Edward, noch Herbert daar iets van begrijpen.

Sommige mensen zijn dol op research en andere mensen niet.
Edward en Herbert hoorden in de eerste categorie thuis, en de
volgende drie dagen hielden ze zich bezig met pogingen het
mysterie van Humphreys boek te ontrafelen. Het was beide mannen duidelijk dat hij de een of andere clandestiene opdracht uit-
voerde en naar iets van het grootste belang op zoek was. Maar wat
dat dan was en wat hij ermee wilde doen was totaal onduidelijk.

Edward ging iedere avond naar Herberts huis en dan spanden
ze zich nog verwoeder in erachter te komen waarom Humphrey
zo door de Porta Aurea geobsedeerd was. Telkens bleef Edward
tot lang na middernacht weg. Hij zat een hele zaterdag in Her-

berts voorkamer onderzoek te doen. En op de zevende dag, zo rond de tijd dat ieder ander in de Heythrop Avenue in Streatham op zijn zondagse rosbief zat te wachten, beleefden Edward en Herbert een kleine doorbraak.

'Eureka!' riep Herbert. 'Ik heb het – ik heb het – ik heb het.'

Hij had net een Byzantijns raadsel opgelost dat Humphrey op een belangrijk punt in zijn boek had ingelast. Hij las zijn vertaling nog eens om er zeker van te zijn dat die klopte, en toen verscheen er een zelfvoldane glimlach op zijn gezicht. Hij had een deel van het raadsel opgelost.

'En?' vroeg Edward ongeduldig. 'Vertel op, man, vertel op.'

Maar hij moest nog een paar minuten lijden voordat zijn vriend hem over zijn ontdekking kon vertellen. Want wanneer Herbert Potinger gespannen of heel opgewonden was, begon hij te stotteren, wat heel vervelend voor hem en lastig voor anderen was.

'Spe-spe-spe-spe…'

Edward probeerde zijn vriend aan te moedigen door zijn wenkbrauwen op te trekken en weer te laten zakken, teneinde het woord naar buiten te lokken.

'Spe-spe-spe-spe…'

Hij wilde Herbert niet aanstaren en daarom keek hij naar de grond, in de hoop dat dit de spanning zou verminderen en het gestotter zou doen afnemen. Maar het mocht niet baten.

'Spe-spe-spe-spe…'

Hij gooide het over een andere boeg en probeerde het woord te raden. 'Speer? Speciaal? Specimen?'

Herbert reageerde niet, maar bleef dapper proberen het zo belangrijke woord eruit te hoesten, spugen of proesten. Het was maar goed dat op het moment waarop hij er niet meer uitkwam, de voordeur met een harde klap dichtsloeg. Het geluid leek tot diep in Herberts lichaam door te dringen en het gewraakte gestotter uit zijn lijf te verdrijven. Onverwachts en zonder dat iets erop wees, was Herbert van zijn kwaal genezen. Er floepte één Latijns woord uit zijn mond.

'Spelaeum,' zei hij, en vervolgens zakte hij uitgeput onderuit in

263

zijn stoel.

'Spelaeum,' herhaalde Edward. 'En wat betekent dat?'

'Gr–gr–gr–gr–gr–gr…'

'Nee, hè,' kreunde Edward. 'Ik kan hier niet meer tegen.'

Maar deze keer hield het gestotter niet aan.

'Gr–gr–gr–grot,' zei Herbert. 'Het is een grot. Snap je? Ooit was er een grot onder de Porta Aurea.'

Er verscheen een glimlach op zijn gezicht en dat van Edward.

Ze beseften dat ze eindelijk iets op het spoor waren. Ze hadden Humphreys geur opgepikt.

IV

18 april 1969

Er waren twee smalle vissersbootjes op het kiezelstrand getrokken en net buiten het bereik van de golven neergelegd. Er droop nog water van de bootjes op de gebleekte kiezelstenen, waardoor er een donkergrijze kring om elk van beide boten ontstond. Maar met de minuut werd het druipen trager en de ring lichter. De zon was moordend – een licht zo fel dat je er een stekende pijn achter je ogen van kreeg. De zee bood een oneindig meer rustgevende aanblik: een bijna bewegingloze blauwe plaat met blikkerende vlekjes erop.

In een van de boten lag de eigenaar in een heel klein beetje schaduw te soezen. Hij had zijn hoed naar de zijkant van zijn hoofd verschoven om zijn ogen beschutting tegen de zon te bieden. Als je vanuit de verte naar hem keek, was het effect beslist eigenaardig te noemen. Het was net of zijn nek in een onmogelijke hoek was opgebonden waardoor zijn ruggengraat brak.

In de andere boot was een man met een kapot mes bezig zeeegels door te snijden en het zoute zeesap op te slorpen. Hij liet het een paar maal in zijn mond rondgaan om de smaak goed te proeven en peuterde toen met een vuile vinger tussen zijn tanden om een afgedwaalde stekel te verwijderen. Zijn bewegingen waren traag en weloverwogen. Het leek wel of hij op halve snelheid bewoog – een metronoom op de langzaamste stand. Hij keek op zijn horloge en geeuwde voor de derde keer in even zoveel minuten. Het was veel te heet voor april.

Het was niet de eerste keer dat deze twee 'kapiteins' 's morgens acht man overbrachten naar een leegstaande vissershut ergens op de westkust van het schiereiland Athos. Het was een onwaarschijnlijke plaats voor een bijeenkomst. In het enige raam zat alleen nog maar een gelijkbenige driehoek van glas het onbeschermde hout had de kleur van oude walvisbaleinen. Ook het dak had betere tijden gekend. De oranje-okerkleurige dakpannen waren even doorgroefd als een geploegd veld en gleden door de onverbiddelijke werking van de zwaartekracht langzaam af naar de grond.

Maar deze kenmerken waren nu juist de reden waarom het gebouw was gekozen. Niemand zou vermoed hebben dat dit al vier maanden lang de ontmoetingsplek was voor ondergrondse agenten die een complot tegen de Griekse regering smeedden. En ook zou niemand, in geen miljoen jaar, hebben vermoed dat het onderwerp van hun gesprek meestal Edward Trencom of kaaswinkel Trencoms in Londen was.

Op deze bewuste dag bestond het gezelschap uit drie priesters, vier agenten en Andreas Papadrianos. Laatstgenoemde was bijna voortdurend aan het woord en spoorde de rest van de mannen aan zich bewust te worden van het feit dat het juiste ogenblik niet gemist mocht worden. 'Als we nu niet handelen,' zei hij, 'kan het best zijn dat onze kans weer een generatie lang is verkeken, misschien wel voor altijd. Ik verzoek jullie allen dringend ja te zeggen.'

Een van de priesters knikte instemmend. 'Ik sluit me bij Andreas aan. Kijk naar de ernst van de situatie waarin we ons bevinden. Rellen, protesten, het verzet groeit met de dag. Wat we nodig hebben is een boegbeeld, en alleen híj' – hij benadrukte het woord – 'kan ons dat geven. Hij zal het volk achter ons weten te krijgen. Hij zal onze strijdkreet worden.'

'Maar vrienden, ik moet bezwaar aantekenen.' Pater Iannis nam het woord, de oudste van het gezelschap. 'Voorzover we weten spreekt hij geen woord Grieks. En dat is toch wel een probleem.'

'Daar is voor gezorgd,' onderbrak Andreas hem. 'We zullen hem als symbool gebruiken, we gebruiken zijn neus, en we zullen iemand namens hem laten spreken als en wanneer dat nodig is.'

'En laten we niet vergeten,' voegde een van de agenten eraan toe, 'dat hij het waardig is en er recht op heeft. Zijn familie wordt al generaties lang vervolgd. Negen stuks, als ik me niet vergis. En kijk eens wat ze Griekenland allemaal hebben gegeven. Wij, dit grootse volk, zijn, dankzij de Trencoms, dichter bij de verwezenlijking van onze droom gekomen. En nu, in deze tijd van wanhoop, hebben we hen meer dan ooit nodig.'

Het was een tijdje stil terwijl iedereen uit de schaal midden op tafel een handje gezouten amandelen nam. Andreas nam een slokje water in de hoop een stukje noot dat in zijn keel vastzat, los te kunnen krijgen, en sprak toen verder. 'Dan vraag ik jullie allen: zal ik deze brief nu versturen? Is de tijd rijp?'

Hij hield een envelop in de lucht waarop netjes stond geschreven: EDWARD TRENCOM, SUNNYHILL ROAD 22, LONDEN.

'Ja,' zei een van de priesters, gevolgd door een koor van 'ja – ja – ja – ja – ja – ja.'

'Dan is het moment nu echt aangebroken,' zei Andreas met een inmiddels lachend gezicht, en hij sloot de vergadering. 'Vrienden, ons leven ligt in de handen van Edward Trencom.'

V

Januari 1667

Humphrey Trencom is zich er totaal niet van bewust dat sinds hij in Constantinopel is aangekomen, al zijn bewegingen worden gadegeslagen en nauwgezet bestudeerd. Niet minder dan drie mensen hebben hem in de gaten gehouden – hem geschaduwd, op de voet gevolgd en ieder een dossier vol informatie over zijn onwelgevallige gedrag samengesteld.

Een van de drie is Ralph Pryor, hoofdkoopman van de Engelse factorij en een man die achterdochtig van aard is. Hij heeft Humphrey vanaf het moment dat hij hem voor het eerst zag, niet vertrouwd. 'De snit van zijn neus bevalt me niet,' legt hij vast in zijn dagboek.

Ralph had over Humphreys komst gehoord in een brief van de hertog van Athelhampton. De hertog had mijn 'geliefde dienaar, de heer Pryor' gesmeekt te doen wat in zijn macht lag om Humphrey in staat te stellen 'outheeden' te kopen. Hij had hem ook gevraagd Humphrey voor te stellen aan iedere Ottomaanse beambte die hij van nut achtte. Ralph had de brief van de hertog met koele minachting gelezen. Ik zou nog eerder mijn kat een schotel geroosterd vlees geven dan Uedele helpen, had hij gedacht.

Eén van de redenen voor zijn vijandige gezindheid is dat hij tijdens de burgeroorlog tegen de troepen van de hertog heeft gevochten. Maar het is eveneens het gevolg van zijn opvoeding. Ralph Pryor is wat de hogere kringen 'een parvenu' plegen te noemen. Hij is arm geboren in Limehouse en als leerjongen in dienst gekomen bij de Levant Company, waar hij zich al strooplikkend heeft opgewerkt. Hij is nu tweeënveertig en factorijhoofd van de meest lucratieve handelspost die de compagnie bezit, en hij heeft een instinctieve afkeer weten op te bouwen jegens iedereen voor wie het leven 'een schaal oesters' is.

Pryors positie verschaft hem een aanzienlijk inkomen, en aan levensmiddelen heeft hij nooit gebrek, maar toch heeft hij het erfelijke smalle postuur dat zo kenmerkend is voor alle broodmagere Pryors behouden. Zijn wangen zijn ingevallen en zijn buik is hol. Het is net of de dysenterie zich permanent in Ralph Pryors ingewanden heeft genesteld en alle vet en merg tot de laatste korrel opzuigt en uitspuwt.

Er is eeuwen van zenen en waterige pap voor nodig geweest om Ralph in de toestand te krijgen waarin alle kromme onderdelen, iedere pees, iedere band en ieder botje anders is gegroeid dan de natuur het ooit heeft bedoeld. Hij is ontzettend lang en daarbij ook slungelig, en hij heeft de kromme loop en houding die je bij zoveel heel lange mensen ziet. Het is net of hij er genoeg van heeft de ijle lucht van de hogere stratosfeer te moeten inademen, en terug wil keren naar de meer doorluchtige hoogten waarin zijn medestervelingen zich bevinden. Kortom: hij loopt voorovergebogen – erg voorovergebogen – en daardoor zijn zijn gewrichten, botten en schouderbladen in de vier decaden na zijn eerste dribbelpasjes langzaam steeds meer ingezakt. Hij heeft een tenniselleboog en werkstersknieën, een lichte vorm van ischias en af en toe spit. 's Winters wordt hij bezocht door krampen. 's Zomers heeft hij last van hernia. En de jicht van vaderszijde in zijn linkerteen houdt hem soms dagenlang gestrekt.

Ter compensatie van zijn extreme magerte heeft Pryor een van die bolle spiegels voor zichzelf gekocht die in Constantinopel zo'n rage zijn geworden. Ze bekleden botten met vlees op een manier die anders slechts met vele jaren van zelfverwennerij te bereiken is. Toch kan de kunstgreep van de anamorfose Ralphs wangen niet opbollen en zijn kaken niet spekkiger maken.

Toen Ralph Pryor met Humphrey kennismaakte, had hij hem met plichtmatige hoffelijkheid begroet. Vanaf dat moment, en met heel weinig moeite, heeft hij een intense antipathie voor hem weten te koesteren. Wanneer hij hoort dat het personeel van de factorij over Humphreys onorthodoxe gedrag heeft zitten fluisteren, is zijn achterdocht meteen gewekt. 'Er wordt beslist een samenzwering op touw gezet,' zegt hij in zichzelf, 'en Humphrey is daar vast schuldig aan.'

Wanneer er op de deur wordt geklopt, kijkt Pryor op van zijn rozenhouten bureau. 'Geen tijd, geen tijd,' zegt hij kortaf, maar de deur gaat toch open en dan loopt James Nealson, de klerk van de factorij, binnen.

'Ah, meneer Nealson – voor u heb ik altijd tijd.'

'U hebt me ontboden, meneer,' zegt Nealson. 'Niets aan de hand, hoop ik?'

'Er is van alles aan de hand,' antwoordt Pryor. 'Er is iets rots in de staat...'

'... Denemarken?' waagt Nealson, die graag wil pronken met zijn algemene ontwikkeling.

'Nee, domoor. Bevinden we ons in Denemarken, kinkel? Is dit het land van de Denen?'

Nealson kucht nerveus terwijl Pryor omstandig uitlegt wat volgens hem zonneklaar is. 'Er is iets rots, meneertje, hier, in de staat van onze factorij.'

'En wat, als ik vragen mag, bedoelt u daar precies mee?' informeert Nealson.

'Humphrey Trencom,' antwoordt Pryor. 'Ik mag hem niet – zijn gezicht staat me tegen, zijn manier van praten staat me tegen. Kortom: ik vind hem verfoeilijk, lastig en gevaarlijk. Hij is een slang, en wel een giftige. Als we hem niet in de gaten houden, zal hij ons allemaal vergiftigen.'

'Mee eens,' zegt Nealson, hoewel hij niet goed weet waarmee hij zich eens verklaart.

Het is even stil. Er daalt rust neer. Pryor pak zijn ovale, in goud gevatte handspiegel op en bewondert de ronding van zijn kin.

270

'We leven in een gevaarlijke tijd,' zegt hij, terwijl hij aan een ruw rood puistje peutert. 'Een gevaarlijke tijd.'

'Hoe bedoelt u dat, meneer? Ik kan u geloof ik niet zo goed volgen.' Nealson wordt door zijn baas van zijn stuk gebracht. Meneer Pryor spreekt altijd in raadselen.

'Ik wil dat je Humphrey Trencom schaduwt,' zegt hij. 'Ik wil dat je zijn spoor volgt – hem in de gaten houdt – zijn doen en laten observeert. Hij heeft iets in de zin, en dat is niet veel goeds. Ik wil weten wat.'

Pryor legt zijn spiegel neer en kijkt Nealson indringend aan. 'Geef me Humphrey,' zegt hij, 'en ik geef je de wereld.'

'O, dank u wel, meneer,' zegt Nealson, die nog steeds geen snars begrijpt van waar meneer Pryor op doelt. 'Dat is heel aardig van u.'

'Denk er goed om: ik wil aan het eind van de week een volledig rapport.'

Wanneer Nealson zich omkeert en weg wil lopen, komt Ralph achter zijn bureau vandaan. 'Ik ga naar buiten,' zegt hij. 'Ik moet pissen.'

Ralph Pryor is niet de enige die achterdocht jegens Humphrey koestert. In het binnenste van de Topkapi Sarayi is de hoofdvizier, Ishak Bey, de diwan, de moefti's en zijn betrouwbaarste agenten aan het inlichten.

'Onze wijze, nobele, geliefde vorst, de onuitsprekelijke, de luisterrijke sultan Mehmet (moge Allah hem behoeden!) is in gevaar.' Hij schraapt zijn keel, alsof hij dit gevaar wil benadrukken. 'Er zijn krachten van buitenaf aan het werk – en die moeten worden tegengehouden. We moeten nog ontdekken waar dit gevaar vandaan komt. Het kunnen spionnen uit Wenen zijn. Het kunnen zelfs krachten van binnenuit zijn. Zoals de dichter Al-Mutanabbi ooit schreef, "kan zelfs de bloem gif in haar hart hebben". Wat het ook moge zijn, we moeten handelen, nu, voordat het te laat is.'

De majesteitelijke diwan knikt collectief. Men mompelt collectief. En vervolgens discussiëren de ambtenaren, rechters en re-

271

ligieuze mannen over het gevaar. Na slechts enkele minuten worden ze het erover eens dat hun wantrouwen één man geldt: de pas gearriveerde Humphrey Trencom uit Piddletrenthide in Dorset gedraagt zich bijzonder vreemd. Hij vormt een ernstige bedreiging voor de troon van sultan Mehmet IV (moge Allah hem behoeden).

Er wordt unaniem besloten dat hij gevolgd, geschaduwd en in de gaten moet worden gehouden. De man die voor deze taak wordt uitgekozen, is Hamed Efendi, de betrouwbaarste agent van de vizier. Maar de vizier kiest ook een tweede persoon uit om Humphrey Trencom te observeren – iemand die bij voorgaande gelegenheden bijzonder betrouwbaar is gebleken. Haar echte naam is Huma, maar bij de vizier, evenals bij haar cliënten, is ze bekend onder de naam Hafise.

Humphrey Trencom is zich niet bewust van de onrust die hij veroorzaakt. Hij wordt wakker en geeuwt. De haan kraait en zijn jongeheer staat op. Nog half in slaap trekt hij Hafises nachthemd op en gaat van achteren bij haar naar binnen. 'O ja,' knort hij, 'u ook goeiemorgen, mevrouw.'

In de kamer beneden staat James Nealson op een kist met zijn oor aan een drinkbeker en de drinkbeker tegen het plafond. Hij probeert de pas gearriveerde Humphrey af te luisteren. Hij had zich de moeite kunnen besparen, want even later begint de vloer hevig te trillen en vullen Nealsons ogen zich met pleister en stof.

'Dhr. H.T. pleegt de geslachtsdaad,' noteert hij in zijn dagboek. 'Duur: vier minuten. Activiteitsniveau: hoog.' Hij legt zijn ganzenveer neer en leest de eerste notitie door. Daarna pakt hij zijn pen op terwijl de inkt nog nat is en voegt eraan toe: 'Vrouw: Turkse hoer.'

Nealson deduceert algauw dat de geslachtsdaad gepleegd is en dat Humphrey zich aankleedt. 'Spoor volgen, in gaten houden, observeren,' mompelt hij zacht terwijl Humphrey zijn broek aantrekt. 'Hij heeft niets goeds in de zin.'

Buiten op straat, verborgen in een nauw steegje, staat Hamed

Efendi, buitengewoon agent. Hij staat daar al sinds de avondschemering het linkerraam op de bovenverdieping te bestuderen. Kort na het kraaien van de haan merkt hij dat er iets gebeurt. Hafise loopt naar het raam en geeft met lichtflitsen een afgesproken teken. Humphrey staat op het punt het gebouw te verlaten.

Hamed Efendi gaat sluw te werk; hij heeft naam gemaakt met de gevangenneming van al-Sahif de Verrader. Maar nu begaat hij een domme fout. Het komt totaal niet bij hem op dat iemand anders ook zijn prooi zou kunnen besluipen. Terwijl Humphrey de factorij verlaat, en Hamed zich omdraait om hem te volgen, botst hij vol tegen James Nealson aan

'Au!' roept Nealson, die Hamed een por in zijn ribben geeft. Humphrey hoort de consternatie en kijkt om. Hij is er erg op gebrand niet te worden gezien.

Wat doet díe in godsnaam zo vroeg hier buiten? denkt hij, terwijl hij Nealson vanuit zijn ooghoek waarneemt. Hmmm... daar komt niets goeds van. En hij versnelt zijn pas en slaat links en rechts af en dan rechts af en links af, in een poging Nealson van zich af te schudden.

Hamed kent ieder steegje en weggetje in Constantinopel; hij meent vrij zeker te weten waar Humphrey Trencom heen gaat. 'De kade,' zegt hij in zichzelf. 'Hij gaat de Gouden Hoorn oversteken.' Hij haalt de hijgende en puffende Humphrey in, gaat als een haas naar de oever en zit al in de veerboot die op het punt staat te vertrekken wanneer Trencom aan de waterkant verschijnt. Hij stapt in hetzelfde bootje en overhandigt de veerman zijn munt.

Wanneer de derde van het trio, James Nealson, de waterkant bereikt, is de veerboot al halverwege de Gouden Hoorn. Hij is op weg naar de stadswijk Fener aan de andere kant van het water.

Nealson klimt in de volgende veerboot. Er zit nog een persoon op de voorplecht: een Turkse dame die van top tot teen gehuld is in zwarte sluiers.

Ik zal van die vrouwen wel nooit iets begrijpen, peinst Nealson, die in gedachten nog steeds bezig is met de capriolen die hij eerder heeft horen uithalen. Ik vraag me af of de hoer van Trencom zich zo kleedt wanneer ze zich op straat begeeft...

Bijna twee uur zullen voorbijgaan voordat James Nealson terugkeert naar de Engelse factorij in Galata. Hij heeft een blaar op zijn linkervoet, een striem op zijn wang (door zijn botsing met Hamed) en een volgekrabbeld schrijfboekje. Hij voelt zich heel zelfvoldaan. Goh, denkt hij, ik zou een eersteklas opspoorder kunnen zijn.

Hij staat te trappelen om verslag te doen van de verdorven gebeurtenissen waarvan hij getuige is geweest en tikt op de deur van Ralph Pryors werkkamer.

'Geen tijd, geen tijd,' hoort hij binnen een stem zeggen.

'Maar ik ben het, meneer, Nealson. Ik moet u spreken.'

'Kom binnen,' is de onmiddellijke reactie, en Nealson opent de deur.

Bij binnenkomst aanschouwt hij een wonderlijk tafereel. Ralph Pryor staat op zijn bureau, op één been, en is bezig een kleine holle spiegel aan het plafond te bevestigen. In de ene hand heeft hij een houten hamer en wat spijkers, in de andere iets om mee te meten.

'Sorry, meneer,' begint Nealson schaapachtig, 'maar zou ik zo vrij mogen zijn om u te vragen wat u daar aan het doen bent?'

'Gevaarlijke tijden,' zegt Pryor. 'Moeten elkaar in de gaten houden.'

'Meneer?' zegt Nealson op een toon die duidelijk suggereert dat hij naar een uitleg vist.

'Deze spiegel hier,' zegt Nealson, 'is gericht op de spiegel in die boom.' Hij wijst naar de bloeiende esdoorn in de tuin op de binnenplaats. 'En die weerspiegelt het beeld van een derde spiegel daar in de hoogte, aan de dakrand.'

'Ja, en?' vraagt Nealson.

'En,' reageert Pryor, 'dat wil zeggen dat ik rechtstreeks in Trencoms kamer kan kijken. Ja. Ik zal die rat vangen, al is het het laatste wat ik doe.'

274

'Kan ík misschien helpen?' oppert Nealson. 'Ik zit hem namelijk al vanaf de dageraad op de hielen.'

'Aha... Nou, vertel maar.'

Nealson vertelt hoe Humphrey Trencom naar de wijk Fener was gegaan, op de andere oever van de Gouden Hoorn. Dat hij, toen hij er was aangekomen, als een speer naar het Griekse patriarchaat ging, het middelpunt van de grote christelijke gemeenschap in de stad.

'Ik kon niet in het gebouw komen,' verklaart Nealson. 'Dat wordt bewaakt. Maar ik heb wel iets gezien dat mogelijk van belang is.'

Nealson vertelt Pryor dat hij in de oude Byzantijnse wachttoren is geklommen die recht tegenover het patriarchaat staat. Vandaaruit kon hij met behulp van een stoel en een telescoop rechtstreeks in het verblijf van de patriarch kijken.

'En wie stond daar met de patriarch te praten?'

'Die rat,' snauwt Pryor, 'die fielt, dat schaamlapje van de hertog.'

'Juist,' zegt Nealson. 'De heer Humphrey Trencom.'

'En wat deed hij daar, wel verdraaid?' vraagt Pryor, wiens ongeduld duidelijk af te lezen valt aan de fronsrimpels op zijn voorhoofd. 'Kom, gooi het eruit.'

'Ik weet het niet,' bekent Nealson. 'Dat heb ik u al verteld. Ik was niet in het vertrek.'

'Maar wat zág je dan?' vraagt een getergde Pryor. Hij slaat met zijn vuisten op tafel, waardoor zijn pen met een sprongetje uit het inktstel valt. Een druppel donkere sepia hecht zich aan zijn hemd en likt zich dan snel een weg over het fijne keperbindingpatroon van de serge.

'Heel wat,' zegt Nealson. 'De patriarch – Bartholomeus – overhandigde Trencom iets, een rol perkament. Tenminste, ik denk dat het een rol was. En toen gaf hij hem, eh... de zegen en toen liet hij hem uit.'

'En dat is alles?'

'Dat is alles. Of ja, nou, er is nog één ding. Vanmorgen botste ik tweemaal tegen dezelfde man op – een Turk. Weet u, meneer, ik krijg sterk de indruk dat hij die Trencom óók in de gaten houdt.'

Hamed Efendi heeft iets meer succes met zijn pogingen om meer over Humphrey Trencom te weten te komen. Nauwelijks heeft zijn prooi het patriarchaat verlaten, of Hamed stuurt drie Ottomaanse janitsaren naar binnen, die de tolk van de patriarch op grond van een valse beschuldiging van hoogverraad arresteren. De onfortuinlijke kerel wordt vervolgens meegenomen naar de Topkapi Sarayi, waar hij wordt overgedragen aan Abdul Ali, de hoofdbeul van het hof.

Nog geen uur later heeft de tolk alles wat hij weet opgebiecht. Ja, patriarch Bartholomeus heeft de Engelsman een perkament gegeven. Nee, hij weet niet wat erin staat.

De duimschroef wordt nog wat aangedraaid.

'Aaahh... Ik weet het écht niet.'

Nog twee slagen.

'Ik... weet... aaahh... het... ik zweer... het... ik... weet het... niet.'

Er wordt een klem met stekels op zijn hoofd geschroefd.

'Bij god... ik... weet... het niet.'

'Dan zullen we je levend roosteren!' brult de beul terwijl hij even de tijd neemt om de vastgebonden en bloedende dragoman goed op te nemen. De enige andere informatie die hij uit hem krijgt is dat Humphrey Trencom naar de stad is gekomen om een pakje op te halen.

'En wat zit er in dat pakje?' vraagt Abdul Ali, de beul, terwijl hij boven een vlam een ijzeren pin verhit.

'Ik weet het niet... bij god... ik weet het niet.'

Hafise, de geparfumeerde, welriekende, verrukkelijke Hafise – Hafise die nog het hardste mannenhart kan vermurwen – blijkt nóg meer succes te hebben bij het nagaan van Humphreys gangen en motieven. Ze wacht het juiste moment af, wacht totdat haar minnaar het meest kwetsbaar is.

De ochtendhaan kraait, Humphreys jongeheer staat op.

Kom, Turkenmeisje,' spint Humphrey, 'kom eens bij Humphrey.'

Hij maakt aanstalten om zich op zijn Turkse vogeltje te rollen, maar net wanneer hij dat wil doen, schuift ze naar de andere kant van de divan.

'Ach, nee,' zegt hij op teleurgestelde toon. 'Nee, dat kún je niet doen – je kúnt je Humphrey niet in de steek laten.'

Hafise moet stilletjes lachen. Wat zijn mannen toch een gemakkelijke prooi, en deze ene Nazarener is helemáál een makkie.

'Kom, lieverdje – het is al dag. Mijn pik staat op twaalf uren. Laat me mijn zaad storten.'

Hafise, die ondertussen dichterbij was gekomen, rolt ten tweeden male weg.

Humphrey krijgt een zenuwtrekking van frustratie en is niet langer in de stemming voor frivoliteiten. Hij is boos op Hafise. Sterker nog: hij wordt wanhopig.

'Nu kom je hier, meisje. Kom bij Humphrey terug. Ik wil je hebben. Ik wil je nú hebben.'

Hafise komt niet in beweging.

Dit wordt Humphrey te veel. Zijn bloed kookt, zijn pols jaagt, zijn hart bonkt en zijn lendenen staan in vuur en vlam.

'Wat!' tiert hij. 'Jij... een slet, een gewone hoer... jij voelt je te góéd voor het zaad van Humphrey Trencom? Het zaad van nobele afkomst, het zaad dat ooit een rijk bestierde.' Hij pakt zijn edele delen beet en toont ze aan Hafise. 'Het zaad in deze ballen,' raast hij, 'heeft deze koningin onder de steden helpen bouwen.'

Nauwelijks heeft hij deze woorden gesproken, of Hafise schuift stilletjes lachend zijwaarts naar Humphrey toe en klimt op zijn witte, vlezige dijen.

'Waarom hebt u me dat niet eerder verteld?' zegt ze zachtjes. 'Meer wilde ik niet weten.'

'Huh?' zegt Humphrey, terwijl hij zich opmaakt voor de strijd. En nog voor de haan een tweede keer heeft gekraaid, krijgt de divan in Humphreys kamer het eerste van zijn dagelijkse twee pakken slaag.

'Goeie god,' zegt Ralph Pryor, die precies op dat moment in zijn spiegelconstructie kijkt. 'Wel verdraaid en grote genade!' Hij heeft zijn instrumentarium opgezet om Humphreys kamer te kunnen bespioneren, maar dit had hij van zijn leven niet verwacht.

'Mijn god, wat doet ze allemaal met hem?'

Hij tuurt aandachtiger in de spiegel.

'Maar dat kan niet. Nee, dat is… dat is…' Hij zoekt naar het juiste woord. 'Stuitend. Weerzinwekkend.'

Pryor, moeten we hier even uitleggen, heeft de bordelen en hoeren van de stad zorgvuldig gemeden. Hij is een puritein in gedachte en daad en heeft noch de tijd, nog enige voorkeur voor dergelijke vleselijke gruwelen. 'Geen tijd voor genoegens,' zegt hij. 'Moet de boekhouding op orde houden.'

En nu staat hij daar ineens te kijken naar een scène die niets aan duidelijkheid te wensen overlaat. Hij deinst vol afgrijzen terug wanneer hij Humphreys blote achterste in de spiegel ziet verschijnen. 'Ik ben een gluurder,' mompelt hij, behoorlijk van slag. 'Ik ben een voyeur geworden.'

Terwijl hij aanstalten maakt om de spionageopstelling af te breken, keert Humphrey Trencom, die snel het ogenblik nadert dat hij het 'het grote leegmaken' pleegt te noemen, zich naar de spiegel die hij aan de dakrand van het gebouw heeft opgemerkt, en knipoogt brutaal. De knipoog knipoogt naar de spiegel in de esdoorn en die knipoogt weer naar de spiegel aan Pryors plafond. En deze geeft de knipoog door aan Pryor zelf.

Er gaat een rilling door hem heen. 'Ik zal hem vernietigen,' sist hij, 'al is het het laatste wat ik doe.'

Later op de dag kun je Hamed Efendi en een gesluierde Hafise door de Begroetingspoort zien lopen. Ze brengen aan de grootvizier verslag uit over wat ze hebben gezien en gehoord. Er voegt

278

zich een derde persoon bij hen, Abdul Ali de beul, wiens tuniek onder het mensenbloed zit.

'Het is duidelijk,' zegt de vizier ongerust, 'dat we onze man gevonden hebben. Hij vormt een bedreiging voor de stabiliteit van ons rijk. Hij vormt een bedreiging voor het leven van onze zeer wijze, zeer nobele en zeer grootmoedige sultan, de onvergelijkelijke, de stralende, de onuitsprekelijke Mehmet (moge Allah hem behoeden).'

'Zijn geslacht zou van zijn lichaam moeten worden gescheiden,' adviseert Hamed Efendi, 'en zijn zaad zou in de Bosporus gegooid moeten worden.'

De vizier neemt deze opmerking met een welwillend knikje in ontvangst. 'En, wat bent u te weten gekomen?' vraagt hij, terwijl hij zich naar tot Abdul Ali wendt en vol afkeer het bloed op zijn jak opmerkt.

'Nou,' antwoordt Abdul gewichtig, 'de patriarch heeft de Engelsman een keizerlijke gouden bul overhandigd – ja – een decreet dat ondertekend is door Constantijn XI Palaiologos, de laatste Byzantijnse keizer.' Hij gunt zichzelf een theatrale stilte en neemt de gelegenheid te baat om zijn ogen dramatisch ten hemel te slaan. 'Maar wat er in dit decreet staat, weten we helaas niet. Onze getuige liet het leven voordat we meer te weten konden komen.'

'Jammer,' zegt de vizier, terwijl hij met zijn baard speelt. 'Uw methoden geven niet altijd blijk van verfijning.'

'Als ik even mag,' zegt Hafise. 'Het betekent het volgende: Humphrey Trencom is helemaal niet Humphrey Trencom – hij is Humphrey Palaiologos, een afstammeling van de goddeloze keizer Constantijn. Hij is hier, meen ik, om zijn troon op te eisen.'

Wanneer haar woorden bezinken, buigen de drie mannen zich naar voren.

'Maar waarom wacht hij op een teken van de patriarch?' vraagt de vizier. 'En wat hoopt hij te vinden in de Porta Aurea?'

'Dat weet ik niet,' zegt Hafise.

'Ik ook niet,' zegt Abdul Ali de beul.

'En ik ook niet,' zegt Hamed Efendi.

'En nu we het er toch over hebben: ik ook niet,' voegde een gefrustreerde Edward Trencom er driehonderdtwee jaar nadat bovenstaande bijeenkomst had plaatsgevonden, aan toe. Het enige
wat hij zeker wist – en dat had hij uit het dagboek van Ralph
Pryor – was dat twee dagen nadat Humphrey Trencom uit Constantinopel was weggevlucht op een schip dat naar Thessaloniki
voer, agenten van de grootvizier een kleine, stenen grot onder de
Porta Aurea ontdekten.

Hij was leeg. Er zat niets in.

VI

25 april 1969

Op vrijdag 25 april 1969 bezorgde de postbode op de Sunnyhill Road nummer 22 een langverwachte brief. Hij was geadresseerd aan de heer Edward Trencom en er stond een poststempel van Thessaloniki in Griekenland op. Edward raapte hem opgewonden op en merkte dat zijn handen trilden. Dit is hem, dacht hij. Dit is hem nou echt. Nadat hij had gecontroleerd of Elizabeth nog in de keuken bezig was, nam hij de brief mee de huiskamer in. De rest van de post liet hij op de mat liggen.

'Nog iets interessants?' riep Elizabeth. 'Nog iets voor mij?'

'Niets wereldschokkends,' antwoordde Edward. 'Ik kom zo naar je toe.'

Hij maakte de brief zo gehaast open dat hij de envelop aan één kant gewoon stukscheurde. Hij zal wel van Papadrianos komen, dacht hij. Hij kan alleen maar van hem zijn. Toen hij het papier openvouwde, besefte hij dat hij inderdaad van Andreas Papadrianos afkomstig was.

Hoewel de inhoud precies was zoals Edward inmiddels verwachtte, werd hij zo van zijn stuk gebracht door het feit dat hij de brief nu eindelijk had ontvangen, dat hij hem twee keer op de grond liet vallen. En toen hij hem voor de tweede keer opraapte, zag hij dat zijn handen zo onbedwingbaar trilden dat hij het papier niet stil kon houden.

'U vliegt op 10 mei naar Athene,' stond er in de brief. 'U stapt daarna over op vlucht AH240 naar Thessaloniki. Daar wordt u af-

281

gehaald en naar de plaats van samenkomst gebracht. Dan zal alles u duidelijk worden.'

Edward haalde de tickets uit de envelop en keek ze na. 'Alles is geregeld,' mompelde hij zacht. 'En nu moet ik gaan. Ik móét gaan. Eindelijk kan ik alles oplossen.'

'Zaten er nog rekeningen bij?' riep Elizabeth vanuit de keuken. 'Ze zeiden dat ze de elektriciteitsrekening opnieuw zouden sturen.'

'Hmm?" zei Edward. 'Geen rekeningen, schat. Ik kom zo bij je.'

'En ik verwachtte ook nog die catalogus,' voegde ze eraan toe. 'De nieuwe borduurcatalogus.'

'Uh-huh,' zei Edward, die zo in gedachten verzonken was dat hij, hoewel hij Elizabeth hoorde praten, geen woord van wat ze zei in zich opnam. Hij las de brief een tweede keer, en toen een derde, alsof hij bevestigd wilde zien dat zijn ogen geen valse boodschappen naar zijn hersenen stuurden. En toen vouwde hij met een tobberige glimlach op zijn gezicht de brief dubbel en stopte hij hem in de binnenzak van zijn colbertje.

VII

2 mei 1969

Het was iets na half zeven op een heerlijke lenteavond. Edward en Elizabeth hadden bijna drie uur gereden en de zon nagejaagd op zijn baan door de lucht. Het was bijna het tijdstip van de dag waar Edward het meest van hield – het moment waarop de weiden geel zouden worden en de hemel koningsblauw.

'Moet je die schaduwen eens zien,' zei Edward toen ze langs een veld reden dat omzoomd was met populieren. 'Je zou daar reuzenschaak kunnen spelen.' De bomen werden door de laag staande zon tot onmogelijke vormen uitgerekt en vormden een raster van schuine strepen die tot aan de verste grens reikten.

Edward en Elizabeth namen een afslag van de A357 en reden de holle landwegen op, de aanwijzingen voor Mappowder, Melcombe en Plush volgend. Vanhier was het nog eens twintig minuten rijden naar hun bestemming, het dorpje Piddletrenthide.

Hun bezoek aan het Piddledal was Edwards idee geweest, een idee waartegen Elizabeth zich eerst verzet had. Ze wilde dat hij minder tijd aan zijn familiegeschiedenis besteedde en niet meer, en ze wilde niet het gevoel hebben dat ze hem daarbij hielp. 'En meneer George dan?' vroeg ze. 'Hij werkt zich al wekenlang een ongeluk in de winkel. Wordt het niet eens tijd dat je hem eens gaat helpen met het opnieuw bevoorraden van de winkel?'

'Dat ga ik doen, ik beloof het je. Wanneer we terug zijn uit Dorset. Ik wil alleen maar... Ik moet gewoon eerst uitzoeken wat er met Humphrey Trencom is gebeurd. Ik moet weten of hij nu wel of niet in zijn geboortestreek gestorven is. Als ik daarachter kan komen, ben ik tevreden. Ik moet er namelijk achter zien te komen waar hij is begraven. Ik moet weten wat er met hem is gebeurd.'

Elizabeth moest er een nachtje over slapen en uiteindelijk kwam ze tot de slotsom dat een tochtje naar het Piddledal wel eens precies zou kunnen zijn wat ze nodig hadden. En als hij daardoor écht naar Trencoms teruggaat, dacht ze met een diepe zucht, dan is het de moeite waard geweest. Maar... Ze sloeg haar armen over elkaar en keek naar een eekhoorn die de tuin door rende. Bij het vogelbadje hield hij stil; hij keek haar recht aan en stak toen zijn pootjes in het water.

O jee, dacht Elizabeth, die helemaal in haar eigen wereld verkeerde. Waar gaat dit allemaal heen?

Ze hadden voor twee nachten een kamer gereserveerd in de Coach and Horses in Piddletrenthide, een vakwerkhuis met eikenhouten balken. Het geschilderde uithangbord vermeldde dat het al sinds de tijd van koning Jacobus I een herberg was. De eigenaren waren de heer en mevrouw Singleton, een echtpaar van achter in de vijftig met een zeer ongezonde eigenschap, een waarmee veel echtparen van middelbare leeftijd in dit deel van Dorset behept waren. En hoewel hun collectieve gedrag niet in strijd was met enige democratische wet, overschreed het wel degelijk de grenzen van wat met enig recht goede smaak kon worden genoemd.

Die eigenschap was dat Clive en Clarissa Singleton iets hadden met bloemen. De muren van hun pension waren met bloemetjesbehang bekleed. Op de bedden lagen bebloemde spreien. Er zaten boterbloemen op de gordijnen en korenbloemen op het tapijt. En wanneer je 's avonds het moede hoofd te ruste legde, zakte je weg in een kussensloop met fuchsiapatroon.

Deze passie voor bloemen was in de landelijke pensions van het Engeland aan het eind van de jaren zestig niet ongewoon. Van Abberly tot Zennor kon je verbouwde koetshuizen en herbergen aantreffen waarvan het afbrokkelende stucwerk bijeen werd gehouden door rollen bloembehang. Het leek wel of ieder oppervlak en ieder bed rijkelijk bestrooid was met plantenvoeding en daarna spontaan tot bloei gekomen. De Coach and Horses ging echter wel ver in zijn kweeklust. De slaapkamers wekten de indruk onder de tuiniersvoogdij van meneer en mevrouw Singleton een zichzelf uitzaaiende bloementuin te zijn geworden.

Slechts één meubelstuk in de slaapkamer van Edward en Elizabeth was vrij van bloemen: een stevig hemelbed met een frame waarin bovenaan de datum 1616 was gesneden. Het was geen groot bed – Edward kon met zijn voetzolen over het houten voeteneind wrijven, maar mooi was het wel. Toen meneer en mevrouw Trencom die avond in hun bloemenboudoir te bed gingen, bewonderde Elizabeth de glanzende gedraaide kolommen en de gammele eikenhouten plank aan het hoofdeinde.

'Stel je voor wie er allemaal in dit bed hebben geslapen,' zei ze. 'Schat, denk je eens in hoeveel generaties hier, eh...' Ze sloeg haar arm over de borst van haar man en haar rechterbeen over zijn linkerknie. Ze speelde met haar gedachten en durfde hardop te zeggen wat er op dat moment door haar hoofd ging. 'Bedenk eens,' zei ze fluisterend, 'hoeveel kinderen er in dit bed moeten zijn verwekt.'

Ze voelde dat Edward mijlenver weg was. 'Mmm?' zei hij, terwijl hij wezenloos naar een wel heel opzichtige anjertak keek. 'Ja, misschien heeft Humphrey zelf hier nog geslapen, in dit bed.'

Elizabeth liet een teleurgestelde zucht ontsnappen. 'Ja,' zei ze, 'misschien wel. En misschien ook niet.' Ze ging op haar zij liggen en drukte zich nog dichter tegen Edward aan, met de bedoeling haar man wat minder aan Humphrey en wat meer aan haar te laten denken. Maar ze was bang dat het moment al voorbij was.

'Ik vraag me af,' zei Edward geeuwend, 'of hij ooit naar Dorset is teruggekeerd. Wat denk jij, schat?' En zonder zelfs maar op een antwoord te wachten knipte hij het licht uit en trok zijn benen op. Elizabeth wist dat dit zijn slaaphouding was en dat ze snel zou moeten handelen. Ze ging rechtop zitten, boog zich over hem heen en drukte een kus op de punt van zijn neus. 'Ben je echt zo moe, meneer Kaas?' zei ze. 'Ik weet zeker dat je vriend Humphrey wel zin zou hebben gehad.'

Het was even stil, maar toen draaide Edward zich om. Hij kuste Elizabeth op haar linkeroor en knabbelde daarna liefdevol aan haar elleboog – iets wat zo kietelde dat ze een gilletje gaf.

'Pas maar op,' zei hij zacht grommend, 'je kunt hier niet alleen door de vlooien worden gebeten.' En daarop trok hij snel zijn pyjama uit.

Het echtpaar ging vroeg naar beneden om te ontbijten en viel aan op de gepocheerde eieren, de gegrilde tomaten en de grote plak gebakken spek. 'Precies wat ik nodig had,' zei Elizabeth terwijl ze haar mond afveegde met een bebloemd servetje. 'Nu kan ik er weer even tegen. Zelfs ik kan nu Humphrey trotseren.'

Ze hadden voor later op de middag een bezoek aan de kerk van Piddletrenthide geregeld om het overlijdensregister in het kerkarchief in te zien. Maar eerst gingen ze de bron van de rivier de Piddle bekijken, die zo'n drie kilometer ten noorden van het dorp lag. Elizabeth was op het idee gekomen. Om de een of andere reden die Edward ontging, wilde ze heel graag zien waar die uit de grond borrelde.

'Ik snap niet wat je daar nou zo interessant aan vindt,' merkte Edward op. 'Ik weet zeker dat er niet veel te zien valt.'

'O, Edward,' antwoordde ze, 'wat ben je soms toch onromantisch. En uitgerekend jij. Ik dacht dat je dolgraag naar de bron van de rivier zou willen gaan, kijken waar die nu eigenlijk ontspringt.'

'Hè?' zei Edward, wiens gedachten meteen teruggingen naar de overstroming in de winkel. 'O, eh, ik heb de laatste tijd wel genoeg water gezien, denk ik.'

Er woonden veel mensen in dit dal die, net als tientallen reeds lang overleden Trencoms, de Piddle beschouwden als een van de grootste rivieren op aarde. Hij was natuurlijk niet zo groot als de Amazone of de Nijl. Er had zich nooit een avonturier uit de

Victoriaanse tijd met een hakmes een weg gebaand naar de ongrijpbare bron, en er was ook geen leger goudzoekers door de waterige weilanden gesjokt in de hoop goud te vinden. Maar de Piddle was een van de bekoorlijkste rivieren in dit deel van de wereld. Hij was zesendertig kilometer lang en werd door tientallen beekjes en stroompjes gevoed, en hij had aardig wat dorpjes een welluidende naam bezorgd.

Edward en Elizabeth reden naar Highton Farm, waar ze hun auto parkeerden aan de rand van het laagstgelegen weiland en over een laag hekje klommen dat duidelijk betere tijden gekend had. Toen Elizabeth haar eerste stap zette, merkte ze dat er zo'n tien à vijftien centimeter onder de oppervlakte pas vaste bodem was. 'Ai... Natte voeten.'

Ze kwam tot haar teleurstelling tot de ontdekking dat het niet mogelijk was het precieze punt te bepalen waar de rivier aan de oppervlakte kwam, omdat er geen sprake was van één enkele bron. Het water welde op zeker tien plaatsen op en vormde een doorweekte spons die bezaaid was met pollen zegge en moerasgras.

'Vind je het niet spannend dat je aan de bron van een rivier staat?' vroeg Elizabeth. 'Hier is het allemaal begonnen.' Ze staarde naar de grond, waar het water omhoog siepelde. Op sommige plekken blies het doorzichtige luchtbelletjes wanneer het naar de oppervlakte kwam. Ze zwollen op en wiebelden vervaarlijk in de wind totdat ze stukknapten.

'Er komen natuurlijk ook zijrivieren in uit,' vervolgde Elizabeth, 'andere stroompjes die hun water toevoegen, zodat hij verandert. En toch blijft hij altijd hetzelfde.'

Haar gedachten waren half bij de rivier de Piddle en half bij de stamboom die Edward haar tijdens het ontbijt had laten zien. Ja. Een rivier was net een boom, een omgekeerde boom, en elk beekje en stroompje droeg iets bij aan de hoofdstam.

'Nou... ja, en nee,' zei Edward na een lange stilte. Hij had eerst niet naar Elizabeth geluisterd, maar nu hij dat wel deed, was hij het helemaal niet eens met wat ze zei. 'Weet je, schat, de zijrivieren voegen water toe, maar veranderen ook de loop van de rivier.

Herinner je je nog dat riviertje dat we in Puddleton Down zagen? Dat uitkomt in de Piddle? Het veranderde het karakter van de rivier totaal. Hij zag er daarna heel anders uit – breder, trager, slomer.'

'Ja, dat weet ik, maar toch was het nog steeds dezelfde Piddle. Snap je niet wat ik bedoel? Het blijft één rivier.' Edward kon zo haar soms zo kwaad maken, maar Elizabeth was vast van plan geen duimbreed toe te geven. 'Hier is het de Piddle,' zei ze, naar de drassige grond wijzend, 'en wanneer hij in zee stroomt, is het nog steeds dezelfde Piddle.'

Edward zei niets. Zijn vrouw had ongelijk. Groot ongelijk. Eén zijtak – één schijnbaar onbeduidend zijtakje – kon de hoofdrivier volledig veranderen.

Edward was al tweemaal eerder in het Piddledal geweest en had daarbij de parochiekerken van Puddletown, Briantspuddle, Tolpuddle en Piddlehinton bezocht. Hij had de doop- en overlijdensregisters doorgenomen en de lijsten met Trencomhuwelijken uitgekamd. Daardoor had hij een aardig archief over de eerste Trencoms weten op te bouwen. Dit was de eerste keer dat hij in staat was geweest de archivaris van Piddletrenhide te pakken te krijgen en hij was zeer opgewonden bij het vooruitzicht naar een notitie over Humphreys dood te kunnen zoeken.

'Als ik erachter kan komen of hij nu wel of niet vanuit Constantinopel naar huis is teruggekeerd,' zei hij tegen Elizabeth, 'dan zou ik misschien kunnen uitzoeken wat hij mee naar huis heeft genomen – wat er in dat pakje zat – en waar het nu is.'

'Aangenomen dat het nog steeds bestaat,' voerde Elizabeth aan.

'Ja, aangenomen dat het nog steeds bestaat.'

De Allerheiligenkerk stond op de westelijke oever van de rivier – een gebouw uit de Normandische tijd dat in de veertiende eeuw gerenoveerd was. Volgens de *History of the Piddle Valley* van A.G. Smithers was hij de interessantste van alle kerken in het Piddledal. 'Met zijn Normandische portaal, elizabethaanse kansel en verzameling grafmonumenten,' schreef de auteur, 'behoort hij qua architectuur beslist tot de rijkste parochiekerken in het dal.'

Edward duwde de deur van het kerkhofportaal open en liep het kerkhof op. Hij rook aan de laaghangende takken van de taxusboom. Elizabeth liep achter hem aan en merkte dat de grond bezaaid was met rode besjes.

'Het lijkt me heel onwaarschijnlijk dat de oorspronkelijke grafsteen er nog is,' zei ze, toen Edward de staande stenen begon te bestuderen. 'En zelfs als die er nog is, zal hij inmiddels wel verweerd zijn. Ik denk dat je de inscriptie niet meer zult kunnen lezen.'

'Ik weet het niet,' zei Edward, terwijl hij zich methodisch door het kerkhof heen werkte. 'Er staat er hier een uit 1723.' Hij vond een John Trencom, een Emilie Trencom en twee Martin Trencoms; er was ook een Katherine Trencom en een zuigeling Job Trencom. 'Weet je, schat? Er was ook een Job Trencom op het kerkhof van Piddlehinton,' merkte hij op. 'En er was geloof ik ook een Katherine.'

Algauw had hij alle stenen in het kerkhof nagekeken, maar zonder één enkele Humphrey te vinden. 'Ik denk dat je gelijk hebt,' zei hij. 'De oudste grafsteen dateert uit 1723 – dat moet minstens dertig jaar na zijn dood zijn.'

Hij duwde de westelijke deur van de kerk open en stapte het middenschip in. Edward hield zijn neus even vast en haalde toen lang en diep adem. Wat vreemd, dacht hij. Wat ontzettend vreemd. Zijn neus, die hem de laatste twee dagen minstens vijf keer in de steek had gelaten, was plotseling weer in vorm. De kerk rook naar waterkers. Ja, waterkers en paddenstoelen. Het was dezelfde geur die Edward in de bladzijden van Humphreys boek had bespeurd.

'Weet je?' zei hij tegen Elizabeth. 'Als de geschiedenis een geur heeft, is dit 'm.'

Ze keken met hun tweeën een paar minuten rond en inspecteerden de grafmonumenten en oude koperen platen. Net toen Edward een kort pamflet over het gebouw begon te lezen, hoorde hij een piepend geluid van scharnieren en ging de deur open.

'Aha... U bent zeker meneer en mevrouw Trencom,' zei een joviale dame die energiek op Edward en Elizabeth af stevende en hen hartelijk de hand schudde. 'Ik ben Joyce Woolley, de conservator. Dominee Bailey heeft me verteld dat u zou komen.'

'Ja,' zei Edward, 'dank u, dank u. Het gaat hierom. Ik probeer een van mijn voorouders te vinden, een man die Humphrey Trencom heet.'

'Aha,' antwoordde mevrouw Woolley. 'Goed. Laten we eens kijken wat we kunnen vinden.'

Ze draafde naar de sacristie en keerde terug met een zware foliant waarop met reliëfletters stond: *Allerheiligenkerk: Overlijdensregister 1680-1691*.

'Zo,' zei ze, 'vertel me nu eens wanneer u denkt dat Hubert overleden is.'

'Humphrey,' zei Edward, haar beleefd corrigerend.

'Sorry, sorry, zei u Humphrey?' zei ze.

Edward keek Elizabeth aan, die met de lach in haar ogen terugseinde. 'Hij is in 1685 overleden,' zei Edward, 'althans, dat vermoed ik. Dat wil ik nu juist zien te achterhalen. Ik ga ervan uit dat hij hier begraven ligt, maar ik weet het niet zeker.'

Het register was moeilijk te ontcijferen. Het was geschreven in een lelijk schuin handschrift dat iedere draai en iedere letter in een spirogram van krullen en lussen had veranderd. Het leek hier en daar wel of er een spin met inkt aan zijn poten een quadrille op de bladzijde had gedanst.

'Nee, nee... Niets in 1685,' zei mevrouw Woolley. 'Laten we eens kijken in 1686.'

Ze namen gedrieën de bladzij door en keken of er iets op stond wat over een Humphrey leek te gaan. Er was in 1685 een opvallend hoog aantal sterfgevallen. Edward telde ze en kwam tot de ontdekking dat dat jaar wel zestien mensen waren overleden, onder wie vier leden van één gezin.

'Hé, kijk, kijk... hier hebben we wat,' zei mevrouw Woolley. 'Hier staat hij... is dat niet dat mannetje van jullie? Humphrey Trencom?'

Edward en Elizabeth bekeken het handschrift aandachtiger om te zien of ze zich niet vergist had. Maar dat was niet het geval. Humphrey Trencoms naam stond duidelijk in het register.

'Nou,' zei Elizabeth lachend van opluchting. 'Dat is goed nieuws. U hebt hem dan toch gevonden. En in nog geen vijf minuten.'

'O, o, o, maar wat hebben we hier?' zei mevrouw Woolley ietwat verbijsterd. 'Nee maar... Wat staat hier nou?'

Er stond in de marge van het register een vage krabbel in sepia, een opmerking die op een latere datum was toegevoegd.

'Maar dát is raar,' zei ze. 'Ik mag hangen als ik het snap.'

'Wat staat er dan?' vroeg Edward, die zijn best deed het schrift te ontcijferen.

'Die Humphrey Trencom van u,' zei mevrouw Woolley, 'die is inderdaad hier in Piddletrenthide begraven – ja – begraven hier op dit kerkhof. Maar kijk eens wat eronder staat, hier. Kennelijk werd zijn lichaam binnen een week na de begrafenis weer opgegraven.'

'Wát!' riep Edward uit. 'Weer ópgegraven?'

'Kennelijk, ja... althans, dat staat hier. Kijk maar: het lijk werd gestolen. Opgegraven en meegenomen. Niemand heeft die Humphrey Trencom van u ooit weer gezien.'

Mevrouw Trencom keek even naar Edward. De moed zonk haar in de schoenen. 'Nee, hè,' zei ze. 'Daar zaten we nu net op te wachten.'

VIII

Zo'n beetje op hetzelfde moment dat Edward en Elizabeth op
zoek waren naar de bron van de rivier de Piddle zat Herbert
Potinger op de bovenverdieping van bus 12. De bus was bijna leeg
en Herbert was dan ook zeer geïrriteerd toen een lange man met
een buitenlands uiterlijk die op dezelfde bushalte had staan wachten, naast hem ging zitten. Vierentwintig plaatsen, verzuchtte Herbert inwendig, en hij moet uitgerekend naast mij komen zitten.

Herbert was op weg naar zijn werk (wat later dan anders) en
doorgaans maakte hij de twintig minuten in de bus nuttig door
alles wat hij die dag moest doen door te nemen. Maar deze keer
had hij dringender zaken aan zijn hoofd. Terwijl de bus over de
Denmark Hill kroop en het Ruskin Park en de Camberwell
Green passeerde, trok Herbert zich terug in zijn eigen privé-
wereldje.

De persoon door wie hij zo in beslag werd genomen, was niemand minder dan de ongrijpbare Humphrey Trencom. Herbert
had de vorige nacht met Humphrey in bed gelegen en geprobeerd na te pluizen waar de heer H. T. had verbleven op de dagen
na zijn plotselinge vertrek uit Constantinopel. Het werd Herbert
spoedig duidelijk dat Humphreys schriftelijke verslag bij lange na
niet zo eenduidig was als op het eerste gezicht leek, en op sommige plaatsen leek het opzettelijk misleidend. Het schip waarmee hij ontsnapt was, had als eindbestemming Thessaloniki (althans, dat beweerde hij), maar als je dat wilde geloven, dan had

het geenszins de kortste route genomen. De kapitein was eerst naar het eilandje Ayios Evstratios gevaren, waar het vaartuig de eerste haven had aangedaan. 'Wij rustten er vijf daghen,' schreef Humphrey, 'en de agha doorsocht mine besittinghe.'

Humphrey besteedde veel tijd aan pogingen om per schip op het nabijgelegen eiland Lesbos te komen, hoewel hij geen enkele nadere uitleg gaf van wat hij daar wilde doen. 'Ik snap maar niet waarom een man als Humphrey Trencom zo graag naar Lesbos wilde,' zei Herbert terwijl hij op zijn hoofd krabde. 'Want wat moet een mens... Lesbos, Lesbos... Nee, ik kan geen enkele voor de hand liggende reden bedenken waarom het eiland hem zou lokken.'

Na een week op Ayios Evstratios waren Humphrey en de bemanning weer uitgevaren, deze keer pal naar het noorden. Het duurde niet lang of ze verkeerden in ernstige moeilijkheden. Op hun derde dag op zee werd het schip overvallen door een zware storm.

'De wint bulderde en wies tot een machtighe storm,' schreef Humphrey, 'en wij vreesden uitsonderlijc dat wij verdrincken souden.' De storm raasde een dag en twee nachten en wierp het schip in gigantische diepten en rukte de buitenbekleding van de romp. Tweemaal kapseisde het bijna. Tweemaal wist de bemanning het weer overeind te krijgen. 'En de reghen cwam in stroomen neer,' schreef Humphrey, 'sodoende de decken overspoelende en het ruym vullende.'

De mannen waren hun oriëntatie kwijt en vreesden dat ze zouden verdrinken. 'En eenyder van ons gheselschap versoende zich met God, wetende dat ydere golf onse laatste sijn soude connen.' Pas op de tweede dag ging de storm eindelijk liggen. De wind nam af tot een bries en de zee werd kalm. En toen de zon eindelijk aan de hemel verscheen en de zeemist deed verdampen, kregen de mannen een kust in zicht die niemand aan boord bekend voorkwam.

'Wij cwamen,' schreef Humphrey, 'bi een welbetoverd eilant met een berg die de hemel raecte.' Hij beweerde dat er in dit onbekende rijk twintig steden waren die overdekt waren met juwelen, en dat zij elk slechts door prinsen en mannen werden bewoond. 'En deese mannen brengen self nageslaght voort,' zo schreef hij op de hem kenmerkende cryptische wijze, 'als de tweeslaghtige hermafrodyt.'

Humphrey liet zijn lezers weinig twijfel: dit was de plek waar hij al die tijd naar op zoek was geweest. 'Dit was het rijc dat ic hoopte te ontdecken,' schreef hij. 'Dit was mijn Beloofde Lant.' Hij voegde eraan toe: 'Met de grootste pleghtigheyt offreerde ic min pacgen en ter begroetinghe bogen al die princen van dit eilant voor mi in het stof.'

Het was dit geheimzinnige en mogelijk geheel aan de fantasie ontsproten eiland waar Herbert steeds aan moest denken toen hij boven in bus 12 zat. Precies op het moment waarop de chauffeur de Walworth Road op draaide, botste een kerend busje op een groentekraam langs de weg, waardoor er een karrenvracht pastinaken over de straat rolde. Herbert werd echter zo afgeleid door zijn eigen gedachten dat hij niet merkte dat bussen, auto's en taxi's snel moesten uitwijken om niet op het dikke worteltapijt terecht te komen.

Geschrokken merkte hij dat hij zijn halte had gemist. Het vage besef dat hij de Southwark Bridge overstak, bracht iets in zijn hersenen op gang. Hij kwam erdoor terug in het hier en nu en drukte (geheel instinctief) op de stopknop. Toen Herbert eindelijk uitstapte, was hij ruim een halve kilometer verwijderd van de plek waar hij wilde zijn. Hij merkte dat de man die naast hem had gezeten, op dezelfde plek was uitgestapt. 'Ik lijk er een vriend bij te hebben,' mijmerde Herbert inwendig grinnikend.

Toen hij ten slotte bij de bibliotheek aankwam, liep hij meteen door naar zijn kantoor, waar hij een atlas van het Middellandse Zeegebied van de plank haalde. Als hij Humphrey moest geloven, moest het eiland waar hij op doelde op een paar dagen varen van de kust van Klein-Azië liggen. Op de kaart lokaliseerde Herbert Ayios Evstratios – de laatste haven die Humphrey had aangedaan voor de storm – en liet toen zijn vinger in steeds groter wordende cirkels een boog beschrijven.

Spoedig realiseerde hij zich dat er maar drie plekken waren die in aanmerking kwamen voor het predicaat 'welbetoverd eiland'. Dat was Limnos, een groot, ooit bebost eiland dat naar Herbert wist het domicilie was van de god Hefaistos, de schutspatroon van de metaalbewerkers. Een hoogst onwaarschijnlijke bestemming, dacht hij. De bevolking was in Humphreys tijd voornamelijk Turks.

De tweede mogelijkheid was het eiland Thasos, dat zo'n honderddertig kilometer verder noordwaarts lag. Het was in de zeventiende eeuw beroemd om zijn wijn, maar ook dit eiland had, net als Limnos, voornamelijk Turkse bewoners.

De enige andere mogelijkheid was Samothraki, een veel dunner bevolkt eiland, dat ten noordoosten van Limnos lag. Herbert wist weinig van Samothraki af en zocht het op in *Islands of the Eastern Mediterranean*. 'Ah, ja, ja,' zei hij toen hij de bladzij snel doornam. 'Dat lijkt al veel meer op Humphreys reisdoel.'

Het had in ieder geval een berg die 'de hemel raecte': de Fengari was ruim vijftienhonderd meter hoog en de top was vaak in wolken gehuld. Bovendien had het eiland, hoewel het niet exclusief door prinsen en mannen werd bewoond, en zeker niet door hermafrodieten, wel de reputatie een manneneiland te zijn. In de oudheid had er eeuwenlang een cultus van de Fenicische god Cobeiri geheerst, die als symbool een grote fallus had.

Het meest cryptische detail in Humphreys verslag was zijn beschrijving van de hoofdstad van het eiland: 'Ic liep naer de hooftcitadel van dit mooije eilant,' schreef hij, 'die op de rant van een hooghe klip lagh. De naem was A+9VATPD70+O.'

Wat zou Humphrey daar in godesnaam mee bedoeld hebben?' Herbert zocht de voornaamste steden en dorpen van Samothraki op. Je had Samothraki zelf, en dan had je nog Palaiopolis, de oude hoofdstad. En dan waren er nog twee steden, Kamariotissa en Chira genaamd. En dan had je het gehad. Geen van die namen leek in de verste verte op het codewoord in Humphreys dagboek.

Herbert keerde terug naar het verslag om te kijken of er nog meer informatie in te vinden was, maar Humphrey was frustrerend omzichtig. In A+9VATPD70+O was ik so fortuynlijc Athanasius, Antonius en Nicolaes te ontmoeten,' schreef hij, 'elc ruym sevenhondert jaer out.'

Herbert vroeg zich af of het allemaal fantasie was. Misschien heeft Edward gelijk, dacht hij, misschien liggen de antwoorden in Piddletrenthide.

Hij wist weinig van codes en cijfers af, en aangezien zaterdag een van de stillere dagen van de week was, wijdde hij een groot deel van de ochtend aan het lezen van de drie boeken over dit onderwerp die de openbare bibliotheek van Southwark rijk was. Het werd algauw duidelijk dat het niet zo gemakkelijk zou zijn Humphreys code te ontcijferen. Volgens *Secret Ciphers* van Hartwell waren codes die een mix van letters, cijfers en symbolen waren het moeilijkst te kraken. 'De grootste prestatie die bij de samenzwering van Guy Fawkes werd geleverd,' schreef Hartwell, 'was dat zijn versleutelde letters ontcijferd werden. Er was een genie als Sir Howell Stokes voor nodig om de code te kraken.'

Herbert was ontmoedigd toen hij dat las. Als hij alleen uit letters bestond, dacht hij, zou ik alleen maar hoeven uitzoeken welke andere letters ze vervingen. Maar nu...'

Hij krabde zich ongewoon krachtig op het hoofd. Het enige waar hij redelijk zeker van was, was dat Humphreys codewoord waarschijnlijk niet verwees naar een van de steden op het eiland Samothraki. Herbert kon zich niet aan de indruk onttrekken dat Humphreys 'welbetoverd eiland' helemaal geen eiland was.

Hij speelt spelletjes, dacht Herbert. En in spelletjes ben ik altijd al goed geweest.

Hij keek op zijn horloge en wierp toen een blik op de zaal. Tot zijn grote verbazing zag hij dat de man die naast hem in de bus had gezeten, in de bibliotheek zat, op ruim vijf meter afstand van Herberts tafel.

Hij zal me toch niet schaduwen, vroeg Herbert zich af, maar toen schudde hij die gedachte van zich af. Nee, nee, Herbert, je hebt de laatste tijd te veel detectiveromans gelezen.

Hij wilde net de stapel brieven op zijn tafel gaan beantwoorden, toen hij nog één gedachte over Humphrey Trencom kreeg. Het was een gedachte die hem achteraf tamelijk briljant voorkwam. Hij pakte deel zeven van het *Oxford English Dictionary* en zocht het woord 'hermafrodiet' op. 'Een dier waarin de mannelijke en vrouwelijke geslachtsorganen (als regel) aanwezig zijn in hetzelfde individu,' las hij. 'Sommige hermafrodieten bevruchten zichzelf.'

Natuurlijk! dacht Herbert. Ik had het kunnen weten. Een a-a-a-afleidingsmanoeuvre, ja, natuurlijk, een dijk van een afleidingsmanoeuvre, helemaal in de stijl van Humphrey. Maar ook weer niet helemaal gelogen.

IX

2 september 1671

Het is een broeierige herfstdag en de mensen kuieren in groten getale door Seething Lane naar de City van Londen, in een poging verkoeling te zoeken in de zwakke bries aan de Theems. De laan is zo dicht bij de werven aan de rivieroever dat je de geur van oosterse handelswaar kunt opvangen die opgeslagen ligt in de nabijgelegen depots van Wapping. Het is ook een van de weinige delen van de stad die aan de verwoesting van de grote brand ontsnapt zijn. Er is hier sinds de Middeleeuwen weinig veranderd en in dit netwerk van straten en steegjes, dat aan de zuidkant aan de Tower of London grenst, is een omvangrijke populatie buitenlanders gehuisvest. Volgens het in 1670 uitgegeven *Wards of London* van Tobias Smythe woont er een flink aantal nationaliteiten in een gebied dat niet groter is dan St. James's: Zweden en Russen, Balten en Venetianen, Genuezen, Turken en Grieken.

Het is deze laatste gemeenschap die de bijzondere interesse heeft van de heer Humphrey Trencom. Sinds de tijd van koningin Elizabeth I wonen in het gebied rond Seething Lane Griekse kooplieden en zeelui, en het middelpunt van de gemeenschap vormt het Aghia Sophiakerkje dat zich van de omringende bouwwerken onderscheidt door de Byzantijnse, met dakpannen bedekte koepel. De Grieken die hier diensten bijwonen, zullen je vertellen dat de kerk in de vroege Middeleeuwen is gebouwd. Dat klopt echter niet. Hij verrees in feite slechts enkele maanden na de Wet op de Tolerantie van 1654 en sindsdien hebben de

Grieken al hun diensten, feesten en festivals onder het spitse dak gevierd.

Aan de andere kant van Seething Lane kunnen we een bekende figuur zich een weg zien banen door de menigte. Hij is de afgelopen weken aangekomen: er zit nu meer vlees op zijn skelet door een stevig dieet van pekelharing en wildpastei. Zijn buik is weer zo glad als een dolfijnenrug en zijn onderkin heeft zijn draperieën van hangend vlees herwonnen. Dit is onmiskenbaar Humphrey Trencom, en zo te zien maakt hij het prima.

Hij moet haast hebben, want hij loopt veel sneller dan anders. Door de lichamelijke inspanning snakt hij naar adem. Terwijl hij, zich tussen handelaars en voorbijgangers door ellebogend, door de smalle passage stormt, horen we hem knorren en dampen als een wrattenzwijn. 'Dat ellendige vest,' mompelt hij terwijl hij probeert de bovenste knoop los te wurmen. 'Ik heb het veel te warm.' Dat blijkt ook duidelijk. Zijn oksels zijn nat en zijn wangen zijn vuurrood. Zijn hoofd is een harige waterscheiding die doorweekt is en druipt van het zweet.

Humphrey komt bij de Aghia Sophia aan en blijft even staan om de lucht op te snuiven. Wanneer hij zijn neus met een paarse zakdoek heeft opgepoetst, beklimt hij de twee treden naar de ingang en duwt de deur open.

Wanneer hij de kerk binnenkomt, knippert hij een paar maal met zijn ogen om die aan het duister te laten wennen. Zijn neus trekt wanneer deze de zware geur van wierook bespeurt. 'Ah, ja,' zegt hij zacht. 'Wierook... wierook. Het is fijn om weer thuis te zijn.' Er staan flakkerende kaarsen voor iconen, en een olielamp voegt er zijn meditatieve schijnsel aan toe. Humphrey staat nog om zich heen te kijken, wanneer de volgende scène zich voor zijn ogen afspeelt. Achter het altaar verschijnen een priester en twee monniken, die door de deuren in een met houtsnijwerk en verguldsel versierde iconostase de kerk zijn binnengekomen. Ze zien Humphrey staan, wiens gestalte in het schemerdonker groot opdoemt, en kijken elkaar nerveus aan.

Plotseling, en met choreografische precisie, laten ze zich alle drie languit voor Humphrey op de grond vallen. Hun gedrag kan als ongewoon, onorthodox zelfs, worden opgevat, maar wat het nog vreemder maakt, is Humphreys reactie. Hij lijkt in hun gedrag niets vreemds te zien; sterker nog: het lijkt wel of hij had verwacht dat ze zich voor hem in het stof zouden werpen. Na een stilte van wel een minuut, of misschien langer, beveelt Humphrey hun op te staan. 'U mag opstaan,' gebiedt hij op wonderlijk hoogdravende toon. 'Kom maar overeind.'

'Basileus,' begint priester Panteleimon, Humphrey aansprekend met de titel die volgens de gewoonte en de traditie voorbehouden is aan de heilige keizers van Byzantium. 'We verwachtten u, kyrie eleison. Het nieuws van uw bezoek aan de heilige stad heeft ons bereikt via patriarch Bartholomeus, moge God hem zegenen, en wij zijn ook op de hoogte gebracht van het succes van uw missie.'

De priester omhelst Humphrey en informeert nu op meer familiaire wijze naar zijn gezondheid. 'Beter,' antwoordt Humphrey terwijl hij op zijn buik slaat. 'Veel, veel beter.' Hij laat per ongeluk een luide boer ontsnappen – het gevolg van te veel oesters eten in de Three Choughs. Hij kucht een beetje om het geluid te maskeren, in de hoop dat zijn gehoor het niet heeft gemerkt. Maar dat heeft het wel; ze krimpen licht ineen wanneer ze de muffe geur van halfverteerde oesters opvangen.

'Ja,' vervolgt Humphrey, snel op een ander onderwerp overstappend. 'Het was precies waar men mij had verteld. Onder de Porta Aurea – en het is nu in veilige handen. De Turken zullen het in geen duizend jaar meer in handen krijgen.'

In de stilte die volgt, neemt hij de gelegenheid te baat om over zijn buik te wrijven. Nu hij erover nadenkt, voelt hij een lichte pijn in zijn ingewanden. Ja, en een bitterzure smaak in zijn mond. Ik hoop dat de oesters niet bedorven waren, denkt hij. Er zat wel een sterkere smaak aan dan anders.

'Maar het tijdstip,' vervolgt hij hardop, 'nee, dat was niet geschikt. Nee, de tijd was en is niet rijp.'

'Nee,' roepen de twee monniken die priester Panteleimon flankeren in koor, 'de tijd is beslist nog niet rijp.' Een van hen begint warm te lopen en voegt er nog aan toe: 'De sultan is te machtig – kijk maar naar zijn plannen om Wenen aan te vallen. Als we nu een fout begaan – al is het maar een kleintje – dan zal de toekomst van alles in de waagschaal worden gesteld. Dan is het keizerrijk voor altijd tot de ondergang gedoemd.'

Priester Panteleimon pakt Humphrey bij de arm en komt dichterbij, maar wanneer hij opnieuw de oesters ruikt, stapt hij weer naar achteren. 'Maar hebt u de keizerlijke gouden bul meegenomen?' vraagt hij zacht. 'Men vertelde ons dat u die bij u zou hebben.'

'Ja,' zegt Humphrey. 'Die heb ik bij me.' Hij steekt zijn hand in zijn kniebroek en nadat hij zijn riem wat losser heeft gedaan, haalt hij er een kleine rol perkament uit. Er zit een gerafeld paars lint om dat Panteleimon (na toestemming van Humphrey) handig met de vingers van één hand losmaakt. Hij rolt dan het document uit en strijkt het glad om het beter te kunnen lezen.

'Ah, ja,' zegt hij, terwijl hij het regel voor regel doorleest. 'Precies wat we dachten.'

'Ja,' zegt Humphrey, 'en het is precies zoals mijn moeder zaliger me altijd zei. Lees maar voor… Lees maar voor.'

'De Palaiologen zijn de eeuwige heersers over onze glorievolle en heilige stad van Constantijn,' begint priester Panteleimon, van de rol voorlezend. 'Zij zullen dit, gezegend door God en geheiligd door de Kerk, blijven tot het eind der tijden.'

Humphrey luistert in vervoering terwijl priester Panteleimon spreekt, maar dan slaakt hij een zachte zucht. 'Nu ben ik wel keizer,' zegt hij, 'maar een keizerrijk, ho maar.'

'Geduld,' zegt de priester, 'is een van de deugden. Bedenk dat onze stad de bescherming geniet van de eeuwige maagd, de heilige Moeder van God. Onze tijd komt nog.'

Humphrey knikt en steekt zijn hand in de binnenzak van zijn jasje. 'Hier,' zegt hij. 'Ik wilde u dit laten zien.' Hij laat een kleine bronzen munt zien waarop het portret van keizer Constantijn XI Palaiologos staat.

'Kijk eens goed,' zegt Humphrey. 'Het is bijzonder interessant. Ziet u het? De basileus en ik – we hebben iets met elkaar gemeen.'

Priester Panteleimon is nooit iemand geweest die zonder goede reden lacht, maar bij deze gelegenheid gaan zijn mondhoeken kort omhoog.

'Ja,' zegt hij langzaam, terwijl hij de neus aandachtiger bekijkt. 'Je zou bijna kunnen zeggen dat u, waar u ook gaat, het zegel van de Palaiologen met u meedraagt.'

Er zijn vier jaren verstreken en vele seizoenen vergleden. Het is een rillerige, kille februaridag en de lucht is zo bleek dat hij het landschap van alle kleur heeft beroofd. Van de heuvel de Eggedon waait sneeuw, die in hopen langs de heggen en schaapskooien in de weiden langs de rivier blijft liggen. De frisse groene tinten van de nakende lente zijn weer de aarde in gesijpeld en wat rest zijn wit- en grijstinten.

Op het kerkhof van Piddletrenthide ziet men in de sneeuwjacht een kleine groep dorpelingen staan: de predikant, meneer Jolyan de taveernehouder en een handjevol anderen. Terwijl de wind in snelheid toeneemt en de baan van de sneeuw van verticaal in horizontaal verandert, gaan ze op in het omringende landschap. Rokken, jurken en kamgaren kapjes – allemaal worden ze wit door de meedogenloze aanval.

De geploegde hellingen zijn zo glad als een ijsschots; de takken van de taxus op het kerkhof hangen loodrecht af, alsof de uiteinden met onzichtbare draden aan de grond vastzitten. In dit uniforme winterlandschap is het enige wat zich duidelijk aftekent de rivier de Piddle – een dik, donker lint dat langs de rand van de bevroren oevers een streep ijs heeft afgezet.

Onder de rouwenden bevindt zich Agnes Trencom, de weduwe van de overleden Humphrey. Haar vrijelijk stromende tranen zijn welgemeend. Ondanks de tekortkomingen van haar echtgenoot, ondanks zijn onverzadigbare honger naar seks, ondanks zijn afspraakjes en ontrouw heeft ze haar Humphrey altijd in ere gehouden. En nu is er aan zijn reusachtige, imposante aanwezigheid een einde gekomen. Hij zal zijn vrienden niet meer onderhouden met sterke verhalen. Zijn bulderende lach zal niet meer over de velden te horen zijn. Humphrey ligt daar dood – een star, bevroren lijk dat zo wit en wasachtig is als albast.

Kort voordat zijn kist werd afgesloten, merkte een van de rouwenden op dat zijn neus nog altijd hetzelfde was. Zijn wangen waren hol geworden, zijn kaken ingevallen, maar zijn neus had de dood getrotseerd. Hetzelfde gold (hoewel dit aan de aandacht van de rouwenden ontsnapte) voor zijn luisterrijke penis. Dit fraaie orgaan, dat hem zijn hele leven zoveel plezier had bezorgd, was voor de laatste keer stijf geworden. Zelfs nu hij dood was, zou Humphrey Trencom nog klaar voor de strijd zijn wanneer de haan kraaide. Maar er was geen aardige deerne meer die op zijn bevroren lendenen kroop.

'De mens die uit de vrouw wordt geboren,' dreunt pastor John op terwijl de kist naar het graf wordt gedragen, 'heeft maar een wijle te leven, en is vervuld van ellende. Hij verrijst en wordt afgemaaid als een bloem, hij vervluchtigt als een schaduw en is nooit bestendig.'

Een hevige windvlaag zwiept sneeuw van de kerkgevel en smoort het rouwgebed. 'Midden in het leven bevinden we ons in de dood: bij wie kunnen we hulp zoeken? Alleen bij U, o, Heer, die omwille van onze zonden terecht misnoegd bent...'

Humphreys kist wordt neergelaten in het gat dat zich snel met sneeuw vult. 'Vaarwel,' fluistert Agnes, terwijl ze nog eenmaal naar de baar kijkt. 'Vaarwel, mijn keizer.'

Het is allang na middernacht en de dorpelingen van Piddletrenthide rusten. De predikant ligt te snurken in zijn bed en in de Coach and Horses zijn de laatste kaarsen sputterend uitgegaan. Er staat geen maan aan de lucht en er zijn ook geen sterren, maar het landschap licht eigenaardig op. De sneeuw lijkt het bleke halflicht van de voorgaande dag te hebben behouden, waardoor de nacht een doffe gloed krijgt.

Op het kerkhof van de Allerheiligenkerk zijn grafrovers aan het werk. Drie in het zwart geklede mannen staan te spitten in het pasgevulde graf van Humphrey Trencom. Ze spreken op fluistertoon – zo zacht dat het niet mogelijk is er iets van te verstaan. Maar ze schijnen hun doel te hebben bereikt. Een houweel stuit op hout en uit het graf stijg een hol gebonk op.

Twee van de mannen springen in het gat en rukken aan de houten kist. Hij is bedekt met vochtige aarde en het gladde eikenhouten oppervlak voelt glibberig aan. Maar ze slagen erin hem rechtop te krijgen en de derde man buigt zich voorover en begint te trekken. Even later komt de kist boven de besneeuwde grond uit.

Wat zijn ze aan het doen? Waarom stelen ze de kist? Het enige wat met zekerheid valt te zeggen, is dat het laatste wat men van hen ziet, is dat ze oostwaarts rijden en het lichaam van Humphrey Trencom op een lage houten slee wegvoeren.

De reizen die Humphrey bij zijn leven heeft gemaakt, mogen dan voorbij zijn – nu hij dood is, zal hij nog één laatste avontuur beleven.

X

6 mei 1969

Luttele seconden nadat Edward de brief van Papadrianos had ontvangen, nam hij zich voor gevolg te geven aan de oproep om naar Griekenland te komen. Toch wachtte hij ruim tien dagen voordat hij het onderwerp ter sprake bracht, en toen hij het Elizabeth ten slotte vertelde, was hij ongewoon nerveus. Hij wist dat ze niet blij zou zijn met zijn besluit, maar hij had zich vast voorgenomen om naar Thessaloniki te gaan, wat er ook mocht gebeuren.

Ik moet wel, ik heb geen alternatief, dacht hij. Het is mijn enige hoop antwoorden te vinden.

Eindelijk, op een avond na het eten, wist hij de moed te vinden om met Elizabeth te spreken. Ze zaten in de huiskamer en Elizabeth had net haar boek opgepakt.

'Schat,' zei hij.

'Mmm?'

'Schat, ik moet je iets vertellen – iets belangrijks.' Edward keek uit het raam en zag mevrouw Hanson van nummer 47 met een grote gele spons haar auto wassen. Wat een vreemd tijdstip om een auto te wassen, dacht Edward. En waarom staart ze me steeds aan? Het is toch wel een heel eigenaardige vrouw.

'Wat zei je?' zei Elizabeth, die net aan het eind van de alinea was gekomen die ze aan het lezen was.

'Ik zei,' antwoordde Edward, 'dat ik weg moet, schat. Niet zo lang, hoor. Ik moet naar het buitenland.'

Het was even stil.

'Naar het búítenland? Waarom, Edward? Waarvoor dan?'

'Nou,' zei hij langzaam, zorgvuldig over zijn antwoord nadenkend. 'Ik heb besloten... Weet je... Ik heb besloten dat het tijd wordt dat ik voorbereidingen ga treffen om Trencoms te heropenen. Weet je, tot voor kort heb ik gewoon de energie niet gehad. Ik weet niet waarom, maar ik zag er zo tegenop. Maar onlangs dacht ik ineens: kom op, Edward, zet je schouders eronder. Je moet die drie eeuwen geschiedenis waarmaken.

En ook, nou ja, ik besef ook dat het niet eerlijk is geweest tegenover meneer George. Hij is al wekenlang dag en nacht bezig met opruimen, kaas bestellen en alles in orde maken. Ik vind het hoog tijd worden dat ik hem ga helpen. Dus, eh, nou ja, het komt erop neer dat ik heb besloten dat het tijd wordt opnieuw te beginnen.'

Elizabeth keek Edward indringend aan. Wat ze hoorde verbaasde haar zo dat ze even met stomheid geslagen was. Toen ze besefte dat hij was uitgesproken, stond ze op en liep ze naar het raam, waar hij stond. Ze sloeg haar armen om zijn middel en gaf hem een innige kus in zijn nek.

'O, schat,' zei ze, hem stevig tegen zich aandrukkend, 'ik kan je niet vertellen hoe blij je me zojuist hebt gemaakt. Ik heb al zo lang gebeden dat dit zou gebeuren. Misschien moeten we nog een paar keer naar Dorset. Het was echt precies wat we nodig hadden.'

Ze kuste Edward nog eens, ditmaal op de lippen, en precies op dat moment dwaalde de blik van mevrouw Hanson toevallig af naar het huis van de Trencoms. 'Goeie genade,' mompelde ze zacht. 'Ze zijn weer bezig – wat gaan ze nu weer doen?'

Elizabeth vroeg Edward waar hij naartoe wilde gaan. 'Kun je de kaas niet vanuit Engeland bestellen? Dat doet meneer George ook. En dat heb jij in het verleden ook altijd gedaan.'

'Sommige wel, ja,' antwoordde hij. 'Maar ik wil een compleet nieuwe start maken. Bij het begin beginnen. Ik wil de producenten en de boeren weer ontmoeten. Hun laten zien dat we weer zaken doen.'

'Dus je gaat naar Frankrijk?' zei Elizabeth.

Edward knikte. 'Een snel rondje. Even laag overvliegen. Een bliksembezoek.'

Elizabeth ging met haar vlakke handen over zijn rug en masseerde zijn schouders. 'Denk je...' begon ze aarzelend. 'Zou er een mogelijkheid zijn dat we samen gingen?'

Op Edwards gezicht was even paniek te lezen. Verdorie. Daar had hij niet op gerekend.

'Tjee, dat zou ik enig vinden, schat – echt waar. Maar weet je, ik ga van hot naar her. En bovendien hoor je eigenlijk hier te blijven – we kunnen meneer George niet helemaal alleen laten.'

Elizabeth was van dat laatste niet helemaal overtuigd. Meneer George had de laatste paar weken overduidelijk bewezen dat hij het allemaal aankon en dat ze erop konden vertrouwen dat hij de juiste beslissingen nam. Maar ze besloot er geen punt van te maken. Edward had zijn kaasexpedities altijd alleen uitgevoerd, en misschien wilde hij dat ook liever.

'Je zult wel gelijk hebben,' zei ze. 'Maar ik zal je wel missen. Meer dan ooit. Hoe lang ga je?'

'O, niet zo lang. Ik denk een week of twee. Dan heb ik de tijd om...' Hij wachtte even en liet zijn gedachten de vrije loop. Hij schrok ervan hoe gemakkelijk het liegen hem afging. En hoe natuurlijk. Hij besefte geschokt dat hij bijna zelf geloofde dat hij naar Frankrijk ging.

'Waar was ik ook alweer gebleven?' zei hij. 'O ja – dan heb ik de tijd om heel Oost-Frankrijk te doen. Ik weet zeker dat producenten elders er algauw lucht van zullen krijgen.'

XI

10 mei 1969

In het koele en slecht verlichte interieur van het parlementsgebouw in Athene zaten drie mannen om een kleine vergadertafel. Twee van hen waren gekleed in kakiuniform en versierd met zo'n overmacht aan medailles en lintjes dat je zou denken dat ze niet zozeer waren verleend vanwege dapperheid op het slagveld, als wel vanwege dienstbetoon op grond van corruptie en vriendjespolitiek. De derde droeg burgerkleding en was ronder van buik dan zijn landgenoten. Hij keek even ernstig als de twee andere mannen en leek zijn wenkbrauwen permanent gefronst te hebben. De namen van deze mannen, ooit voor ieder gezinshoofd in Griekenland overbekende namen, waren George Papadopoulos, Nikolaos Makarezos en Stylianos Pattakos.

Deze drie mannen – de junta – waren plotseling tot het besef gekomen dat ze met een crisis te maken hadden. 'Een crisis, een crisis,' mompelde Papadopoulos. Hij tikte met zijn potlood met zilveren uiteinde op de leren schrijfmat en krabde vervolgens aan zijn oor. 'En, heren, ik zou niet goed weten hoe we deze crisis nu moeten oplossen.'

De crisis waarnaar hij verwees, zou voor de hersenen van vrijwel iedere regeringsleider in de democratische wereld een belasting vormen, maar aangezien deze gebeurtenissen vele tientallen jaren geleden plaatsvonden, en alle hoofdrolspelers allang hun stoffelijke omhulsel, evenals hun kakiuniform en glanzende medailles, hebben afgelegd, is het goed te bedenken dat Griekenland

308

in de lente van 1969 in de penarie zat, heel erg in de penarie. De parlementaire democratie was ingestort. De koning was afgetreden en gevlucht. Een junta van legerkolonels had de macht gegrepen. Geen van hen was populair bij de Grieken en hun woede was snel aan het oplopen tot een temperatuur die je zelfs op het Syntagmaplein zelden of nooit meemaakt. De studenten trapten rellen, de priesters waren kwaad, de winkeliers bewapenden zich. Moeders vreesden voor hun zoons. Hun zoons botsten met de politie. Verder was iedereen, behalve de heren Papadopoulos, Makarezos en Pattakos, uiterst ongelukkig met de neerwaartse spiraal waarin alles zich bevond. En dat is precies de reden waarom de drie voornoemde heren op deze dag in mei 1969 in een vergaderruimte van het parlement bijeen waren om te bespreken hoe ze het best konden reageren op de crisis die steeds meer uit de hand liep.

Ze schudden alle drie hun hoofd en staarden wezenloos het vertrek in. Pattakos pakte een groot stuk loukoumi van de schaal die midden op de tafel stond. Het was bedekt met een laagje poedersuiker en hij kon het al voelen smelten op zijn tong. Mmmm… Heerlijk. Hij genoot van de pistachesmaak en moest aan zijn rondborstige Eleni denken. Wat zou hij nu graag in de armen van die kleine feeks liggen.

'Stakingen en rellen,' gromde Papadopoulos, de dromerijen van Pattakos ruw onderbrekend en hem snel terugbrengend naar het hier en nu. 'De studenten demonstreren, de bisschoppen protesteren.'

'Ophangen,' onderbrak Makarezos hem. 'Ophangen die handel.'

'En de royalisten worden met de dag sterker.'

'Ook ophangen,' voegde Makarezos eraan toe. 'En de koning ook.' Hij spuugde op de grond.

De koning in kwestie, de man die zo'n hartstochtelijke reactie bij Nikolaos Makarezos teweegbracht, was niemand minder dan Constantijn II, koning der Hellenen. Een lange, hoekige man, van Deense oorsprong, die als balling naar Italië was gevlucht na het mislukken van zijn tegencoup. In de koele pracht van zijn Romeinse paleis zat hij duimen te draaien en de kletsen met zijn adviseurs en zich af te vragen of zijn koninklijke nageslacht ooit nog de troon van Griekenland zou sieren.

Het geval wilde dat het zitvlak van Zijne Majesteit nooit meer in aanraking zou komen met het paarse pluche van de troon. Papadopoulos, Makarezos en Pattakos maakten zich ook niet bijster druk om de man die ze als het 'Deense stuk spek' betitelden. Ze maakten zich meer zorgen om een andere persoon, een meer Engels stuk spek, een man die naar hun mening een veel ernstiger bedreiging voor hun macht vormde.

'Ik raad jullie aan voorzichtigheid te betrachten,' zei Pattakos, heel langzaam sprekend. 'Ik raad jullie aan de grootste voorzichtigheid te betrachten. Er zijn nog steeds krachten in de Kerk actief die een terugkeer naar de monarchie beramen. Jazeker. Ze hebben veel agenten die voor hen werken. En mijn informanten hebben me verteld dat die agenten, waaronder bisschoppen en priesters, een zeer reëel gevaar voor ons betekenen.'

In de stilte die volgde, schoof Papadopoulos zijn kop koffie naar zich toe en liet drie klontjes suiker in de dikke zwarte vloeistof vallen. Hij was een zoetekauw, een ontzettende zoetekauw, en er kon hem niet genoeg suiker in zitten. Hij roerde in zijn koffie en tilde de dikke, korrelige brij op die telkens weer naar de bodem zakte. Daarna liet hij zijn lepel weer in de vloeistof zakken en keek naar de koffieprut die de troebele diepte in gleed.

'Hebt u nog iets Andreas Papadrianos gehoord?' vroeg hij. 'Ik neem aan dat u nieuws van hem voor ons heeft?'

Pattakos opende zijn dossiermap en haalde er een paar vellen papier uit. 'Jazeker. Maar het is geen goed nieuws. We houden hem in de gaten, want hij is een gevaar voor ons allen. In de afgelopen week, heren, heeft hij driemaal de Athos bezocht. Hij heeft vergaderd met de abten van ten minste vijf kloosters en men heeft hem zien overleggen met bisschop Anastasius van Thessaloniki en aartsbisschop Gregorius van Morea. Ja, hij heeft met alle herrieschoppers overlegd.'

Er volgde nu een stilte, waarin een grote bromvlieg zijn plekje op het raam verliet en begon rond te zoemen in het vertrek. Na een paar rondjes om de hoofden van de drie mannen te hebben gedraaid, streek hij neer op de ziekelijke zoete rand van het koffiekopje van Pattakos. De mannen keken alle drie gespannen toe terwijl hij daar zijn voorpootjes zat schoon te maken.

Toen hij na ruim twintig seconden nog geen aanstalten had gemaakt om te vertrekken, sloeg Makarezos met zijn gebalde vuist op tafel. Het koffiekopje rammelde op de schotel, de vlieg schoot omhoog de zwoele lucht in en de drie mannen hervatten hun gesprek.

'En dan nog iets,' zei hij. 'Onze missie in Londen lijkt te zijn mislukt. Uw neef, Nikolaos, blijkt zich niet goed van zijn taak te hebben gekweten. Hij heeft niet gedaan wat we van hem vroegen. Erger nog: we hebben reden om te geloven dat hij is overgelopen.'

'Nee!' brulde Makarezos. 'Onmogelijk. Allemaal leugens!'

'Ik wilde dat het waar was,' zei Pattakos. 'Maar hij handelde niet op de momenten waarop hij had moeten handelen. En nu is het te laat.' Hij zweeg even en staarde Makarezos aan. 'We hebben sterke aanwijzingen – nee, we weten zeker dat het Andreas Papadrianos gelukt is geweest contact te leggen met hém.'

Hij duidde niet nader aan wie 'hem' was, maar dat was ook niet nodig. Alle drie de mannen kenden zijn naam en identiteit, want Pattakos had het woord nauwelijks uitgesproken of Makarezos en Papadopoulos spuugden allebei op de grond.

'Hij zou opgeknoopt en gehangen moeten worden,' grauwde Makarezos.

'Dat zou hij zeker,' zei Pattakos. 'Hij had zelfs allang opgeknoopt en gehangen moeten zijn. Maar helaas is dat niet gebeurd. En nu is het te laat. Want we weten niet precies waar hij is.'

Precies op het moment waarop dit gezegd werd, passeerde de heer Edward Trencom van de Londense kaaswinkel Trencoms de douane en beveiliging op het vliegveld van Thessaloniki.

Dat hij zo ver had kunnen komen zonder gearresteerd te worden was verbazingwekkend, maar dat hij door de douane heen werd gewuifd terwijl de grenswachten amper naar hem keken, grensde aan een wonder. Want er was een bevel uitgevaardigd aan alle beambten die op vliegvelden in Griekenland werkzaam waren, dat een man met de naam Edward Trencom – en in het bezit van een buitengewone neus – onmiddellijk gearresteerd diende te worden. Griekenland is echter nu eenmaal Griekenland, en dit bevel was niet naar iedere luchthaven verspreid en was zeker niet aan alle rangen doorgegeven. Hoewel iedereen die op het vliegveld van Athene werkte de richtlijn kende, evenals de dienstdoende beambten in Piraeus en Heraklion, verkeerden die van Thessaloniki in zalige onwetendheid omtrent de gevaren die een Engelsman van middelbare leeftijd met een rare neus vertegenwoordigde. En zo kwam het dat de heer Edward Trencom, in het bezit van het paspoort met het nummer NZ0206830, ongemerkt en onopvallend het land wist binnen te glippen.

Hij werd in de aankomsthal afgehaald door Andreas Papadrianos, die hij niet meer had gezien sinds het jaardiner van de Most Worshipful Company of Cheese Connoisseurs.

'Ik kan u niet zeggen hoe blij ik ben u hier te zien,' zei Papadrianos. 'En ik kan u ook niet zeggen hoezeer Griekenland zich zal verheugen wanneer het land weet dat u hier bent.'

Edward keek geschrokken en gaf aan dat Papadrianos op moest houden. Zijn adem stokte en hij fluisterde: 'Vertelt u me nu alstu-, alstu-, alstublieft wat u hebt ontdekt. In uw brief stond niets – ik weet nog steeds niet precies waarom ik hier ben. Wat kom ik doen? Wat verwacht u van me?'

'Alles wordt u mettertijd onthuld,' antwoordde Papadrianos. 'De abt zal alles uitleggen.'

'De abt?' vroeg Edward. 'Wie? Waar? Waar neemt u me mee naartoe?'

'Mogen gaan we voor dag en dauw naar de Athos, de Heilige Berg. Daar zal pater Serafim u alles uit de doeken doen.'

XII

11 mei 1969

Edward was net een eunaal weg, toen mevrouw Trencom ontdekte dat hij niet op weg was naar Frankrijk. Ze deed haar ontdekking geheel per ongeluk. De luchtvaartmaatschappij belde de ochtend na zijn vertrek op om uit te leggen dat er een probleem was met zijn retourvlucht en dat het ticket veranderd moest worden.

'Ticket?' zei Elizabeth. 'Vlucht?'

En toen, terwijl de koude ijspegels in haar hart prikten, besefte ze dat haar man, haar Edward, had gelogen.

'O ja,' zei ze, wanhopig pogend haar kalmte te herwinnen. 'Het ticket naar…'

'Met de vlucht van Thessaloniki naar Athene is niets aan de hand,' zei de stem aan de andere kant van de telefoon. 'Maar de retourvlucht vanuit Athene, daar zit hem het probleem.'

Elizabeth knikte stil, vergetend dat de persoon aan de telefoon haar niet kon zien.

'Hallo?' zei de stem. 'Bent u er nog?'

Elizabeth mompelde iets.

'Het is namelijk zo dat door de huidige onrust in Griekenland al onze vluchten onderhevig zijn aan veranderingen. En we zijn ook bezig ons vliegschema terug te brengen tot maar drie vluchten per week.'

'Goed,' zei Elizabeth, 'tja…'

'Ik neem aan dat u contact zult opnemen met uw…'

'Man.'

'Ja. Hij heeft ons namelijk geen adres of telefoonnummer in Griekenland gegeven. Het telefoonnummer van zijn thuisadres was het enige wat we hadden.'

Elizabeth voelde zich duizelig en leunde tegen de keukenkast om steun te zoeken.

'Ja, nou, dank u wel,' zei ze. 'Ik zal ervoor zorgen dat hij de boodschap krijgt.' En daarop legde ze de hoorn op de haak.

'Zijn vader,' fluisterde ze voor zich heen, 'en zijn grootvader – állemaal. En nu hij.' En terwijl ze dat allemaal dacht, besefte ze plotseling dat het leven van haar man in zeer groot gevaar verkeerde.

XIII

12 mei 1969

Toen God de mens schiep, koos hij pater Serafim uit voor een speciale behandeling. Hij voorzag hem van een brede grijns, een grillig kuiltje in zijn linkerwang en een stel ondeugende ogen die je uitnodigden om je in zijn gezelschap te begeven en een gezellig onderonsje met hem te houden. In een andere tijd zou hij misschien een grappenmaker of een hofnar zijn geweest, want hij liet anderen altijd met luchthartige scherts in zijn wijsheid delen. Maar in plaats daarvan was hij tot abt van het Vatopediklooster op Athos gezalfd, waar hij zijn halve leven de kloostergangen met zijn gelukkigmakende charme had gevuld.

Pater Serafim werd zelden zonder lach op zijn gezicht gezien. Hij had een lach op zijn gezicht wanneer hij de courgettes schoffelde. Hij had een lach op zijn gezicht wanneer hij op inktvis viste. Maar zelden had hij een betere aanleiding om te lachen dan op de ochtend van de twaalfde mei 1969. Want drie decaden lang wenste, hoopte en bad hij nu al dat hij Edward Trencom nog eens zou zien. En eindelijk zouden die gebeden worden verhoord.

'Ah, ja. Zo, laat me u eens bekijken,' zei hij, toen Edward de kamer werd binnengeleid. 'Precies… precies zoals ik dacht. U bent het evenbeeld van uw vader.' Hij stak zijn hand uit naar Edwards kin en draaide zijn hoofd zachtjes zijwaarts om het profiel van zijn neus te bekijken.

'Het is hem – precies hetzelfde als Peregrine.'

De abt nam drie glaasjes van babyformaat uit de kast en goot in elk daarvan een drupje likeur. 'Laten we drinken,' zei hij. 'We moeten op uw gezondheid drinken.' Nadat hij Edward op Athos verwelkomd had en een korte toost had uitgebracht, ledigde hij zijn glas en moedigde hij Edward en Papadrianos aan hetzelfde te doen.

Toen beide mannen deze aangename plicht hadden vervuld, gebaarde pater Serafim naar de deur. 'En nu moet u, voordat we iets anders gaan doen, ons klooster bezichtigen. Want het bevat iets – diverse zaken – die u denk ik hogelijk zullen interesseren.'

'Wacht eens even,' onderbrak Edward hem. 'Wacht, wacht. Dit klooster… heet het Vatopedi?'

'Precies,' zei de abt. 'Vatopedi.'

Edward stak zijn hand in zijn zak en haalde er een opgevouwen stuk papier uit met het codewoord 'A+9VATPD70+O' erop.

'Dus dit,' zei hij, 'dit woord in Humphreys boek, houdt verband met dit hier – met dit klooster?'

Pater Serafim knikte en legde zijn arm om Edwards schouders. 'Kom,' zei hij glimlachend. 'U bent al te lang in spanning gehouden. Maar u zult niet veel langer hoeven te wachten.'

Hij nam Edward via de achterdeur van het poorthuis van het klooster mee naar een grote, geplaveide binnenplaats die omgeven was door enigszins vervallen gebouwen. Aan de ene kant van de binnenplaats stond de hoofdkerk van het klooster, een Byzantijns bouwwerk van gehavende rode baksteen. Aan de andere kant, tegenover de kerk, bevond zich de refter, waarvan de buitenmuren versierd waren met fresco's van de heilige Theodoor de Kretenzer.

'Die zullen we later bekijken,' zei pater Serafim. 'Alles op zijn tijd. Eerst moeten we de kerk bezoeken. Ik wil u vooral de kerk laten zien.'

Hij liep met Edward over de binnenplaats en duwde de deur open. Edward ademde diep in door zijn neus toen hij het kerkje binnenliep. 'Hè, ja,' zei hij zachtjes. 'Eindelijk doet hij het weer.'

De abt wierp hem lachend een vragende blik toe en vroeg of hij mocht weten waar het over ging.

'Mijn neus,' verklaarde Edward. 'Al drie maanden lang laat hij me in de steek... heeft hij het niet goed gedaan. Maar nu...'

Hij snoof de prikkelende geur weer op. 'Nu neemt hij alles waar.'

'Precies zoals het altijd is geweest,' zei de abt. 'Zo ging het met uw vader, en evenzo met de anderen.'

'Mijn vader? De anderen?'

'Kom,' antwoordde pater Serafim, 'laten we de crypte in gaan.'

Terwijl de twee mannen op weg waren naar de crypte, verwelkomde Athos op die warme lenteochtend nog een bezoeker uit Engeland. Al meer dan dertienhonderd jaar had geen vrouw dit schiereiland betreden. Er waren in de kloosters nooit vrouwelijke gasten geweest, en op de met bloemen bezaaide hellingen van de berg mochten geen vrouwelijke dieren grazen. Deze rotsachtige landvinger was aan de Moeder Gods gewijd – de enige vrouw wier naam in de stille kapellen van de kloosters ooit werd genoemd.

Maar op de ochtend van 12 mei 1969 zou daar verandering in komen. Kort na elf uur 's ochtends kon men aan aantrekkelijke en een beetje stijve Engelse dame uit een vissersboot zien stappen, geholpen door twee bejaarde en onverzorgde Griekse mannen.

'Genade,' zei de een tegen de ander terwijl hij een kruisteken sloeg. 'Moge de Moeder van God ons genadig zijn.'

De andere man knikte instemmend. 'Ze weet wat ze doet,' zei de ander.

'Wie? De Moeder van God?'

'Nee, die dame.'

Mevrouw Trencom bedankte de vissers, betaalde hun voor de overtocht en beende weg over het kiezelstrand. Terwijl ze naar het Vatopediklooster liep, dat een eindje van de kust af lag, overpeinsde ze de ongewone gebeurtenissen van de afgelopen twee etmalen. Wat een woelige tijd was dat geweest. Nauwelijks had ze gehoord waar haar man heen was gereisd, of ze besloot hem op te sporen en te redden. Ze boekte een vlucht naar Athene en een aansluitende vlucht naar Thessaloniki en ging naar het vliegveld – de eerste keer dat ze ooit alleen een vliegreis had gemaakt.

Toen ze in deze stad aankwam, was het avond, en het duurde ruim een uur voordat ze onderdak had gevonden. Nauwelijks was ze in haar kamer in Hotel Olympus getrokken, of er werd op haar deur geklopt. Nadat ze kort had overwogen of ze hem zou openen of niet, draaide ze de sleutel om en stond ze tegenover een lange, onberispelijk geklede Griekse man.

'Ik ben meneer Makarezos,' zei hij, zijn hand uitstekend. 'U hebt denk ik van me gehoord. Kunnen we praten?'

Het bracht mevrouw Trencom erg van haar stuk dat ze bezoek kreeg van een vreemde man in een onbekend hotel, maar ze liet niets blijken van verbazing of angst. Ze wachtte al weken op een confrontatie met meneer Makarezos en het luchtte haar zo op dat het eindelijk zover was, dat ze het niet eens vreemd vond dat hij haar naar Thessaloniki was gevolgd.

'Kom binnen,' zei ze buitengewoon kalm. 'Ik wil al een hele tijd met u praten.'

'Voordat u iets zegt,' antwoordde hij, 'moet u me toestaan te spreken. Ik kom u meedelen dat ze weten dat u hier bent – ja, de junta. Ze houden u in de gaten en ze hopen dat u hen naar uw man zult leiden. U moet geen contact met hem opnemen. *Niet doen*. U zult zijn leven in zeer groot gevaar brengen.'

'Ach, kom, meneer Makarezos,' zei mevrouw Trencom met een stem die onnatuurlijk kalm klonk. 'Ik kan me niet voorstellen dat ik het leven van mijn man in nog groter gevaar kan brengen. Het is waarschijnlijker dat hem iets overkomt wanneer ik hem níét vind. Dat begrijpt u toch zeker wel? Negen generaties Trencoms zijn omgekomen doordat ze geobsedeerd waren door hun neus. Ze kunnen zich niet redden. Hun neus brengt hen op het verkeerde pad.'

Het was lang stil toen meneer Makarezos nadacht over de vraag hoe hij deze koppige en uiterst starre vrouw het best kon aanpakken. Hij had het nooit zo op Engelse vrouwen gehad en Engelser dan mevrouw Trencom kwam je ze zelden tegen.

'Maar weet u waar hij is?' vroeg hij. 'Zou u hem kunnen vinden?'
'Ja, hoor,' zei mevrouw Trencom. 'Ik weet precies waar hij is. Een goede vriend van hem, Herbert Potinger, heeft namelijk alle raadseltjes en afleidingsmanoeuvres van Humphrey Trencom weten te ontcijferen. Hij heeft me precies verteld waar ik mijn man zou kunnen vinden. En ik heb geen enkele reden om eraan te twijfelen dat dat dan ook de plek is waar ik hem zál vinden.'

'Maar u kunt er toch niet naartoe gaan. Dat kan echt niet. Het is vrouwen strikt verboden Athos te betreden. Begrijpt u het dan niet? Dat is voorbehouden aan de Moeder Gods.'

'Nou,' zei mevrouw Trencom, terwijl ze haar armen over elkaar sloeg, 'daar gaat dan nu verandering in komen. Ik ga naar Athos, Moeder Gods of geen Moeder Gods. Ik dank u voor uw advies, meneer Makarezos, echt waar. Maar ik verzeker u dat mevrouw Trencom heel goed op zichzelf kan passen. Als er al iemand in gevaar verkeert, zou u dat zelf wel eens kunnen zijn.'

Ondanks deze stoere taal werd mevrouw Trencom plotseling heel zenuwachtig toen ze de dikke muren van het Vatopediklooster naderde. Ze staarde een paar minuten naar het kloostercomplex en liep toen op het poorthuis af. De muren waren ruim tien meter hoog en omsloten alle gebouwen – een groot stenen verdedigingswerk dat erop was gebouwd de kloosterschatten te beschermen tegen de barbaarse zeerovers die ooit overvallen pleegden op deze kusten.

'Goed… daar gaat-ie,' zei Elizabeth zacht terwijl ze naar de hoofdpoort toe liep. 'En nu maar hopen dat Herbert gelijk had.'

Het poorthuis was leeg en mevrouw Trencom kon ongezien de omsloten binnenplaats op lopen. Ze droeg een lila katoenen jurk en had een grote strooien hoed op, wat haar op en top een Engelse maakte. Ze deed geen moeite haar aanwezigheid op de binnenplaats te verbergen. Ze dwaalde zelfs een paar minuten rond en bewonderde de klimrozen en zette haar gedachten op een rijtje. Er was niemand in het klooster te bekennen en ze begon zich af te vragen of iedereen aan het werk was op het land in de omtrek.

Toen men haar eindelijk in de gaten kreeg, brak er een flinke verwarring uit. Twee monniken kwamen uit de refter de binnenplaats op en keken vol ongeloof naar iets wat een vrouw leek – of het visioen van een vrouw – die aan de rozen rond de ingang van de kerk stond te ruiken.

'In de naam van God!' riep de een uit.

'Barmhartige Vader!' zei de ander.

De twee monniken bleven ruim een minuut als aan de grond genageld staan, zich afvragend of ze werkelijk de Moeder Gods aanschouwden of niet.

'Is Zij het?' zei de een, die op het punt stond zich eerbiedig in het stof te werpen.

'Ik... geloof... het... niet,' zei de ander hakkelend. 'Ze ziet er te... Engels uit.'

Terwijl ze overlegden wat hun te doen stond, keek mevrouw Trencom op. Ze zag de twee monniken naar haar staren en liep kwiek op hen af. Ze vroeg of ze Engels spraken, maar ze keken haar wezenloos aan.

'Ik kom voor mijn man,' zei ze, luid sprekend en veel langzamer dan anders. 'Edward Trencom – zo heet hij.'

Toen dit nog steeds geen reactie teweegbracht, wees ze naar haar trouwring.

'Ah!' zei een van de monniken, en vervolgens begon hij druk met zijn collega-monnik te praten. Toen de identiteit van deze onbekende vrouw langzaam tot hen doordrong, en ze beseften waarvoor ze misschien was gekomen, wezen ze allebei naar de kerk van het klooster.

'Daar,' zeiden ze. 'Daar zit hij.'

'Heel hartelijk dank,' zei mevrouw Trencom, beleefd als altijd. En na licht voor de twee monniken gebogen te hebben, liep ze het voorportaal van de kerk in.

Pater Serafim verkeerde in totale onwetendheid omtrent de onorthodoxe aankomst van mevrouw Trencom in het Vatopediklooster. Hij vierde nog het feit dat meneer Papadrianos Edward naar Athos had weten te krijgen, en toen hij zijn Engelse gast naar de trap van de crypte leidde, waarbij ze een paar donker geworden fresco's en iconen passeerden die door kaarsen werden verlicht, kon hij zijn tevredenheid nauwelijks verbergen.

'Ziet u die?' zei hij, naar drie reliekhouders wijzend. 'Sint-Athanasius, Sint-Antonius en Sint-Nicolaas, de stichters van dit klooster. Ze zijn hier al negenhonderd jaar.'

Het rook in de kerk naar wierook en boenwas, maar Edward merkte dat hij telkens wanneer hij een icoonlamp passeerde, de geur van goedkope plantaardige olie in zijn neus kreeg. Hij vroeg zich af waarom ze geen olijfolie gebruikten. Dat zou veel lekkerder ruiken, dacht hij. En zo duur kon het niet zijn.

'Let op voor de treetjes,' waarschuwde de abt. 'We zouden niet willen dat u – hoe zegt men dat in het Engels? – een smak maakt.'

Hij verdween om een scherpe hoek en Edward volgde hem, de dunne metalen trapleuning stevig omklemmend. De treden waren zo glad als knikkers en het enige licht dat er was, kwam van een gloeilampje boven de trap.

Steeds verder naar beneden ging het, nog twee windingen van de trap om, totdat Edward merkte dat de duisternis eindelijk verzacht werd door een bleek lichtschijnsel. Hij liep achter de abt nog twee grotere treden af en stond toen plotseling in een grote kapel die verlicht werd door tientallen olielampen. Toen hij om zich heen keek, schrok hij ontzettend van wat hij zag. Voor hem stond een open stenen sarcofaag, en aan het uiteinde stond een icoon van iemand die precies dezelfde neus had als hij. Hij was lang, dun en recht, met een opvallende bobbel op de brug.

Edward keek nu naar de sarcofaag zelf en zag tot zijn ontzetting dat hij een volledig menselijk skelet bevatte. Hij hapte naar adem en slikte moeizaam.

'Mijn god,' zei hij. 'Wie is dat?'

De abt sloeg een kruisteken en bukte zich om de icoon te vereren. Toen liep hij weer naar Edward en voerde hem mee naar de zijkant van de tombe.

'Vertelt u me nu eens,' zei de abt, 'wat u over Humphrey Trencom weet?'

'Humphrey Trencom?' herhaalde Edward fluisterend. 'Nou, eh, toen hij uit Constantinopel wegging, had hij een pakje bij zich – een kostbaar voorwerp of zo. En toen, eh, toen is hij duidelijk hierheen gegaan.'

'Ja,' zei de abt. 'Zijn code was eigenlijk niet zo ingewikkeld. Laat me uw papier eens zien.'

'De A en de O,' zei de abt, 'die staan voor Agion Oros. De heilige berg. De Athos. En de getallen, tja, 970 is het jaar waarin ons klooster is gesticht.'

Edward hield zijn adem in. Maar natuurlijk, dacht hij, terwijl hij terugdacht aan zijn laatste gesprek met Herbert Potinger. 'En met die hermafrodieten… daarmee moet hij monniken hebben bedoeld. Er wonen hier al generaties lang monniken, en net als hermafrodieten lijken ze zichzelf te kunnen voortplanten.'

'Klopt,' zei de abt. 'Humphrey Trencom is hierheen gekomen, naar Vatopedi. Hij kwam hier met het pakje dat hij in Constantinopel had gevonden.'

'Maar wat zat er toch in?' vroeg Edward. 'Dat heb ik al die tijd proberen uit te zoeken.'

'Botten,' zei de abt.

'Botten?' herhaalde Edward. 'Meer niet?'

'Méér níét?' riep de abt uit terwijl hij naar de sarcofaag wees. 'Dit zijn de botten die hij meenam. Deze relieken – deze superheilige relieken. Ze zijn zelfs nog heiliger dan de relieken in de kerk hierboven.'

'Maar van wie zijn die botten dan?' zei Edward. Maar nog voordat hij de zin af had, drong het tot hem door dat hij het antwoord al wist.

'Het zijn de stoffelijke resten van de laatste Byzantijnse keizer, Constantijn XI Palaiologos. Hij kwam om tijdens de belegering van de stad in 1453. Geveld door de ongelovigen toen hij dapper de Porta Aurea verdedigde. Zijn dood betekende het einde van een tijdperk en leidde tot de val van het nobelste, glorierijkste, christelijkste rijk dat de wereld ooit heeft gekend.'

Er viel een lange stilte, waarin Edward alles wat pater Serafim hem had verteld, verwerkte. Maar hij begreep het nog steeds niet helemaal.

'Maar waarom Humphrey?' vroeg hij. 'En waarom ik? Ik weet nog steeds niet waarom ik hier ben.'

'Ik denk dat u dat wel weet,' zei de abt. 'Maar ik zal u eerst iets anders uitleggen. Iets belangrijks. Nadat de Turken Constantinopel hadden buitgemaakt, zetten ze een grote zoektocht op touw naar het lijk van de keizer. Veel mensen geloofden namelijk dat hij niet dood was – dat hij weer zou verrijzen, dat hij onsterfelijk was en zou terugkeren om de Turken te verpletteren. De Turken geloofden deze profetieën ook. Men zei dat sultan Mehmet de Veroveraar niet kon slapen uit angst dat zijn aartsvijand zijn troepen aan het hergroeperen was.'

De abt schraapte zijn keel en begon zacht met een heldere stem te zingen:

'Koning, ik zal opstaan uit mijn marmeren slaap,
en uit mijn mystieke graf zal ik verrijzen
om de dichtgemetselde Gouden Poort wijd te openen
en, als overwinnaar van kaliefen en tsaren,
hen tot voorbij Rodeappelboom te verdrijven;
pas op mijn oude grenzen zal ik rusten.'

'Wat is dat?' vroeg Edward, toen hij uitgezongen was. 'Wat zingt u daar?'

'Dat is van Palamas, een van onze beroemdste Griekse dichters. Hij heeft het over keizer Constantijn. Veel mensen in Griekenland geloofden namelijk ook dat de keizer terug zou komen, en de verhalen over zijn wederopstanding gingen na verloop van tijd deel uitmaken van onze folklore.'

'Maar waarom zijn zijn botten hierheen gebracht?'

'Kijk,' zei pater Serafim, 'de monniken in Constantinopel waren ook niet dom. Ze beseften hoe belangrijk het was dat de dood van de keizer geheim werd gehouden, dat zijn lichaam werd veiliggesteld en dat de verhalen over zijn ophanden zijnde terugkeer verteld bleven worden. Ze wisten dat het hun zou helpen de droom levend te houden dat Constantinopel ooit zou worden heroverd. Dus hielden ze Constantijns lichaam zeven jaar lang begraven, zoals bij ons de gewoonte is, en groeven ze daarna zijn botten op. Ze werden ruim twee eeuwen lang in een geheime kapel onder de Porta Aurea bewaard.'

'En toen bracht Humphrey ze hierheen?'

'Ja. Maar u loopt op de zaak vooruit,' zei de abt. 'U moet nog één ding weten. Keizer Constantijn stierf zonder een erfgenaam achter te laten, en de opvolging ging over op zijn broer Thomas. Deze had een zoon die Andreas heette en die werd dus de wettige erfgenaam van de Byzantijnse troon. Het gezin woonde toen natuurlijk al niet meer in Constantinopel. De hele familie was gevlucht toen de stad in Turkse handen viel. Sommigen zochten hun toevlucht in Morea, waar ze werden verwelkomd door de plaatselijke adel. Anderen vluchtten veel verder weg – naar Florence, Zweden, Beieren en Rusland.

De oudste zoons werden allemaal aangezocht door de beroemdste gekroonde hoofden van Europa, aangezien ze de legitieme en wettige erfgenamen van de Byzantijnse troon waren. Zelfs dochters, nichten en neven werden overal in Europa verwelkomd – zo groot was de faam van de naam Palaiologos. Drie generaties na die van Andreas produceerden kinderen en kleinkinderen zoons die het geslacht voortzetten, maar bij Ioannes, de achterachterkleinzoon van Andreas, kwam er een probleem. Want Ioannes had alleen maar dochters, van wie de eerstgeborene de naam Zoë kreeg.'

'Zoë,' herhaalde Edward, wiens brein nu op topsnelheid werkte om het allemaal bij te houden. 'Ik denk dat ik weet waar dit heen gaat.'

'Dat zou ook moeten,' vervolgde de abt, 'want nu komt u in

324

het verhaal te pas. Toen Zoë werd geboren, was de familie Palaiologos over heel Europa verspreid. De hoofdtak had zich in Frankrijk gevestigd, maar Zoë's vader was naar Engeland overgestoken, waar hij hoopte bescherming te vinden aan het hof van koning Karel I. Maar de Engelse koning had het veel te druk met zijn eigen problemen om Ioannes Palaiologos te kunnen helpen. De arme Ioannes, die sukkelde met zijn gezondheid en tobde met financiële problemen, ging eerst naar Bognor en toen naar het westen van Engeland. En daar ontmoette en huwde Zoë, erfgename van de Byzantijnse troon…'

'Alexander Trencom,' zei Edward triomfantelijk, zijn verhaal onderbrekend.

'Precies,' antwoordde de abt. 'En toen ze een zoon voortbrachten, die ze Humphrey noemden, werd hij de wettige erfgenaam en enige troonpretendent. Keizer Constantijn XI Palaiologos had namelijk een keizerlijk decreet uitgevaardigd dat hierin voorzag. "Zij zullen, gezegend door God en geheiligd door de kerk, heersers over het rijk blijven tot het eind der tijden." Het document werd door uw vader naar het klooster gebracht. We hebben het nog steeds – ik zal het u straks laten zien. Dit was inderdaad het document dat de heer Makarezos in de kelder van uw winkel hoopte te vinden.'

Edward vroeg de abt even te wachten, zodat hij alles wat hem verteld was, in zich op kon nemen. 'Dus dat betekent,' zei hij langzaam, 'dat ook ik…'

'Ja,' zei de abt. 'Net als uw vader. En uw grootvader. Allemaal stamden ze rechtstreeks af van de laatste Byzantijnse keizer.'

Edward tuitte zijn lippen en mompelde zacht: 'Ging Humphrey daarom naar Constantinopel?'

'Inderdaad. Humphrey was ervan overtuigd dat hem een teken was gegeven. Zijn moeder, Zoë, had hem iets in die trant verteld. Het was een familietraditie, daar komt het op neer. Maar Humphrey dacht dat de verwoesting van zijn winkel echt een teken van God was – een teken dat hij naar Constantinopel moest reizen om zijn troon op te eisen.

Toen hij in de stad kwam, merkte hij dat de monniken hem maar al te graag wilden steunen. Ja, ja, de Kerk wilde hem dolgraag weer op de troon hebben. Maar het was geen geschikt moment, want de sultan was veel te machtig. Hoewel er nog steeds duizenden Grieken in de stad woonden – ze waren er geboren – was er geen steun voor een algemene opstand.'

'Maar waarom bracht hij de botten naar Athos?' vroeg Edward. 'Ze hadden toch in Constantinopel kunnen blijven?'

'Nee,' zei pater Serafim. 'De sultan begreep namelijk volledig welke macht relieken kunnen hebben. En hij begreep ook de macht van folklore. Hij vermoedde dat de botten van Constantijn ergens in de stad waren verborgen en gaf opdracht ze te zoeken. Ik denk dat hij wist dat hij, als hij kon bewijzen dat de keizer was gestorven, een einde kon maken aan de mythe dat Constantinopel op een dag weer in Griekse handen zou komen. In de zomer van 1667, kort nadat Humphrey in de stad was aangekomen, vonden de dienaren van de sultan de botten bijna. En daarom had de patriarch Humphrey de taak toevertrouwd ze op Athos in veiligheid te brengen. Hij kon er zeker van zijn dat niemand ze daar ooit zou vinden.'

Edward mompelde weer zacht. Wat de abt hem zojuist had verteld, verbijsterde hem, en hij kon niet zo gauw verwerken dat hij en zijn familie afstammelingen van keizer Constantijn waren. Hij had nooit verwacht dat zijn verhaal zo'n ongelooflijk einde zou hebben.

'Maar wat is er dan met Humphrey gebeurd?' vroeg hij. 'Wat is er met zíjn lichaam gebeurd?'

'Kom,' zei de abt. 'Loop maar met me mee.'

Hij bracht Edward naar een vertrek dat aan de kleine crypte grensde en veel groter leek. Er heerste volslagen duisternis en de abt stak zijn hand in zijn pij om een doosje lucifers te pakken. Hij streek er een af en hield de vlam bij de pit van een kaars en wachtte tot hij goed brandde. Nauwelijks had het zwakke licht zich in de kamer verspreid, of Edward hield zijn adem in toen zijn ogen waarnamen wat zich daar bevond.

'God o god,' zei hij, steun zoekend tegen de muur. Zijn benen waren slap en zijn hoofd tolde. 'Mijn god. Zeg dat het waar is. Zeg dat ik wakker ben.'

'U bént wakker, en het ís waar,' zei de abt. 'Ik wacht al bijna mijn hele leven op het moment waarop ik u dit kan laten zien.'

Voor de twee mannen bevond zich een rij van negen open tomben en elk daarvan bevatte een volmaakt menselijk skelet.

'Mijn familie,' zei Edward, naar adem happend. 'Mijn voorvaderen.'

Hij tuurde in iedere tombe en keek vervolgens weer naar pater Serafim.

'Humphrey, Alexander en Samuel,' zei de abt, naar de eerste drie skeletten wijzend. 'Joshua, Charles en Henry. Emmanuel, George en – ja – dat zijn de botten van uw eigen vader, Peregrine, die op deze berg het leven liet.'

'En ze gaven allemaal hun leven voor...' begon Edward.

'...de Griekse zaak. Ja, ze hoopten allemaal – wensten allemaal – opnieuw de leider van het Griekse volk, van onze heldhaftige natie, te worden.'

Pater Serafim liep naar de tombe die de botten van Charles Trencom bevatte. 'Charles was degene die het dichtst bij de verwezenlijking van zijn droom kwam,' zei hij. 'Als Lord Byron in zijn missie was geslaagd, en als Charles niet was vermoord, was hij misschien op de troon van Griekenland terechtgekomen.'

'En Henry?'

'Een dapper man – echt dapper. Hij probeerde een aanslag op de sultan te plegen. Maar daarbij werd hij helaas zelf gedood.'

'En George?'

'Ah, ja, uw grootvader. Ook hij kwam dicht bij de kroning. Als Atatürk er niet was geweest, de schavuit, dan zou George misschien in Constantinopel zijn gekroond. Maar het mocht niet zo zijn.'

Edward dwaalde tussen de sarcofagen door en probeerde alles wat hem zojuist was verteld, te bevatten. Zijn hele leven had hij zich afgevraagd wat er met zijn vader was gebeurd. Nu stond hij voor zijn skelet.

'Maar hoe zijn ze in 's hemelsnaam hier gekomen?' vroeg hij. 'Hoe hebt u ze allemaal in uw bezit gekregen?'

'Dat was niet gemakkelijk,' gaf de abt toe. 'En het vergde heel wat inspanning. Maar we móésten ze hebben. Deze botten zijn heilige relieken. De familie Trencom is gelijk aan de familie Palaiologos, en die naam is voor iedereen die zich Griek noemt heilig.'

Edward ging op de rand van een van de stenen sarcofagen zitten. Van alle ongewone dingen die hem de afgelopen weken waren overkomen, was niets, maar dan ook echt niets hiermee te vergelijken. Papadrianos had hem verzekerd dat hij antwoorden zou krijgen en nu vielen alle puzzelstukjes stuk voor stuk op hun plaats. Hij wist waarom Humphreys lichaam op het kerkhof van Piddletrenthide was opgegraven. Dat was om zijn stoffelijke resten hierheen te brengen, naar Griekenland, naar de laatste rustplaats.

Toen hij had nagedacht over wat hem was verteld, wendde Edward zich tot pater Serafim met een vraag die onbeantwoord was gebleven.

'Maar wat,' vroeg hij, 'heeft onze neus met dit alles te maken? Is de vorm van onze neus echt door de eeuwen heen doorgegeven?'

Pater Serafim had deze vraag al verwacht en stak zijn hand diep in de zak van zijn pij. Nadat hij er even in had gevoeld, haalde hij er een kleine koperen munt uit waarop het profiel van een keizer stond.

'Dat is toch niet mogelijk!' zei Edward ademloos, terwijl hij de vreemdgevormde neus van de keizer bestudeerde. 'Is hij het echt? Ik ben al jaren op zoek naar een munt met zijn beeltenis.'

'Nou, hier is hij dan,' zei de abt. 'Keizer Constantijn XI Palaiologos. Uw voorvader. Hou hem maar. Hij is voor u.'

'Voor mij? Maar... hij is heel zeldzaam. Weet u het zeker?'

'Ja,' antwoordde de abt. 'Je zou zelfs kunnen bewerken dat u de rechtmatige eigenaar bent.'

Edward schudde verward zijn hoofd en bewonderde nog eens het profiel van de keizer. Zijn neus leek opmerkelijk veel op die van Edward: lang, smal en recht, en met een opvallende bobbel op de brug.

'En de neus is van generatie op generatie doorgegeven?' zei hij. 'Al meer dan zevenhonderd jaar? Binnen de familie?'

'Ja,' zei de abt. 'Dat moet het geval zijn geweest. Keizer Constantijn was zelfs niet eens de eerste die uw neus had. U hoeft alleen maar naar de portretten van de eerste keizer Palaiologos, Michaël, te kijken, om te zien dat die ook een bijzondere neus had.'

'Maar het is niet alleen de vorm,' onderbrak Edward hem, die zijn blik weer naar de skeletten van zijn voorvaderen liet dwalen. 'Dat is maar een deel van het verhaal. Het is het vreemde vermogen van onze neus om zelfs de allervaagste geuren op te vangen, de ongelooflijke kracht van onze neus. Dat is iets wat ik helemaal niet begrijp.'

'Ja, ook dat vermogen is sinds het begin der tijden al in de familie,' zei de abt. 'Zo vermeldt keizer Michaël VIII Palaiologos dat hij op de ochtend waarop hij Constantinopel terugveroverde op de kruisvaarders, de overwinning al kon ruiken. Hij heeft het over de "wierook voor de dankzegging" die door de bries wordt meegevoerd.

Ook heeft de neus vaak tekenen van naderend onheil gegeven. Denk maar aan keizer Manuël II Palaiologos. Vlak voordat hij in de Toren van Anemas werd opgesloten, kon hij ineens niets meer ruiken. En de neus van Constantijn liet hem een paar uur voor het beleg van Constantinopel in de steek. Het was net of die zijn ophanden zijnde nederlaag voorvoelde.'

Edwards hand ging instinctief naar zijn neus en hij wreef met zijn wijsvinger over de rug.

'En u, Edward, hebt dit buitengewone zesde zintuig ook geërfd. Velen zeggen dat u de krachtigste neus van vele generaties hebt.'

Pater Serafim viel even stil en sloeg weer een kruisteken. 'U vroeg me waarom u dit vermogen hebt. En u vroeg me hoe dat kwam. Mijn persoonlijke mening is dat het geheugen, die schatkamer van de menselijke geest, de ervaringen van de reuk kan opslaan. Ik geloof dat verschillende geuren en gewaarwordingen worden doorgegeven van vader op zoon. Ga maar na: je kunt een krokus in de lente ruiken en de geur maanden later, wanneer het hartje winter is, nog terughalen. Je kunt een geitenkaas in Griekenland ruiken en je die nog herinneren wanneer je weer in Engeland bent. Net zo, maar dan op veel grotere schaal, kan het reukvermogen van de ene generatie op de andere worden doorgegeven.

Maar u stelt eigenlijk te veel vragen. Dat is de ondeugd van het Westen. Er zijn veel zaken – wonderbaarlijke zaken – die niet te verklaren zijn. Die nooit verklaard zullen worden ook, omdat ze in Gods handen liggen. Er zijn diepten die zich niet laten peilen – die nooit te peilen zullen zijn. Weet u, Edward, de wetenschap kan niets met mysteriën.'

Toen de abt tot deze afsluitende woorden sprak, voelde Edward een tintelende koude door zijn lichaam trekken, van zijn voeten tot zijn kruin en vandaar naar de punt van zijn neus. Het voelde zich duizelig, hij was licht in het hoofd en bevangen door een hevige angst. Het was allemaal te veel om te verwerken.

'Maar waarom ben ík hier?' zei hij ten slotte. 'Wat wilt u van mij?'

Het was lang stil voordat de abt zich omdraaide en hem recht aankeek. Maar terwijl hij dat deed, kreeg hij de grootste schrik van zijn leven. Hij zag een vrouw de laatste paar treden van de trap af lopen die naar de crypte voerde. En hoewel hij haar nog nooit eerder gezien had, leed het voor hem geen twijfel wie ze was.

'In de naam van God, wat... Hoe bent u...?'

'Elizabeth Trencom,' zei de vaag verlichte figuur terwijl ze haar hand uitstak. 'Ik kom mijn man redden.'

'Maar hoe bent u in duivelsnaam hier gekomen?' brulde de abt, wiens energie plotseling hernieuwd leek. 'Weet u niet dat vrouwen niet op Athos mogen komen? Het is heilige grond. Het is gezegende grond.'

'Ja, ja,' zei mevrouw Trencom uiterst zakelijk. 'Dat weet ik allemaal wel. Ik zal me er later ook voor verontschuldigen. Maar laten we nu even snel overstappen op de kwestie waar het om gaat, voordat het te laat is. Ik geloof dat u iets tegen mijn man wilde gaan zeggen. Hij wilde weten waarom hij hierheen is gebracht. Waarom u hem zo hard nodig hebt. Maar voordat u hem dat vertelt, moet u mij toestaan iets te zeggen.'

Elizabeth lachte nerveus terwijl ze haar gedachten op een rijtje zette. Ze kon haast niet geloven dat ze hier in het klooster van Vatopedi stond, voor haar verdwaasde en verwarde echtgenoot.

'Zoals u weet,' zei ze, 'heeft Edward de beste neus van vele generaties Trencom. Hij heeft ook de beste kaaswinkel van heel Groot-Brittannië. Maandenlang streeft hij nu al een onbekend doel na, een belachelijk doel. Hij is geobserveerd en geschaduwd. We zijn allebei bespioneerd. Onze winkel is een verschrikkelijke ramp overkomen. Ons leven is in gevaar geweest. Daar moet een eind aan komen. Het is mooi geweest. Ik sta niet toe dat u ons huwelijk naar de knoppen helpt. Ik sta niet toe dat u de Trencoms te gronde richt. We hebben Edwards neus nodig in Londen.'

Elizabeth was zo geanimeerd en boos dat er twee blosjes op haar wangen waren verschenen. Ze wilde doorgaan, maar werd onderbroken door de abt.

'Nee, nee,' zei hij. 'Ik beveel u te stoppen. We hebben zijn neus hier nodig.'

'Tja, in dat geval,' zei Elizabeth boos, 'moet zijn neus maar beslissen. We zullen hem aan een test onderwerpen. En op dat oordeel moeten we vertrouwen. Maar verlos hem eerst uit zijn lijden, alstublieft. Vertel hem wat u van hem wilt.'

Pater Serafim maakte de som op van wat mevrouw Trencom zojuist had verteld en besefte toen dat hij geen andere keus had dan door te gaan. Ze was duidelijk niet van plan de crypte te verlaten en bovendien wist de abt dat hij Edward niet meer onder

331

druk kon zetten. Zijn neus, en niets anders dan zijn neus, zou inderdaad de keuze moeten maken.

'Edward Palaiologos,' begon hij, Elizabeth nadrukkelijk de rug toekerend, 'ons land verkeert in een crisis. We hebben een keerpunt bereikt. De koning, onze Déénse koning, is gevlucht. Hij heeft afstand gedaan van de troon. Hij keert nooit meer terug. Boze krachten heersen over dit land – de junta richt ons land te gronde. Maar het goede verzet zich eindelijk. Er zijn rellen in Athene. Er is een algemene staking. De studenten rebelleren in de straten. En ook de Kerk heeft zich tegen de junta uitgesproken. We zullen ons met al onze kracht, macht en gebeden tegen deze groep ordinaire criminelen verzetten.'

'En ik?' kermde Edward. 'Wat wilt u dan van mij?'

'U, Edward, zult ons boegbeeld zijn, onze strijdkreet. U bent de enige rechtmatige en wettige erfgenaam van de Griekse troon. In uw botten stroomt het bloed van Griekenland. U bent de uitverkorene, degene die ons naar de overwinning zal voeren. We voorzien een lange strijd. We zullen het moeten opnemen tegen de kolonels die ons heilige land verwoesten en daarna zullen we de strijd verplaatsen naar de poorten van de heilige stad zelf. Er zal veel bloed vloeien, er zullen vele doden vallen, maar de overwinning, Edward, zal uiteindelijk aan u zijn. Ja, ja... de overwinning zal aan u zijn.'

Edward keek de abt met een leeg gevoel aan. Zijn neus begon hevig te trekken, alsof hij reageerde op ieder woord dat de abt had gezegd. Zijn neusgaten leken wijder te worden, steeds wijder, toen de reikwijdte van wat pater Serafim zei, volledig tot hem doordrong. Edward kon de wierook van de kerk niet meer ruiken, net zomin als de kaarsen of de olielampen. Zijn neus ving nu de stank van toekomstige veldslagen op: gangreen en cordiet en stinkende lijken. Hij rook ingewanden en braaksel, prikkelende rook en rottend vlees. Honderden jaren lang waren de Trencoms nu al gezegend met de meest buitengewone reukzin. Generaties lang hadden ze aan het leven en de dood geroken en de geuren van de sterfelijkheid opgeslagen in de spelonken van hun

332

geest. En nu, op dit moment van grote nood, kwam de overge-
erfde herinnering aan deze geuren terug en vulden deze de gevoelige neusgaten van Edward Trencom. Hij werd misselijk en de
kamer draaide rond. Zijn neus had hem naar het slagveld overgebracht, waar de keizerlijke troepen de troepen van de junta af-
slachtten. En hij vond de geur van het conflict even afstotend als
een glas melk dat was gaan schiften en zuur was geworden.

Was dit écht zijn levensopdracht? Was hij hiervoor met zo'n
bijzondere neus gezegend? De stank werd sterker en indringender – een meedogenloze golf verschrikkelijke, bizarre geuren.
Maar net toen Edward dacht dat hij zou bezwijmen, begon er
een heel andere geur tot zijn neusgaten door te dringen, een geur
die aangenamer en geurige was dan enige andere geur die hij in
lange tijd geroken had. Er leek een optocht van kazen door zijn
neus te trekken – een statige stoet die met de seconde sterker
werd. Eerst waren ze zo zacht als de romige chevrotin. Edward
ontwaarde de citroenachtig scherpe geur van een Pruisische til-
siter en het goddelijk-zoete aroma van een rollot. Ze werden gevolgd door de muscadelachtige septmoncel en de varkensstalgeur
van een cabreiro. En toen kwamen de eerbiedwaardige generaals
van het schaakbord: de nobele roquefort en de pittige epoisses!
Terwijl Edward zwolg in dit erfboeket, drong het tot hem door
dat al die geuren zich begonnen te vermengen tot één sterke
cocktail die iedere porie van zijn ontvankelijke neusgaten binnendrong. Het leek wel of hij onder de langzaam draaiende vinnen van Trencoms stond.

'Wat moet ik doen?' mompelde hij zacht. 'Van al mijn voorvaderen ben ik vast de enige die Griekenland kan redden. Mijn
vader, mijn grootvader, Emmanuel, Henry, Charles, Samuel en
Alexander. Allemaal hebben ze hun leven gegeven voor dit ene
moment. Wat moet ik doen, Elizabeth? Wat moet ik kiezen?'

Elizabeth zei niets. Ze keek gespannen naar de neus van haar
echtgenoot en zag dat die nog heftig trok. Zijn gezicht was
doodsbleek geworden en het koude zweet biggelde van zijn
voorhoofd. Toen ze zag dat hij op het punt stond in te storten,

besefte ze dat dit het moment was om te handelen. Zonder verdere plichtplegingen stak ze haar hand in haar handtas en haalde ze er een Tupperware-doosje uit.

'Wat is dat?' fluisterde Edward. 'Wat heb je meegenomen?'

'Hou haar tegen!' schreeuwde pater Serafim zo luid dat de doden nog tot leven zouden komen. 'U mag dat doosje niet opendoen. In naam van alles wat heilig is, ik beveel u hem dicht te laten.'

'Het is al te laat,' zei Elizabeth, die haar nagels al onder de rand van de deksel had gezet. 'Er is geen weg terug meer. Ik hoop alleen maar dat de neus ons eindelijk een antwoord zal geven.'

Er was een harde klik toen de deksel eraf vloog en op de grond viel. En precies op dat moment sijpelde er een nieuwe en zeer sterke geur de crypte in.

'O, mijn god!' riep Edward uit. 'Is het echt waar?'

En terwijl hij diep snoof, vulde de aromatische geitengeur van touloumotyri zijn neusgaten. Hij snoof nog eens en liet de geurige lucht tot diep in het binnenste van zijn neus doordringen.

'Hè, ja,' zei hij met een dromerige lach op zijn gezicht. 'Precies zoals hij zijn moet. Een lentekaas, daar is geen twijfel over mogelijk. Je kunt de wilde weiden ruiken. En ik geloof dat hij' – snuf, snuf – 'uit het dorpje Dhimitsana komt, op de Peloponnesos.' Hij was nu weg van de wereld – half in trance. In gedachten zag hij geiten en dorpjes in de heuvels en velden vol rode wilde klaprozen.

'Hoe ben je daaraan gekomen? Waar heb je die gekocht? O, Elizabeth, ik wil die kaas voor Trencoms hebben. Ik wil niets liever.'

Terwijl Edwards gedachten hem halsoverkop terugvoerden naar de winkel, voelde hij een nieuwe golf van duizeligheid door zijn hoofd trekken. Zijn ogen werden omfloerst en zijn knieën trilden onbedwingbaar. En nog voordat hij een pilaar vast had kunnen vastgrijpen om steun te zoeken, of zelfs maar te gaan zitten, bezwijmde hij. Hij verloor het bewustzijn, zakte in elkaar en viel op de grond. Hij was bewusteloos, maar dronken van geluk,

en zijn neus leek nog een paar keer te trekken voordat een stralende glimlach zich over zijn gezicht verspreidde.

'Ik denk,' zei Elizabeth tegen pater Scrafim, 'dat de neus van
mijn man tot een besluit is gekomen. En als u me nu wilt excuseren, dan gaan we gauw op huis aan.'